the big book

Книги
Дианы Сеттерфилд

•

Тринадцатая
сказка

•

Беллмен и Блэк,
или
Незнакомец
в черном

Диана Сеттерфилд

Беллмен и Блэк, или Незнакомец в черном

Санкт-Петербург

УДК 821.111
ББК 84(4Вел)-44
С 33

Diane Setterfield
BELLMAN & BLACK: A GHOST STORY

Перевод с английского Василия Дорогокупли

Оформление Ильи Кучмы

ISBN 978-5-389-07620-4

Посвящается моим родителям, Полине и Джеффри Сеттерфилд, от которых, помимо прочего, я получила всю необходимую информацию о рогатках

Вам стоит понаблюдать за грачами.<...>
Но не заблуждайтесь, думая, что знаете этих птиц.
Грачи окутаны дивным небесным покровом тайны.
Они вовсе не те, кем кажутся.

Марк Коккер. Воронья страна[1]

---

[1] *Марк Коккер* (р. 1959) — британский писатель и натуралист, автор ряда книг, посвященных взаимоотношениям человека и дикой природы, в том числе «Вороньей страны» (2007). — *Здесь и далее примеч. перев.*

Мне доводилось слышать — но лишь от тех, кто не может знать это доподлинно, — что в последние секунды пребывания человека в нашем мире вся его жизнь разом проносится перед мысленным взором. По сему случаю какой-нибудь циник мог бы заметить, что предсмертные мгновения Уильяма Беллмена наверняка были посвящены ревизии длинной череды счетов, контрактов и деловых операций, составлявших суть его бытия. На самом же деле, когда он приблизился к границе с миром иным — к той границе, которую рано или поздно суждено перейти каждому из нас, — мысли его сосредоточились на людях, уже канувших в неведомое: жене, троих детях, дяде, кузене и некоторых друзьях детства. А после того как он припомнил всех утерянных близких, остался еще какой-то миг на самое последнее воспоминание перед кончиной. И в этот миг из глубин его сознания всплыло нечто, погребенное там около сорока лет назад: история с грачом.

Дело было так.

Уиллу Беллмену исполнилось десять лет и четыре дня от роду, и празднование первого в жизни юбилея было еще свежо в его памяти. Он с друзьями гулял по краю поля, отделявшего речной берег от леса; то же поле облюбовали грачи, с шумным хлопаньем крыльев садясь на землю и деловито ковыряя ее в поисках червей и личинок. С Уиллом был его кузен Чарльз, которому предстояло со временем унаследовать Беллменскую фабрику. Их отцы приходились друг другу родными братьями — все вроде просто и ясно, да только простотой в тех семейных отношениях и не пахло. Третьим в их компании был Фред, старший сын владельца пекарни. А родня его матери владела молочными фермами и маслобойнями. Утверждали, что никто из детей в Уиттингфорде не питается лучше Фреда, и в это легко верилось, ибо выглядел он взращенным исключительно на сдобных булочках со сливками. Белозубый, мясистый и широкий в кости, он любил поговорить об отцовской пекарне как о своей будущей собственности. Еще там был Люк, сын кузнеца, который и не надеялся хоть что-то унаследовать, имея целую толпу старших братьев. Его медно-рыжие волосы виднелись за милю — понятно, в тех случаях, когда их не покрывал толстый слой грязи. От школы он предпочитал держаться на безопасной дистанции, не видя никакого смысла в ее посещении. Если тебе вдруг захочется получить взбучку, дома ее зададут ничуть не хуже, чем в школе. Посему от родных стен он также держался подальше, разве что совсем оголодает. Когда не удавалось добыть еду попрошайничеством, он кормился плодами садов и огородов, а когда спелых плодов не было, воровал все подряд. Надо же мальчику что-то есть. При этом он питал самые теплые чувства к маме Уильяма, которая иногда давала ему хлеб и сыр, а однажды даже позволила обглодать куриный костяк.

До начала этого лета каждый из мальчишек жил своей жизнью, но затем что-то свело их вместе, и этим «чем-то» был возраст. Все они родились в один год и даже в один месяц, и с преодолением десятилетнего рубежа эта символическая годовщина воздействовала на них как сила взаимного притяжения. Но не только дружба регулярно собирала их в зарослях или на прибрежных лугах в те августовские дни. Была еще и тяга к состязаниям.

Они бегали наперегонки, взбирались на деревья, устраивали потешные бои и турниры по рукоборью. И с каждым ярдом они бежали все быстрее; и каждая ветка на пути к вершине открывала перед ними новые горизонты. Они подбивали друг друга на все более рискованные затеи и всегда были готовы принять вызов. Они не обращали внимания на царапины и ссадины; синяки были для них знаками чести, а шрамы приравнивались к боевым наградам. Каждую минуту каждого дня они подвергали себя новым испытаниям перед лицом этого мира и друг друга.

В возрасте десяти лет и четырех дней Уилл был доволен как этим миром, так и самим собой. Он знал, что еще не скоро станет мужчиной, но он уже не был и маленьким мальчиком. На протяжении всего лета, просыпаясь под рассветный галдеж грачей на деревьях позади маминого дома, он чувствовал, как день за днем прибывают его силы. Он уже перерос свой дворик и сад; теперь его владениями становились окрестные поля, лес и река, а заодно и небесный свод над ними. Ему еще многое предстояло узнать, но он верил, что сделает это так же, как до сих пор усваивал все в своей жизни, то есть легко. А пока что, в процессе познания, он мог вволю упиваться этим новым, волнующим чувством всевластия.

— Спорим, я сшибу вон ту птицу. — Уилл выбрал цель на ветке отдаленного дерева.

То был один из дубов, росших по соседству с его домом; да и сам дом был виден отсюда, наполовину скрытый живыми изгородями.

— Спорим, не собьешь! — сказал Люк, только что взобравшийся на береговой откос, и обернулся к приятелям, указывая пальцем. — Уилл хочет сбить птицу с того дерева.

— Слабо ему! — хором откликнулись Фред и Чарльз, но поспешили приблизиться, чтобы не прозевать попытку.

Птица, ворона или грач, находилась явно вне досягаемости выстрела из рогатки — снаряду пришлось бы пролететь добрых полполя.

Уилл достал из-за ремня свое оружие, а затем устроил целое шоу из поиска подходящего камня. Принято считать, что наилучшие метательные снаряды сами по себе обладают некой мистической силой. Поэтому среди ребят высоко ценилось умение выбрать «правильный» камешек, а споры относительно их качеств — размера, гладкости, структуры и цвета — могли длиться часами. Стеклянные шарики, конечно, были вне конкуренции, но мало кто был готов рискнуть потерей такой ценной вещи. В глубине души Уильям был уверен, что для стрельбы в равной мере годится любой голыш подходящего размера, но он не хуже сверстников понимал важность мистификаций и воспользовался этим, чтобы потянуть время.

Между тем друзья занялись изучением рогатки Уилла, который перед началом поиска передал ее своему кузену. Чарльз взял рогатку не глядя, но затем почувствовал, как удобно она легла в руку, и заинтересовался. Первым делом в глаза бросалась ее форма: почти безупречная буква Y. Такое редко увидишь в природе — можно обыскать хоть весь лес и не найти развилины настолько симметричной. Уилл парень глазастый, это факт.

Фред в свою очередь произвел осмотр. При этом он наморщил лоб, опустил уголки рта и в целом имел такой вид, будто рассматривает кусок сливочного масла весьма сомнительного качества.

— Это не орешник, — объявил он.

— Орешник легче резать, только и всего, — отозвался Уилл, не поднимая головы, все еще в процессе поиска. — Но это не значит, что он лучше других подходит для рогатки.

А повозиться в тот раз ему пришлось изрядно: предварительно наточив нож, он вскарабкался по ветвям и терпеливо пилил твердую древесину под развилкой, ранее примеченной с земли. Бузина была достаточно старой, чтобы набрать должную крепость, но еще достаточно молодой для сохранения упругости.

Кожеток был ребятам знаком: Уилл взял его со своей прежней рогатки. Вырезанный из язычка от старого ботинка, он был по центру рассечен несколькими аккуратными надрезами, чтобы перед выстрелом кожа растягивалась и плотнее охватывала снаряд. А вот другая деталь конструкции оказалась им в новинку. В местах крепления резиновых жгутов к концам развилины Уилл прорезал неглубокие желобки шириною в дюйм. Жгут был привязан по центру каждого желобка, остальная часть которого, ниже и выше узла, была обмотана несколькими слоями бечевки, плотно прилегающей к узлу. Чарльз восхищенно провел пальцем по креплению. Сделано ловко, спору нет, но практической пользы он здесь не увидел.

— Зачем это нужно? — спросил он.

Люк взял у него рогатку и также пощупал крепления, оценивая качество работы.

— Это для того, чтоб узел не сдвинулся, верно? — спросил он.

Уилл пожал плечами:

— Я сделал так на пробу. Пока что прицел ни разу не сбился.

До того дня мальчишки и не подозревали, что рогатка может быть настолько идеальной. Считалось, что точные либо никудышные рогатки получаются божьим изволением, по воле случая. Всякий раз, создавая новую рогатку, ты мог полагаться лишь на удачу, и шансы были пятьдесят к одному, что удача повернется к тебе спиной. Но в рогатке Уилла не было ничего случайного. Она являлась произведением искусства, плодом творческой мысли, воплощенной в жизнь.

Люк проверил упругость жгутов — в самый раз, не слишком туго и не слишком слабо. Однако он не устоял перед искушением внести хоть какой-то свой вклад в это завидное творение и, поплевав на пальцы, любовно смазал жгуты слюной, чтобы добавить им эластичности.

Когда Уилл наконец нашел подходящий голыш, он взглянул в сторону дуба и с удивлением обнаружил птицу на месте. Забрав у приятелей рогатку, он вложил камень в кожеток. Стрелял он отменно. Глаз его был верен, рука тверда, навыки отработаны.

Однако птица была чересчур далеко.

Переводя взгляды с оружия на цель, мальчишки ухмылялись и покачивали головами. Похвальба Уилла была настолько нелепой, что он и сам был готов посмеяться за компанию. Но потом дали о себе знать десять лет наблюдений, исследований, роста и обретения силы — и он перестал слышать звуки, издаваемые приятелями.

Пока его глаза проводили дугу — невероятную дугу — между снарядом и целью, его мозг рассчитывал и выверял будущие движения, осуществляя тонкую настройку каждого. Ступни его слегка сместились, равномернее распределяя вес тела; мышцы ног, спины и плеч пришли в готовность; пальцы поудобнее перехватили рукоять; руки поднялись и замерли в позиции для выстрела. После этого он плавно натянул рогатку.

В момент пуска камня — нет, чуть ранее, в ту секунду, когда уже нельзя было остановить пуск, — он познал ощущение совершенства. Мальчик, рогатка, камень. Он понял, что не промахнется, — и снаряд взмыл ввысь.

Камню потребовалось много времени для того, чтобы пролететь по заданной траектории. Или же Уильяму так показалось. В этот временной промежуток он успел понадеяться, что птица снимется с ветки еще до подлета камня, который упадет на землю, никому не причинив вреда, а грач отзовется с неба насмешливым хохотом.

Но черная птица не шелохнулась.

Камень достиг верхней точки траектории и начал снижение. Мальчишки притихли. Уильям молчал. Вселенная замерла. Двигался только камень.

«Еще есть время, — думал Уильям. — Я могу криком спугнуть птицу, и она улетит». Однако язык будто прилип к нёбу, а момент все тянулся — долго, медленно, мучительно.

Камень завершил свой полет.

Черная птица рухнула наземь.

Друзья потрясенно уставились на опустевшую ветку. Неужели это случилось? Так не бывает! Однако же они видели все своими глазами... Три головы повернулись к Уильяму. А он все не мог оторвать взгляд от того места, где только что находилась птица. Перед глазами все еще был момент ее падения, и теперь он пытался осмыслить случившееся.

Фред прервал это минутное оцепенение громогласным воплем, и трое мальчишек припустили через поле к дереву; Люк сразу отстал, по своему обыкновению спотыкаясь о корни и борозды. Уильям опомнился и, последовав за ними с опозданием, застал друзей сидящими на корточках под деревом. Они раздвинулись, чтобы продемонстрировать ему картину.

Там, на траве, лежала птица. Грач. Птенец-первогодок, с еще не посветлевшим клювом.

Значит, это была правда. Он это сделал.

Уилл внезапно ощутил в груди странную перемену, словно один из органов был удален, а вместо него внедрено что-то другое, совершенно чуждое. Это чувство, прежде ему неведомое, распространилось из груди по всему телу, набухло в голове, забило уши, приглушило голос, достигло пальцев на руках и ногах. Озадаченный и растерянный, он не издал ни звука, а меж тем чувство укоренялось в нем, превращаясь в некую постоянную величину.

— Может, похороним птицу? — предложил Чарльз. — Устроим погребальную церемонию.

Идея таким образом отметить необычайное событие пришлась им по душе. Уже в ходе обсуждения деталей Люк — с пугливой осторожностью, вызвавшей смех у приятелей, — взялся за кончик крыла и расправил его на траве. Солнечный луч, пробившийся сквозь листву, упал на мертвую птицу, и вдруг черное оказалось не черным, заиграв чернильными переливами синего, фиолетового и зеленого. Эти краски вели себя не так, как положено обычным краскам. Они смещались и мерцали с живостью, тревожащей глаз и воображение. В тот момент каждый из мальчишек подумал, что птица, может, и не умерла, — однако она была мертва. Мертвее некуда.

Троица вновь уставилась на Уилла. Эта красота тоже принадлежала ему.

Осмелевший Люк поднял птицу с земли:

— Грраа!

Он сделал резкий выпад трупиком в сторону Фреда и Чарльза — но не в сторону Уилла, — и оба отпрянули с испуганным криком, тотчас перешедшим в смех. Следующим с мертвой птицей поиграл Фред, держа ее за основания крыльев и имитируя полет, сопровождаемый искусным подражанием грачиному крику. Уилл выдавил смешок. Он еще не оправился после непонятной внутренней пертурбации, и легкие работали с трудом.

А спустя минуту Фреду вдруг стало как-то не по себе. И все они почувствовали то же самое. Вялое птичье тельце, повисшая голова, беспомощно растопыренные перья... Содрогнувшись, Фред бросил грача на траву.

Никто уже не думал о погребальной церемонии. Вместо этого они занялись поисками сразившего птицу камня, который отныне приобретал особую значимость. Они долго шарили вокруг дерева, подбирая и бракуя то один, то другой камешек.

— Нет, этот слишком велик, — соглашались они.

— Этот не того цвета.

— На этом нет пятнышка, как на том.

Найти снаряд так и не удалось. Свершив чудо, камень утратил свою исключительность и теперь где-то валялся, неотличимый от множества ему подобных.

Впрочем, как заметил Чарльз (и все с ним согласились), заслуга принадлежала вовсе не камню. Дело сделал Уилл, и только он.

Снова и снова они пересказывали эту историю и разыгрывали ее в лицах, по ходу дела убив из воображаемых рогаток несметное число воображаемых грачей.

Уилл оставался почти безучастным слушателем и зрителем. Как всякий десятилетний герой, он получил более чем достаточно дружеских подзатыльников и хлопков по спине. Он улыбался, но на душе было тоскливо. Он испытывал гордость, смущение, чувство вины. Он ухмылялся и возвращал приятелям тычки, но без азарта, просто в силу традиции.

Солнце опускалось к горизонту, небо приобрело холодный стальной оттенок, тем самым напоминая, что осень уже не за горами. Все проголодались, пора было по домам. И друзья разошлись.

Уилл жил ближе всех к этому месту — до уютной маминой кухни были считаные минуты ходьбы.

На вершине земляной насыпи что-то побудило его оглянуться туда, где они оставили убитую птицу. Оказалось, что сразу же после ухода ребят там начали собираться грачи. Полтора-два десятка их описывали круги над дубом, и все новые птицы подлетали с разных направлений. Россыпью темных точек они скользили по небу и рассаживались на ветвях дерева. Обычно такие сборища сопровождаются галдежом, подобным шуму высыпаемого с тележки гравия. Но сейчас этого не было: все происходило в напряженном, нарочитом молчании.

И каждый грач на каждой ветке смотрел в его сторону.

Уилл спрыгнул с насыпи и помчался домой — быстрее, чем он бегал когда-либо прежде. Лишь ухватившись за ручку двери, он решился еще раз взглянуть назад. В небе теперь не было ни единой птицы. Он посмотрел на дуб, но с такого расстояния, да еще против заходящего солнца, трудно было разобрать, где грачи, а где просто листва и есть ли там грачи вообще. Быть может, ему лишь почудился этот многоглазый взгляд?

Зато человеческую фигуру в тени дуба — там, где недавно стоял он сам, — Уилл разглядел вполне отчетливо. Сперва он подумал, что кто-то из приятелей вернулся к дереву, но фигура была слишком низкой для Чарльза, слишком худой для Фреда и не имела огненной шевелюры Люка. К тому же — если не списывать это на контраст света и тени — мальчик под деревом был одет во все черное.

А мгновение спустя он исчез — должно быть, пошел по тропе напрямик через лес, подумал Уилл.

Он повернул дверную ручку и перешагнул порог.

— Что случилось? Ты будто сам не свой, — сказала мама, увидев его.

В тот вечер Уильям, против обыкновения, был очень тих и показался маме нездорово побледневшим. Ее расспросы ни к чему не привели, и она поняла, что сын стал достаточно взрослым для того, чтобы иметь свои тайны.

— Подумать только — всего неделя осталась до вашего с Чарльзом отъезда в школу.

Когда мама стала рядом, наливая в тарелку суп, Уилл слегка привалился к ее боку, а когда она обняла его за плечи, не стал отстраняться с возмущенным напоминанием, что ему уже десять лет. Неужели ее бесстрашный сын так нервничает из-за предстоящей учебы в оксфордском интернате? В спальне мама укрыла его дополнительным пледом, хотя было еще не холодно, и оставила у кровати горящую свечу. Вернувшись через час, чтобы поцеловать Уилла на ночь, она вгляделась в лицо спящего. Какой же он бледный! Даже трудно узнать, словно это не ее сын. Дети в его возрасте на удивление быстро меняются.

«Ему всего лишь десять, а я уже его теряю, — с горечью подумала она, а за этой мыслью острой болью пронзила другая. — Если только уже не потеряла».

Наутро Уильям проснулся больным и до середины следующей недели пролежал пластом, пока мама хлопотала вокруг. И в те самые дни, когда кровь, казалось, вот-вот закипит в его венах, когда пот лил ручьями, а боль исторгала из него жуткие вопли, Уильям вложил все накопленные к десяти годам силы и опыт в наитруднейшее деяние из всех им дотоле предпринятых — в попытку забыть.

И в этом он почти преуспел.

&

Грач кажется существом вполне заурядным, пока вы не приглядитесь к нему внимательно.

Его оперение — одна из самых неординарно красивых вещей, сотворенных природой. Как заметили в тот день ребята, перья грача могут мерцать, переливаясь чуть ли не павлиньей радугой красок, хотя на самом деле в них нет синего, фиолетового или зеленого пигментов. Атласная чернота головы и спины сменяется на груди и ногах более мягким и глубоким бархатно-черным цветом. Грач не просто черен — он чернее самой черноты. В нем присутствует невероятный переизбыток черного, не наблюдаемой ни в одной другой живой твари. Он — сама суть черноты.

Откуда же тогда берется эта игра красок?

Дело в том, что грач чем-то сродни волшебнику. Его черные перья способны создавать поразительный оптический эффект.

«Ага! — скажете вы. — Выходит, это всего лишь иллюзия».

Отнюдь. Грач не имеет ничего общего с фокусником, достающим из цилиндра всякую всячину и заставляющим вас видеть то, чего реально не существует. Грач, напротив, является волшебником реальности. Спросите собственные глаза, какого цвета солнечный луч? Они не смогут вам ответить. А грач может. Он ловит свет, расщепляет его, кое-что впитывает, а остальное излучает, демонстрируя фантастические возможности оптики, показывая вам истинный свет, который ваши бедные глаза узреть не в силах.

Но колдовская игра красок — не единственный трюк, сокрытый в грачином оперении. Хоть это и большая редкость, но некоторым счастливчикам доводилось быть свидетелями такого зрелища: ярким летним днем грач, в полете разворачиваясь против солнца, внезапно меняет свой цвет с черного на ангельски-белый, с зеркальным отблеском, и несколько мгновений ослепительно сияет в своей торжествующей белизне.

Принимая во внимание необычную красоту этой птицы и ее способность к чудесным изменениям своего облика, остается лишь удивляться тому, что основной средой обитания грачей являются поля, где они кормятся личинками, гусеницами и т. п. Почему эти сказочно прекрасные создания не живут в покоях принцесс и не роскошествуют в золоченых вольерах с набором изысканных яств, подаваемых ливрейными лакеями на серебряных подносах? Почему они проводят время среди пасущихся коров, тогда как им более приличествует общество единорогов, грифонов и драконов?

Ответ прост: грач живет так, как ему хочется. А когда он захочет пообщаться с людьми, то скорее предпочтет компанию пьяного поэта или чокнутого старикашки салону великосветской мамзели. И конечно же, он не прочь полакомиться кусочком драконьей печени или языком единорога, если удастся их раздобыть, да и мясом грифона не побрезгует, буде таковое подвернется.

Когда грачи собираются в превеликом множестве, для этого есть самые разные названия. Кое-где используют выражение «грачиная паства».

Часть первая

Воистину, грач видит гораздо больше того, на что мы полагаем его способным, слышит гораздо больше, чем мы думаем, понимает больше, чем мы можем себе представить.

Босуэлл Смит. Жизнь птиц и их изучение[1]

---

[1] Вероятно, имеется в виду Реджинальд Босуорт Смит (1839–1908) — английский педагог и писатель; его книга «Жизнь птиц и их изучение» вышла в 1905 г.

1

Шесть из семи дней в неделю окрестности Берфорд-роуд наполнялись грохотом, лязгом, дребезжанием и гулом работающей Беллменской фабрики. Беспрестанно снующие туда-сюда челноки ткацких станков создавали лишь малую часть этой какофонии, а ее главной составляющей были рев и клокотание вод Виндраша[1], крутивших водяное колесо и порождавших всю эту бурную активность. Шум стоял такой, что по окончании трудового дня, когда замирали станки и приводные механизмы, он еще долго отдавался эхом в ушах работников. Это эхо звенело, когда люди приходили к себе домой, не прекращалось, когда они укладывались спать, и зачастую продолжало звенеть в их снах.

Птицы и звери сторонились Беллменской фабрики — по крайней мере в будние дни. Только грачам хватало духу летать над ней в любое время. Более того, они как будто даже получали удовольствие от производимого фабрикой шума, дополняя его своим пронзительно-хриплым граем.

Но сейчас было воскресенье, и с фабрики не доносилось ни звука. Между тем на другом берегу реки, вверх по главной улице селения, множество людей производило шум совсем иного рода.

Грач — или ворона, ибо издали их нелегко отличить друг от друга, — эффектно спланировал на конек церковной крыши, склонил голову набок и прислушался.

Явись и в меня войди,
Духа святого воля,

---

[1] *Виндраш* — река в юго-западной части Англии, приток Темзы.

Чтобы освободить
От страха, греха и горя...

Первый куплет гимна прихожане исполнили прескверно — слаженностью под стать гурту овец, блеющих в загоне на рыночной площади. Кое-кто из собравшихся воспринимал это как состязание, в котором приз достанется самому громогласному; некоторые, полагая пение пустой тратой времени, сбивались на скороговорку, чтобы скорее с этим покончить; другие же, напротив, боялись забежать вперед и, перестраховываясь, запаздывали на какие-то доли такта. Среди прихожан было много фабричных работников, в силу известных причин имевших проблемы со слухом. Эти просто создавали звуковой фон — низкое монотонное гудение вроде того, какое случается при заклинившей педали органа.

К счастью, здесь был еще и церковный хор, в составе которого, опять же к счастью, был Уильям Беллмен. Его звонкий и чистый тенор, как стрелка компаса, задавал остальным верное направление; он сплачивал, дисциплинировал, указывал цель. Вибрации этого голоса подействовали даже на барабанные перепонки слабослышащих, и тон их гудения начал варьироваться с некоторым намеком на музыкальность. Как следствие, если «От страха, греха и горя» паства проблеяла вразнобой, то следующая строка — «Приблизься, счастливый день» — вышла более слаженной; на «Пусть мрачная сгинет тень» большинство поющих уловило мелодию, а финальное «блаженство вовек» уже обрело подобие благозвучности, приличествующей религиозным собраниям.

Последние звуки гимна растаяли в воздухе, а вскоре после того двери распахнулись, выпустив прихожан в церковный двор, где многие задержались, дабы переброситься парой слов и погреться на осеннем солнышке. Среди них были две женщины, одна уже в летах, другая гораздо моложе, обе разодетые в пух и прах, с рюшечками, ленточками и приколотыми к корсажам букетиками. Они приходились друг другу теткой и племянницей, хотя молва нашептывала иное.

— Вот бы воскресенье было каждый день, — мечтательно молвила младшая мисс Янг, имея в виду пение Уильяма, и неожиданно получила ответ от проходившей мимо миссис Бакстер:

— Уильяма Беллмена вы можете послушать в любой вечер под окнами «Красного льва». Хотя... — она понизила голос, но не настолько, чтобы это замечание ускользнуло от стоявшей неподалеку матери Уильяма, — то, что приятно на слух, не всегда приемлет душа.

Дора Беллмен никак не среагировала на эти слова и с безмятежным видом обернулась к подошедшему мужчине, своему деверю.

— Скажи-ка, Дора, а чем еще занимается Уильям, кроме неприемлемых для души песнопений в «Красном льве»? — спросил он.

— Работает на ферме Джона Дэвиса.

— Ему вправду нравится фермерский труд?

— Ты же знаешь Уильяма. Он всегда всем доволен.

— И как долго он собирается торчать у Дэвиса?

— Пока там есть для него работа. Он берется за любую.

— А не пора ему найти что-то более серьезное и перспективное?

— У тебя есть предложение?

Во взгляде, которым она сопроводила эти слова, заключалась целая история, старая и долгая история, а его ответный взгляд говорил: «Да, это все так, однако...»

— Мой отец уже стар, и фабрикой теперь управляю я. — Дора протестующе подняла руку, но он продолжил: — Не буду поминать других, если тебе это неприятно, но я-то — разве я хоть раз тебя обидел, Дора? Разве я сделал хоть что-то плохое тебе или Уильяму? Со мной, на фабрике, у него появятся перспективы и уверенность в будущем. Ты считаешь правильным лишать Уилла всего этого?

Он замолчал, ожидая ответа.

— Ты всегда был добр со мной, Пол, — признала она. — Полагаю, если я не дам нужный тебе ответ, ты обратишься напрямую к Уильяму?

— Я предпочел бы действовать с твоего согласия.

Из дверей церкви вышли певчие, уже в повседневной одежде. Внимание прихожан тотчас обратилось на шагавшего среди них Уильяма, благо его внешность так же радовала глаз, как его пение — слух. Темноволосый, как его дядя, с высоким лбом и цепким, все подмечающим взглядом, он счастливо сочетал в себе немалую физическую силу и врожденное изящество движений. Многие из присутствовавших во дворе молодых женщин попытались вообразить себя в объятиях Уильяма Беллмена, а иным и воображать не понадобилось — они уже знали это по опыту.

Заметив в толпе мать, он улыбнулся еще шире и приветственно помахал рукой.

— Я передам ему наш разговор, — сказала она Полу, — а дальше пусть решает сам.

Засим они расстались — Дора пошла навстречу Уильяму, а Пол в одиночестве отправился домой.

В свое время при выборе жены Пол постарался избежать ошибок, допущенных его отцом и братом. Он не хотел, подобно отцу, жениться на круглой дуре с мешками золота; не устраивал его и вариант брата: красота и любовь без приданого. Энн была мудрой и добросердечной женщиной, а ее приданого как раз хватило на постройку красильного цеха. Проявив благоразумие и выбрав средний путь между двумя крайностями, он обрел гармоничную семейную жизнь, согласие в доме — и красильню в придачу. Но при всем его здравомыслии и рассудительности, Пол отнюдь не был доволен собой. Он не горевал о безвременно почившей жене так, как следовало бы горевать любящему супругу, а в моменты болезненного самокопания признавался себе, что думает о жене брата чаще и больше, чем это допустимо приличиями.

Дора и Уильям также двинулись к своему дому.

Грач на коньке церковной крыши неторопливо расправил крылья, взмыл в воздух и вскоре исчез вдали.

— Мне нравится предложение дяди, — сказал Уилл, стоя посреди их маленькой кухни. — Ты не будешь против?

— А если буду?

Он ухмыльнулся и одной рукой обнял ее за плечи. В свои семнадцать он еще не привык к такому превосходству в росте над мамой.

— Ты ведь знаешь, я не стану делать то, что может тебя расстроить.

— В том и загвоздка.

Какое-то время спустя, в укромном местечке среди камышей и осоки, рука Уилла обнимала уже совсем другие плечи. Его вторая рука была не видна, забравшись глубоко под нижние юбки, и девушка время от времени клала свою ладонь поверх, подправляя ритм движений и силу нажима. «Я определенно делаю успехи», — подумал он (на первых свиданиях она контролировала его руку безотрывно). Белые ноги девушки казались еще белее на фоне темно-зеленого мха; ботинки она не сняла — на тот случай, если их застанут врасплох и надо будет спасаться бегством. Дышала она отрывисто, со всхлипами. Уилл не переставал удивляться тому, что наслаждение может быть так созвучно боли.

Внезапно звуки стихли, и на ее лице появилась напряженная морщинка. Она судорожно надавила на его руку, белые ноги плотно сомкнулись. Как зачарованный, Уилл следил за происходящим: приливом крови к ее щекам и шее, трепетанием век. Затем она расслабилась, хотя глаза еще оставались закрытыми и на виске пульсировала жилка. Через минуту она открыла глаза:

— Теперь твоя очередь.

Он лег на спину, заложив руки под голову. Джинни в его направляющей руке не нуждалась, она свое дело знала.

— Ты не думала о том, чтобы однажды взобраться на меня и сделать все по-настоящему? — спросил он.

Она прервалась и игриво погрозила пальчиком:

— Уильям Беллмен, я намерена выйти замуж честной девицей. Ребенок от Беллмена в мои планы не входит.

И она продолжила свое занятие.

— За кого ты меня принимаешь? Ты думаешь, я на тебе не женюсь, если дойдет до ребенка?

— Не глупи. Конечно женишься, я знаю.

Она ласкала его достаточно нежно, но притом энергично. Словом, в самый раз.

— Тогда в чем проблема?

— Ты парень что надо, Уилл, не стану отрицать...

Он приподнялся, опершись на локоть, и остановил ее руку, а когда Джинни подняла лицо, спросил:

— Но?

— Уилл!

Видя, что уйти от ответа не получится, она заговорила — медленно, с запинкой облекая мысли в слова:

— Я точно знаю, какая жизнь мне нужна. Спокойная. Правильная.

Уилл кивком поощрил ее к продолжению.

— А какой будет моя жизнь, если я выйду за тебя? Наперед не скажешь — то-то и оно. Может случиться все, что угодно. Нет, ты вовсе не плохой человек, Уилл. Ты просто...

Он откинулся на спину, но тут же вновь приподнялся, осененный догадкой:

— Ты положила на кого-то глаз!

— Нет!

Однако ее выдали смущение и краска, мигом залившая лицо.

— Кто он? Кто? Скажи мне!

Он сгреб ее и начал щекотать. На минуту они превратились в детишек, визжащих, смеющихся, барахтающихся на траве. Но столь же быстро к ним вернулась «взрослость», и они закончили то, для чего сюда пришли.

К моменту, когда он снова отчетливо увидел над собой листву и высокое небо, его мозг успел все разложить по полочкам. Девушке нужна была стабильность. Практичная и работящая, она не была склонна к авантюрам и поиску легких путей. А с Уиллом она лишь убивала время в ожидании, когда на нее обратит внимание некто, ею уже замеченный. Кандидатур подходящего возраста в их краях было не так уж много, и в ходе анализа почти все они отсеялись по той или иной причине. А из оставшихся один стоял особняком.

— Это Фред из пекарни, так?

В смятении она поднесла руку к своим губам, а затем — более уместный жест, хотя и запоздалый — накрыла его рот. Пальцы Джинни пахли ими обоими.

— Не говори никому. Уилл, прошу тебя, ни слова!

И она расплакалась.

— Тише, тише. — Уилл обнял ее. — Я никому не скажу. Ни единой душе. Клянусь.

Рыдания перешли в икоту, и наконец она затихла. Он взял ее за руки:

— Успокойся, Джинни. Поверь мне, ты выйдешь замуж еще до конца этого года.

Они помыли руки в речной воде и расстались, чтобы вернуться в городок разными тропами.

Уилл направился кружным путем — через мост выше по течению реки. Теплый день клонился к вечеру, лето не торопилось сдавать свои права. «Конечно, жаль вот так лишиться Джинни, — думал он. — Девчонка она славная, что и говорить». Урчание в желудке напомнило о свежем сыре и сливовом компоте, обещанных мамой к ужину. При этой мысли он перешел на бег.

2

Уильям протянул руку для пожатия. Встречная рука на ощупь была словно в перчатке — толстые подушечки на ладони не уступали жесткостью воловьей коже. Вряд ли этот человек мог полностью согнуть пальцы.

— Доброе утро.

Знакомство происходило на фабричном дворе. Даже под открытым небом вонь от немытой испанской шерсти немилосердно била в нос.

— Здесь распаковывают и взвешивают руно, — пояснял Пол. — Заведует этим мистер Радж, он работает на фабрике... уже сколько лет?

— Четырнадцать, — сказал мистер Радж.

— Сегодня здесь шестеро рабочих. В иные дни бывает больше или меньше, все зависит от размеров поступившей партии.

Пол и мистер Радж еще минут десять обсуждали свои дела — о недовесе и усадке шерсти, о валенсийских и кастильских поставщиках. Тем временем Пол наблюдал за рабочими, которые вскрывали ящик за ящиком, опрокидывали их набок, извлекали (вместе с новой волной вони) руно, цепляли его на весовой крюк и манипулировали гирьками, пока шерсть не всплывала ввысь подобно клочковатому грязно-серому облаку. Результаты взвешивания мистер Радж заносил в свой блокнот — не прерывая разговора с Полом о Валенсиии и Кастилии, причем этак небрежно, будто речь шла о местечках не далее Чиппинг-Нортона, — и давал отмашку для следующего контейнера. Взвешенную шерсть тележками увозили на мытье. Уильям старался не упустить из виду ни единой детали. Одновременно наблюдали и за ним. Нет, никто из рабочих не таращил на него глаза, все были заняты своим делом, однако он то и дело ловил взгляды, бросаемые украдкой.

Вместе с дядей — и осликом, тянувшим тележку с шерстью, — Уильям перешел к следующему этапу.

— Позвольте представить моего племянника, Уильяма Беллмена, — сказал Пол Беллмен. — Уильям, это мистер Смит.

Уилл пожал еще одну жесткую руку:

— Доброе утро.

Уильям наблюдал. За Уильямом наблюдали. И так продолжалось весь день.

Шерсть мыли, сушили, трепали. Уильям был весь внимание. Шерсть обеспыливали, чесали, промасливали, повторно расчесывали и укладывали в толстые ленты; он старательно запоминал все процедуры.

— Иногда шерсть отсюда везут прямиком в красильный цех, но чаще мы красим уже готовую ткань.

Следующее знакомство обошлось без рукопожатий. В прядильном цехе следившие за ним глаза были сплошь женскими — и глядели они без стеснения. Он отвесил полупоклон Клэри Райтон, старшей над всеми прядильщицами, что вызвало в комнате взрыв веселья, тут же сурово подавленного.

— Идем дальше! — скомандовал Пол.

Дальше был ткацкий цех, где челноки двигались с такой скоростью, что глаз едва успевал за ними следить, а ткань прирастала так быстро, будто рождалась непосредственно из ритмичного грохота станков. Сукновальный цех был пропитан запахом мочи и навоза — тут грязью вычищали грязь. В сушильно-ширильном цехе ткань растягивали на рамах, ярд за ярдом, и выставляли во двор, — благо стояла ясная погода.

— Ну а в дождливые дни... — Они двинулись дальше, и Пол отворил дверь длинной и узкой комнаты с бесчисленными мелкими отверстиями в стенах. — Думаю, нет нужды пояснять... А когда ткань высохнет, ее направляют...

Экскурсия продолжилась.

— ...на конечную отделку.

Однако это был еще далеко не конец, ибо «конечная отделка» подразумевала новое мытье, сушку и валку ткани с последующим ворсованием. К тому времени голова Уильяма уже шла кругом, и он мог лишь тупо следить за тем, как ткань по прохождении через станок покрывается мягкой ворсистой дымкой.

Ноздри Уильяма горели от всех этих запахов, уши заложило от непрерывного грохота, а ноги ныли от долгой ходьбы — следуя за процессом производства, он сотню раз пересек территорию фабрики с юга на север и с востока на запад, через дворы, площадки, цеха, склады и прочие здания.

— Стригальный цех, — объявил Пол, открывая еще одну дверь.

Когда дверь закрылась за их спинами, Уильям замер, потрясенный. Впервые за этот день он очутился в тишине — настолько глубокой, что от нее начало звенеть в ушах. Руки пожимать не пришлось. Двое мужчин — примерно одинакового роста и телосложения — взглянули на него лишь мельком, не отрываясь от своего занятия. Их длинные лезвия скользили над самой поверхностью материи; каждое движение было четким и предельно выверенным, словно они без звука исполняли тщательно отрепетированный хореографический номер. Ворсистая дымка исчезала, каймой пены оседая на стали и затем плавно соскальзывая на пол, а то, что оставалось после прохода лезвий, было идеально ровной, гладкой, чистой, добротной — готовой тканью.

Уильям не мог сказать, как долго он созерцал это действо, словно оцепенев.

— Завораживает, не так ли? Это мистер Хэмлин и мистер Гэмбин.

Пол взглянул на своего племянника:

— Ты утомился. Пожалуй, для первого дня тебе хватит. После этого осталась только прессовка.

Но Уильям пожелал увидеть и прессовку.

— Мистер Сандерс, это мой племянник, Уильям Беллмен.

Рукопожатие.

— Добрый вечер.

Нагретые металлические листы вставлялись между широкими складками ткани и выдерживались так до полного остывания. А вдоль стены были сложены рулоны ткани, приготовленные к отправке.

— Ну вот, — сказал Пол, когда они вышли наружу, — теперь ты видел все.

Уильям поднял на него уже начавшие слезиться глаза.

— И не забудь свою куртку. Вид у тебя несколько очумелый.

Уильям смял в руках куртку. Шерстяная ткань. Из того же руна. После всего увиденного это казалось невероятным.

— До свиданья, дядя.

— До свиданья, Уильям.

Уже в дверях конторы он резко повернулся.

— Мы же пропустили красильню!

Пол отмахнулся:

— В другой раз.

— Ну и как тебе фабрика?

В его пространном ответе Дора смогла разобрать лишь одно слово из трех.

Он глотал пищу, почти не жуя, и при этом говорил без умолку, сыпал именами и терминами, зачастую ей незнакомыми.

— Радж занимается поставками сырья, а Бантон заведует мойкой. В прядильне за главную — миссис Райтон...

— А мистер Беллмен там был? Я о старом мистере Беллмене.

Он отрицательно покачал головой, запихивая в рот очередную ложку.

— В сукновальне всем заправляет мистер Хивер, а в сушильне — мистер Крейс... Или я перепутал?

— Не говори с набитым ртом, Уилл. Твой дядя и не рассчитывает, что ты выучишь все за один день.

Отбивная и картофель к его приходу уже остыли, но для Уильяма это не имело значения. Он проглатывал еду, не замечая вкуса. Мыслями он все еще был на фабрике, видел работу каждого человека и каждого механизма, видел весь процесс в деталях и в целом.

— А что другие — все остальные фабричные? Как они отнеслись к твоему появлению?

Он указал на свой полный рот, и маме пришлось ждать.

Но она так и не дождалась ответа. Как только Уильям проглотил еду, глаза его закрылись, а голова поникла на грудь.

— Иди спать, Уилл.

Он вздрогнул, пробуждаясь.

— Я обещал вечером быть в «Красном льве».

Она взглянула на сына: покрасневшие глаза, ни кровинки в лице. И никогда прежде она не видела его таким счастливым.

— Спать!

И он пошел спать.

3

И как же на фабрике отнеслись к появлению Уильяма Беллмена?

С первых минут он стал объектом пристального внимания, сплетен и толков.

Для начала вспомнили давний скандал, связанный с его отцом. Общеизвестные факты были таковы: Филлип, брат Пола, сбежал из дома, чтобы обвенчаться с Дорой Фенмор вопреки воле родителей. Она была достаточно красива, чтобы оправдать его действия, но и достаточно бедна, чтобы понять реакцию его родни. А спустя всего лишь год он снова сбежал, на сей раз бросив молодую жену и новорожденного сына.

Семнадцать лет — срок немалый, но и не слишком большой, так что среди фабричных оказалось примерно равное количество тех, кто еще помнил Филлипа, и тех, кто ничего о нем не знал. В последующие дни старая история была заново взвешена, отмыта, затрепана, прочесана, подмаслена, закручена, сплетена и смешана с навозом, вследствие чего она обрела вид не более реалистичный, чем пролетарская кепка на голове пасущейся в поле овцы. После сотни пересказов — с дополнениями и пояснениями — сам Филлип Беллмен не узнал бы свою историю, доведись ему это услышать. Каждая версия на свой лад трактовала роли героев и злодеев, предателей и преданных; соответственно пристрастиям смещались и симпатии.

В действительности же все обстояло таким образом.

Когда Филлип женился, он был не настолько влюблен, как ему тогда казалось, а, скорее, на время ослеплен красотой девушки; сказалась и привычка брать все, что ему захочется. Отец всегда был с ним строг, и Филлип не обольщался относительно его реакции на этот брак, однако рассчитывал на мамину поддержку и заступничество. Миссис Беллмен, особа глупая и вздорная, чрезмерно баловала своего младшего сына, отчасти назло супругу, отчасти еще по каким-то своим соображениям. Однако в данном случае мать не проявила ни малейшего желания потакать сыновним прихотям. Чего не учел Филлип, так это материнской ревности к женщине со стороны. А решение отца выселить молодоженов в маленький коттедж на самой окраине городка стало еще одним ударом по болезненному самолюбию Филлипа.

Сразу после рождения сына он ждал, что родители сменят гнев на милость. Но этого не случилось. И Филлип нашел способ с ними поквитаться. Традиционно в роду Беллменов использовались лишь три мужских имени: Пол, Филлип и Чарльз. Ничуть не задумываясь о цене, которую мог заплатить его сын за такой акт семейной мести, Филлип нарушил традицию и назвал сына Уильямом — ни с того ни с сего, ни за что ни про что.

Изгнанный из родного дома, мучаясь безденежьем, он пришел к выводу, что заплатил за красоту слишком высокую цену. Любовь? Ему она была не по карману. Через три для после крещения младенца, дождавшись, когда жена и сын уснут, он покинул свой домишко и, уведя из конюшни отца его любимого скакуна, исчез из Уиттингфорда в неизвестном направлении и с неясными намерениями. С той поры никто из горожан его не видел и ничего о нем не слышал.

Доре так и не удалось наладить отношения с родителями мужа. Сына она растила в одиночку, без их помощи. Поскольку ни одна из сторон не сочла нужным доводить до общего сведения подробности семейной ссоры, а единственный человек, владевший информацией в полном объеме, исчез без следа, любители сплетен могли дать волю своей фантазии.

Одно дело — сухие факты, и совсем другое — смелая игра воображения фабричных болтунов. Если отец дал сыну имя в нарушение семейных традиций, в этом должен быть какой-то скрытый смысл, рассуждали они.

Был соблазн изобразить Дору неверной женой. Всегда найдутся мужчины, готовые поверить в то, что красивая и скромная женщина на деле склонна к разврату. Однако эта версия натыкалась на серьезные препятствия: у Уильяма были крупные беспокойные руки Филлипа Беллмена, широкая походка Филлипа Беллмена, непринужденная улыбка Филлипа Беллмена и цепкий взгляд Филлипа Беллмена. Он, безусловно, был сыном своего законного отца. Пусть имя у него было не то, какое люди привыкли сочетать с его фамилией, но во всем остальном он был типичнейшим Беллменом.

— Вылитый портрет! — заявил один из старожилов, и никто даже не подумал ему возразить.

Когда же, после бесчисленных пересказов, сплетники исчерпали все возможные версии, они развили тему под новым углом. Была высказана и сразу подхвачена мысль, что племянник и родной сын — две очень разные вещи. С сыном все просто. Никаких тебе отклонений. Прямая линия родства. Другое дело племянник — тут линия выходит косая, по диагонали, так что трудно понять, к чему она приведет. Новый мистер Беллмен взял племянника под крылышко, это было ясно как день, но старый мистер Беллмен, как говорили, не очень-то симпатизировал парню. Если подумать, этот племянник был ходячей неопределенностью. Он мог что-то собой представлять, а мог и не представлять ничего ровным счетом.

Догадки и предположения множились, но в конечном счете лишь одна фраза могла быть озвучена с достаточной долей уверенности, и произнес ее мистер Лоу из красильни, который к тому времени оставался единственным человеком на фабрике, еще не встречавшимся с Уиллом:

— Он не наследник. И он нам не указ.

4

— Мистер Лоу, — сказал Уильям, протягивая руку, — я Уильям Беллмен.

Мужчина молча продемонстрировал ему свои руки, черные от кончиков пальцев до самых локтей. Накануне Уилл пожимал разные руки — мозолистые, покрытые шрамами и следами ожогов — и после всего этого уж не побрезговал бы слегка запачкать ладонь, однако взгляд этого мужчины был не слишком приветлив, и проявлять настойчивость расхотелось.

Тем более что мистер Лоу был явно не расположен вступать с ним в разговор.

— Мой дядя вчера показывал мне работу фабрики. Вы, наверное, об этом слышали.

Последовал короткий кивок: мол, слышать-то слышал, да только мне это без интереса.

— Но мы не успели посетить красильный цех. Не найдется у вас несколько минут, чтобы показать, чем вы тут занимаетесь?

Человек слегка повел бровью:

— Мы тут красим.

— Разумеется, — сказал Уилл с улыбкой.

Собеседник не улыбнулся в ответ. Возможно, он и не думал шутить.

— Или мне лучше зайти в другой день?

На лице мужчины чуть дернулся мускул. Что это было: нервный тик или реакция на его просьбу? В любом случае это не означало согласия.

Уилл понял, что его тут видеть не хотят.

Во дворе разгружалась очередная партия ящиков. Уильям приблизился к мистеру Раджу:

— Вам не требуется еще одна пара рук?

— Снова ты? Еще не все разглядел?

Это прозвучало вполне дружелюбно. Радж ухмыльнулся и протянул свою перчаткообразную лапищу. Они обменялись рукопожатием.

— Сегодня я пришел работать.

— С такими-то нежными руками?

Но Уилл давно усвоил привычку к тяжелому труду: он срубил в лесу немало деревьев и накосил немало сена на лугах.

Радж вручил ему гвоздодер, и в течение следующего получаса Уилл вскрывал ящики. Затем он вытаскивал из них руно. Затем подвешивал руно на крюк. Поначалу остальные рабочие молчали, испытывая неловкость в его присутствии, однако совместный физический труд не располагает к излишней деликатности. Здесь он был еще одной парой рук, и уже после первого взвешивания, когда Уилл полноценно включился в процесс, они забыли, кто он такой, и кричали ему «подавай!» или «готово!» с той же легкостью, с какой обращались друг к другу. Он же откликался — «подаю!» и «готово!» — так, будто занимался этим всю жизнь.

Когда у него начали гореть ладони, Уилл смазал их жиром и обмотал тряпками.

— По первости руно колется, как сотня ножичков, — пояснили ему.

Он продолжал работать наравне с другими, пока вся партия не была отправлена в мойку; а когда он попрощался и ушел, рабочие смогли сказать о новичке лишь одно: «Парень вроде как впрягся».

В последующие дни и недели Уилл выполнял любую работу, какая требовалась на любом из участков. В прядильном цехе женщины смеялись и заигрывали с новоявленным коллегой — и он отвечал им тем же, но при этом добросовестно просиживал всю смену за станком, мучаясь, допуская промахи и получая мелкие травмы. Вот в этом уже не было ничего нового: любая работа на фабрике оборачивалась для его рук порезами и ссадинами. Нить раз за разом рвалась, и он обнаруживал, что прядет лишь воздух, но к концу дня все же выдавал свою норму слишком толстой, неравномерной, низкокачественной пряжи.

— Иные начинали куда как хуже, — признала Клэри Райтон, а бойкая чернявая девушка, приставленная за ним следить, добавила:

— Для мужчины так прясть — это чистой воды чудо!

В сукновальне он надышался едкими испарениями из открытой бочки и натурально упал в обморок. Очнулся на полу, испытывая тошноту и нехватку воздуха, но, чуть продышавшись, посмеялся над собой и опознал парня, который помог ему выбраться во двор:

— Ты ведь брат Люка Смита, верно? Он все еще балуется рукоборьем?

Уилл знал, что крышка отнюдь не случайно была сдвинута с бочки в тот самый момент, когда он оказался поблизости; однако уже к концу рабочего дня отношения наладились настолько, что вечером он с подмастерьями запанибрата перекинулся в картишки и даже остался пусть в мизерном, но выигрыше.

В сушильне Уильяму пришлось гнуться в три погибели перед совсем еще мальчишками (но уже с мозолистыми руками), когда те учили его правильно растягивать сырую ткань, начиная с нижнего края рамы. На пару с Немым Грегом он катал туда-сюда тележки с шерстью. Он сливал едкие ферменты в огромные емкости. Он не чурался и таких малопочтенных занятий, как кормление осла или чистка отхожих мест.

С другой стороны, ему давали и весьма ответственные поручения, вроде встречи приехавшего из северных графств инженера. Он стоял рядом с северянином перед водяным колесом, весь обратившись в слух. Выяснялось, что существуют разные виды колес: подливные, верхнебойные, глубоко и низко погруженные. Уилл задал вопрос, потом еще один. Инженер отвечал сперва кратко, но затем все более подробно, замечая живой интерес и сообразительность юноши. Отвод рек и создание водохранилищ, расчет и управление потоком для бесперебойной подачи энергии, — все хитроумные изобретения, позволяющие человеку обуздать природу и с ее помощью многократно увеличить свои силы.

Когда инженер ушел в контору для беседы с Полом, Уильям остался у водяного колеса. Сунув руки в карманы, он сосредоточенно следил за потоком, представляя себе всю последовательность механических передач отсюда и до станков в цехах. Совсем забыв о времени, он вышел из этой задумчивости, лишь когда Пол хлопнул его по плечу со словами:

— Ты все еще здесь?

— А который час?

Получив ответ, он мигом развернулся и взял с места в карьер.

— Надо кое-кого повидать, — крикнул он, оглянувшись уже на бегу. — В «Красном льве».

Еще до конца этого месяца Уильям Беллмен успел поучаствовать почти в каждой операции, связанной с работой фабрики. Конечно, он не мог ткать и прясть так же качественно, как опытные ткачи и прядильщицы, но научился обращаться со всеми видами станков, выяснил, как они приводятся в действие и как обслуживаются, узнал о возможных неисправностях и способах их устранения. Он освоил все термины, как официальные, так и те, что были придуманы самими рабочими. Он изучил всю систему, все стадии процесса, взаимодействие всех подразделений. Он запомнил имена и лица всех фабричных, будь то начальник, мастер или подмастерье. И с каждым из них он хотя бы раз пообщался лицом к лицу, перемолвился хотя бы парой слов.

Лишь две фабричные профессии он не опробовал на своем опыте. Когда в стригальном цехе мистер Хэмлин — или мистер Гэмбин, ибо с виду они были как близнецы, — с насмешливой улыбкой протянул ему свое лезвие, Уильям смущенно покачал головой:

— Я знаю, это не так легко, как кажется, глядя на вас.

Пожалуй, из всех видов работ на фабрике для этой требовалась самая высокая квалификация, а ее некачественное выполнение могло нанести наибольший ущерб всему производству.

— Мне и за тридцать лет не научиться делать это, как вы, — сказал Уилл.

Кроме того, он ни разу не был допущен к работе в красильне.

С течением времени фабричные лучше узнали Уильяма, однако им по-прежнему было сложно определиться со своим отношением к нему. Он обучался в той же частной школе, что и Чарльз, и в его речи было еще больше от джентльмена, нежели в речах его дяди. Но когда он прижег запястье краем раскаленного прессовочного листа, с его уст легко посыпались выражения не менее сочные и крепкие, чем у простого сукновала. Сложности возникали и с тем, как к нему обращаться: некоторые называли его Уильямом, другие — мистером Уильямом. Сам же он как будто не придавал этому значения, с одинаковой готовностью откликаясь на любое обращение. Держался он ровно со всеми, улыбаясь и пожимая руку каждому встречному.

— Он ни с кем не задается и не важничает, — рассказывала восхищенная прядильщица своей сестре. — И он никогда не говорит с нами свысока. При всем том он не старается подлизаться к начальству.

Так к кому его следовало причислять: к простым работягам или к хозяевам? Уильям был загадкой, что верно, то верно, — однако с этой загадочностью все постепенно свыклись.

5

— Он в полном порядке, — говорил Пол его матери. — Знаешь, что сказал о нем Крейс из сушильного цеха? «Если только существует способ заставить солнце светить всю ночь напролет, обратитесь к юному Уильяму, и он этот способ отыщет».

Дора рассмеялась.

Полу нравилось передавать Доре хвалебные отзывы о ее сыне.

В тот день Уильям задержался в ризнице. Ждать его в церковном дворе было слишком холодно, и Дора перешла к задней стене церкви, где было пусть и не намного теплее, но хотя бы не задувал ветер, от которого уже начали ныть уши.

— Он не боится тяжелой работы. И на редкость быстро вникает в техническую сторону любого вопроса. Инженер назвал его очень толковым парнем. Думаю, он забрал бы его в свою службу, представься ему такой шанс.

— А что дальше, он перейдет на работу в контору?

— Нед Хэддон первое время нервничал по этому поводу. Он сразу смекнул, что я готовлю племянника не в рядовые суконщики, и начал опасаться за свою должность. Но лично я не представляю Уильяма просиживающим штаны за конторским столом, царапая бумагу с утра до вечера, — а ты? Ему нужно больше простора и разнообразия.

— Уильям передал мой рецепт фруктового кекса жене Неда Хэддона. Взамен они прислали нам корзину грецких орехов.

Пол улыбнулся:

— Он умеет ладить с людьми. И Нед сейчас уже не беспокоится.

— А он не *слишком* хорошо ладит с некоторыми?

— Ты о прядильщицах?

Она поджала губы.

— Если я узнаю о каких-то неподобающих отношениях, сразу положу этому конец. Он ведь еще совсем молод. Ты же знаешь, каковы эти молодые парни.

Она быстро взглянула на Пола, и рядом с ними как будто замаячил призрак его брата. Пол тотчас пожалел о сказанном, но брать слова назад было поздно.

— До меня дошли слухи о картах... — продолжила она.

— Он играет в карты?

— Так я слышала.

— Я с ним поговорю. Предоставь это дело мне. — (Призрак медленно растворился в воздухе.) — Уильям отличный парень, Дора. Не волнуйся за него.

— А Чарльз? Как там он?

Теперь озабоченное выражение появилось уже на лице Пола.

— Ну, Чарльз как всегда. Считается, что он занят учебой, но на деле его слишком занимает живопись, чтобы думать об экзаменах.

— Живопись все же лучше, чем карточные игры. И там нет прядильщиц, чтобы его искушать.

— Искушения могут быть разными. Чарльз, например, рвется путешествовать. Мой отец, понятно, не в восторге от таких затей.

— Он хочет ввести внука в семейный бизнес, это вполне естественно.

В голосе Доры появились ледяные нотки, и ее нельзя было в этом винить. Старый Беллмен принимал близко к сердцу судьбу внука, не проявлявшего интереса к дедовской фабрике, и в то же время отталкивал другого внука, на этой самой фабрике трудившегося.

Пол вздохнул:

— Боюсь, Чарльзу не кажется вполне естественной мысль об участии в семейном бизнесе. По крайней мере сейчас. Но хватит об этом, я и так сказал больше, чем следовало.

Уильям вместе с другими хористами появился из ризницы. После дружеского прощания они нашли среди ожидающих каждый свою родню, закутались поплотнее и, разбившись на пары или небольшие группы, зашагали домой по обледенелым улицам.

— Что тебя задержало, Уилл?

— Мы говорили о помолвке Фреда.

— Фреда Армстронга из пекарни? А кто девушка?

— Джинни Олдридж.

Мама искоса взглянула на сына:

— Мне казалось, одно время ты сам был неравнодушен к Джинни Олдридж.

Уильям пожал плечами, издав невнятный звук, который в равной мере мог означать «да», «нет» или «не понимаю, о чем ты говоришь», но скорее всего означал: «Эти дела тебя не касаются, мама».

6

Насчет прядильщиц Пол был спокоен, ибо имел основания полагать, что Уилл выбирает подруг для своих романтических эскапад не из числа фабричных девиц. Другое дело карты — об этом следовало серьезно поговорить. Мальчик должен понять, насколько пагубным является пристрастие к азартным играм. Пол надеялся, что слухи об этом не достигнут ушей Беллмена-старшего.

Тем же вечером об Уильяме зашла речь в ходе очередного делового совещания отца и сына.

— Работник из него никудышный, не так ли? Я об этом твоем Уильяме, — сказал отец.

— Да нет же, он отлично справляется.

— А вот мне сообщают другое.

Еженедельно старик совершал обход фабрики, а по характеру задаваемых им вопросов легко было догадаться, что он не прочь услышать критику в адрес Уильяма. И всякий раз кто-нибудь — из желания угодить или просто от злобности натуры — отвечал в нужном ему ключе.

— Что именно ты слышал? — спросил Пол, потягивая виски.

— Стоит столбом, руки в карманах, пялится в пространство, пока люди вокруг него заняты делом.

Отец взглянул на него свирепо. В детстве эта гримаса очень пугала Пола, заставляя думать об отцовском всеведении и всемогуществе. Но сейчас, увидев ее на худом морщинистом лице со слезящимися глазами, он ощутил лишь печаль.

— Мне, к примеру, не нравится то, что рассказывают о его шашнях с прядильщицами. Кроме того, он пустой болтовней мешает работе подмастерьев да еще вовлекает их во всякие глупости.

Пол сделал еще глоток, пытаясь сдержать нараставшее раздражение.

— А может, тебе это просто наплели те, кто имеет на Уильяма зуб? На фабрике хватает завистников, как и в любом другом месте.

Старик покачал головой:

— Многие видели, как он целый час простоял без дела, глядя на Виндраш, — ну прямо поэтесса в мечтаниях.

— Ах, это! — Пол едва удержался от смеха. — Это было в день приезда инженера. Тот прочел целую лекцию Уиллу, и он потом стоял у воды, про себя повторяя рассказ, чтобы лучше запомнить.

— Это он сам тебе сказал? Вряд ли он сможет так же легко объяснить свое хамское отношение к старшим.

— О чем ты?

— Он постоянно досаждает мистеру Лоу.

— Мистер Лоу сам сказал тебе это?

Пол усомнился неспроста. Мистер Лоу был известен своей неразговорчивостью, так что его подчиненные даже устраивали состязания: кому удастся вытянуть из него больше десятка слов кряду. В редких случаях, когда это удавалось, победитель получал кувшин сидра в «Красном льве» за счет остальных спорщиков. Сколько же слов могло потребоваться Лоу для разъяснения своих претензий к Уиллу? И что могло возмутить его настолько, чтобы дело дошло до жалобы владельцу фабрики?

— Он подает дурной пример, Пол. Как можно выполнить работу в срок, если подмастерья все время отвлекаются?

Пол нахмурился. С недавних пор производительность красильного цеха действительно снизилась.

Заметив колебания сына, старый Беллмен поспешил развить полученное преимущество:

— Ты на днях не заглядывал в кладовую красильни, где хранятся образцы? Я побывал там в пятницу вечером. И тебе советую. Помяни мое слово, с этим мальчишкой мы еще наплачемся.

Пол прикрыл глаза, выдерживая паузу. Открыв их, он вновь поразился тому, как сильно сдал в последнее время отец. Одряхлевший физически и умственно, мистер Беллмен отчаянно цеплялся за остатки былой власти и авторитета. Жалость побудила сына говорить мягче, чем это соответствовало его чувствам.

— Нет нужды называть его «этим мальчишкой». У него есть имя, отец. Он тоже Беллмен.

Старческое лицо исказилось от гнева, перешедшего в отвращение, когда он яростным жестом отмахнулся от слов сына.

Этот жест и это выражение отцовского лица навели Пола на неожиданную мысль. В расцвете лет отец мог худо-бедно контролировать свои гневные порывы и умерять неприязнь к младшему сыну. Но по мере его старения эти чувства все чаще прорывались наружу. И пока Беллмен-старший продолжал перечислять прегрешения и недостатки Уильяма, Пол позволил его голосу течь мимо, как бурные воды Виндраша, а сам углубился в тихий омут раздумий.

«Он тоже Беллмен» — вот слова, которые его отец отмел, как кучку пустой шелухи...

Но ведь всякий человек, помнивший Филлипа, сразу признал бы в Уильяме его сына. Глупо было бы это отрицать.

Впрочем, могло быть еще одно объяснение, и оно, едва проскользнув в сознание Пола, прочно заняло свое место в логической цепочке. Это было настолько очевидно, что он даже не испытал удивления. Собственно, удивлен он был лишь тем, что до сих пор до этого не додумался.

Злобность отца и забитость матери; явное предпочтение, которое каждый из них оказывал одному из сыновей...

Да, Уильям был сыном своего законного отца. Но Филлип таковым не был.

Неудивительно, что отец так злился.

Пол подумал о матери — этой глупой и несчастной женщине, которую никто не замечал и не принимал в расчет, — и пожалел, что в свое время не уделял ей больше внимания. Он подумал о своем брате (получается, только единоутробном?) и обнаружил, что смесь любви и раздражения, которые тот вызывал у него издавна, сохранилась в неизменной пропорции и после этого открытия. Он подумал о Доре, которая могла бы найти более достойного спутника жизни, чем его брат; и он был близок к тому, чтобы представить себя в роли этого «более достойного», — однако проблему это никак не разрешило бы. Наконец, он подумал об Уильяме. Так считать его Беллменом или нет?

Пока в голове Пола вертелись все эти мысли, отцовский перечень грехов Уилла подошел к концу. Он замолчал, ожидая реакции сына.

— Я с этим разберусь, — услышал Пол собственный голос. — Завтра же.

И он отправился к себе в комнату.

«Уилл мой племянник, он хорошо выполняет свою работу, и я люблю его, — думал он. — С данной точки зрения все очень просто».

7

— Образцы? — Уильям оживился. — Да, я отрезал кусочки от некоторых образцов. Сейчас покажу!

Он вынул из кармана несколько смятых клочков материи и разложил их на столе. Все они имели разные оттенки красного: темно-бордовый, гранатовый, краповый, вишневый, кирпичный, малиновый...

— Вот этот клочок из шерсти, передержанной в чане. А этот я храню еще с апреля. Помните тогдашние дожди? Ткань пришлось полностью высушивать в помещении, и ее не коснулся ни единый луч солнца. А вот — взгляните, это интересно — ткань из пряжи, которую делает Энни Роупер. Она закручивает нить не так туго, как другие прядильщицы...

Оказывается, Уилл мог на взгляд и на ощупь определить, на каком из фабричных станков был выпущен тот или иной образчик ткани; он различал пряжу, производимую каждой из прядильщиц; он держал в голове историю каждого куска материи. Впрочем, сейчас разговор был не об этом.

— Уильям, — прервал его Пол, — скажи, чем ты так насолил мистеру Лоу?

— Да я много чем ему насолил. Хотя о большинстве этих вещей он и не подозревает, я надеюсь. А на что он жалуется?

— Во-первых, ты отвлекаешь от дела его подчиненных.

— А как еще я могу ознакомиться с работой красильни? Сам мистер Лоу не захотел мне об этом рассказывать.

— Ты здесь уже достаточно долго, Уильям, и мог бы понять, что красильня — это особый мир. Ты не можешь заявиться к мистеру Лоу и ожидать, что он выложит тебе все свои секреты. Это же искусство. Это сродни...

— ...сродни алхимии, знаю. Он хочет, чтобы ты так думал.

— Уильям!

Его племянник обиженно умолк.

— Я уже говорил тебе это раньше, Уильям, и сейчас повторяю последний раз. Отец мистера Лоу изобрел рецепт синей краски настолько чистого и глубокого цвета, что мы продаем больше синей ткани, чем любая другая фабрика на сотню миль вокруг. Для нас большая удача иметь здесь мистера Лоу. Мы заполучили его в ту пору, когда перспективы отрасли в Страуде[1] выглядели плачевно и фабрики закрывались одна за другой. Позднее, когда дела там наладились, они много раз пытались его вернуть. Вот почему мы не должны огорчать мистера Лоу.

На протяжении этой речи Уильям не ерзал, не закрывал глаза и не отводил взгляд. Он просто слушал, но чувствовалось, что слова дяди его не убеждают.

— Если мистер Лоу не желает видеть тебя в своей красильне, ты должен уважать его решение. Он просто не хочет, чтобы все кому не лень совали нос в его профессиональные секреты. Как-никак, он живет за счет этого.

— А вот красные ткани у него получаются неважно, — проворчал Уильям. — И потом, это ведь твоя земля, твои здания, твоя фабрика.

— Существуют давние традиции. Красильщики всегда были сами по себе, и в их дела никто не вмешивался. Они слишком важны, такими людьми не разбрасываются. И я не хочу, чтобы мистер Лоу уехал обратно в Страуд из-за того, что ты ему досаждаешь.

---

[1] *Страуд* — город в графстве Глостершир, в эпоху промышленной революции бывший важным центром текстильного производства.

Последовала пауза, в ходе которой выражение лица Уильяма подсказало его дяде, что вопрос еще не решен. Уилл открыл рот, собираясь возразить, однако Пол жестом остановил его:

— Научись воздавать должное чужим заслугам, Уильям. Мистер Лоу знает свое дело. Если красные красители нестабильны, не спеши валить вину на него. Тут проблема скорее в качестве воды.

Уильям упрямо покачал головой:

— Значит, он и тебе наплел то же самое. Врет он все. Вода здесь ни при чем.

— Ты на фабрике еще и года не пробыл, Уильям. Предупреждаю, следи за своим языком.

— То, что он говорит про воду, разбавленную дождями, это полная чушь! Он ведь не использует воду из реки. Он берет ее из источника, где свойства воды круглый год не меняются.

Пол замешкался с ответом.

— Здесь нет никакой алхимии, — продолжил Уилл. — Он хочет, чтобы мы так думали, потому что это снимает с него ответственность. Синяя краска ему удается благодаря старому рецепту; и он знает, что из-за этой синей ему обеспечено место на фабрике до конца его дней. А что до красной — ему наплевать, какой она получится. Он может использовать старую краску, может подбирать состав наобум, а если оттенок выйдет бледным или слишком темным, всегда можно сослаться на плохую воду!

Раздраженный взмах Уилла замер на полпути, и он вдруг впился взглядом в груду лоскутков на обтянутой черной кожей столешнице:

— Взгляни, дядя...

Пол сердито сгреб образцы в сторону:

— А как насчет его черных тканей?

— Черный цвет у него выходит хорошо только потому, что в здешней воде много железа, — тут и при желании не напортачишь.

Могло это быть правдой? Пол был вынужден признать такую возможность. Тем более что все соседние фабрики в равной мере славились качеством своих черных тканей.

Меж тем Уильям перебирал клочки материи, похоже занятый какой-то новой мыслью.

— Синяя ткань у него хороша — это факт, — промолвил он. — И черная тоже. Но другие цвета выходят как попало, потому что записи он толком не ведет, а в его кладовой сам черт ногу сломит — такой там бардак.

Пол быстро взглянул на него из-за стола, подперев голову руками, а Уильям смутился, как человек, ненароком сболтнувший лишнего.

— Стало быть, ты лазил в кладовую мистера Лоу?

— Да.

Пол ощутил смертельную усталость. Он очень хотел защитить своего племянника от нападок своего отца, но для этого требовалось как минимум сотрудничество самого Уильяма. Однако юнец не признавал свои ошибки и не желал понимать, когда и где следует остановиться.

— Тебе помогли туда проникнуть.

Это был не вопрос, а утверждение.

Уильям не сказал ничего — ни о знакомом одного приятеля, чей брат работал в красильне, ни о застольных разговорах в «Красном льве», ни о передаче некой суммы из рук в руки. Он также умолчал об отвлекающих внимание уловках и о ключе, «одолженном» без ведома хозяина.

— Я бы поступил по-другому, будь у меня такая возможность, дядя Пол. Но мистер Лоу не оставил мне выбора.

— Мистер Лоу очень серьезно относится к неприкосновенности своей кладовой.

— И теперь я знаю почему.

Уильям взял со стола один из кусочков ткани и провел им по своей ладони. Ткань была кроваво-красной, такого свежего и чистого оттенка, что могло показаться, будто по руке сию секунду полоснули ножом.

— Иди домой, Уильям.

— Как? Прямо сейчас?

Пол кивнул.

— И не возвращаться?

— Не в ближайшие дни. Мне надо все обдумать.

Услышав, как позади него закрылась дверь, Пол издал глухой стон.

8

Дора выворачивала карманы сыновней одежды, готовя ее к стирке. В прежнее время там чаще всего попадались разные камешки и карандаши, но теперь ее обычный «карманный улов» включал перочинный нож и прочие мелкие инструменты, которые могли пригодиться для высвобождения пряжи, запутавшейся в станке, или для откручивания болтов. А в этот раз вместе с носовым платком на свет явились скомканные полоски красной материи. Иные потолще, иные потоньше, разные по плотности, фактуре и оттенкам — от уныло-бледного до чересчур темного. Большинство было окрашено ровно, хотя попадались и такие, где краска пошла пятнами. Полоски эти, длиной в несколько дюймов, были отхвачены небрежно, как будто в спешке. Каким бы ни было их назначение, Уилл теперь не работал на фабрике и, значит, больше в них не нуждался.

В ожидании, когда сын вернется домой, она присела у окна, ловя последний час дневного света. Из клочков материи она вырезала лепестки и прихватывала каждый парой стежков, чтобы придать им нужный изгиб. Затем начала сшивать лепестки друг с другом — самые маленькие в центре, а дальше все более и более крупные.

Эта работа напомнила ей о давнем прошлом. Юной девчонкой она нередко делала цветы из кусочков ткани, чтобы украсить ими пальто или шляпку. И в тот день, когда она впервые встретила Филлипа, к ее платью была приколота золотистая роза, сделанная из старого фартука и окрашенная экстрактом из корня куркумы. Филлип заметил и похвалил цветок, с чего и началось их знакомство.

За все прошедшие годы никто не слышал от Доры ни слова осуждения в адрес мужа — как, впрочем, и ни единого доброго слова о нем. Она просто не желала говорить на эту тему, приняв такое решение сразу же после его бегства. Стоит хоть раз обмолвиться, и слова твои будут многократно пересказаны со всевозможными вариациями, пока не осядут накрепко в соседских головах уже в сильно искаженном виде. Так что лучше не говорить ничего. Пусть все считают, что Дора и думать забыла о Филлипе Беллмене, хотя в действительности все это время ее чувства не ослабевали — они просто становились другими. В первые дни она была вне себя от беспокойства, полагая причиной исчезновения мужа какую-нибудь травму или несчастный случай. Только месяц спустя, когда все предпринятые Полом розыски не дали результата, она осознала себя покинутой женой.

Вот когда пришло время горевать. Каждый день с утра до вечера она занималась сыном, окружая его заботой и любовью, открывая ему этот мир и оберегая его от бед; а он, в свою очередь, давал ей повод радоваться, так что она почти забывала о своем горе, но, когда он засыпал, вновь не могла сдержать рыданий. Она и сейчас порой содрогалась при воспоминании о тех долгих бессонных ночах, когда она горевала по утраченному семейному счастью. Ни до, ни после того ей не доводилось испытывать такой боли. Когда же на смену ей пришел гнев? Этого она не помнила. Должно быть, все происходило постепенно. Какое-то время два этих чувства сосуществовали в ее сердце, но гнев набирал силу и наконец взял верх.

Сначала она гневалась на родных своего мужа, а главным виновником случившегося ей виделся мистер Беллмен, подвергший сына наказанию, которое тот не смог вынести. Филлипа угнетала жизнь в крошечном коттедже, он не привык вести хозяйство без слуг, а бытовые тяготы усугублялись унижением. Дора злилась и на его мать, которая лишила сына не денег, но своей любви. Лишь позднее гнев ее направился на самого Филлипа. В конце концов, ведь это он их бросил. Да разве может обида и злость на родителей оправдать человека, оставившего на произвол судьбы свое новорожденное дитя?

Она уже было решила, что смены эмоций на этом завершатся, но еще через какое-то время вдруг обнаружила, что гнев исчез, как ранее и горечь, а превалирующим чувством стала грусть. Грусть от сознания того, что лучшие и счастливейшие дни ее жизни оказались фальшивкой. Причем ненастоящей была не только любовь Филлипа, но и ее собственная любовь к нему. На деле то было всего лишь ослепление — его красивым лицом, его комплиментами и, как ни стыдно это признать, его деньгами. Прежде ни один мужчина не называл ее красавицей; ошеломленная его страстными речами и непривычным сознанием своей власти над поклонником, она согласилась бежать из дома и обвенчаться без родительского согласия. Новое для нее чувство было необычайно ярким, и тогда ей даже в голову не пришло, что это может быть не любовь.

Так что единственным существенным различием между «нелюбящими супругами» стало их отношение к сыну. Дора изо всех сил старалась быть хорошей матерью — в надежде, что ее усилия не пропадут втуне и Уильям Беллмен вырастет более достойным человеком, чем его отец. Для нее это стало своего рода искуплением.

Но сейчас, когда Уильям мучительно переживал свой вынужденный уход с фабрики, Дора не могла даже привычно утешиться размышлениями о его счастливом и успешном будущем. Сын был для нее всем, и ее собственные печали из-за несостоявшегося счастья не шли ни в какое сравнение с одной лишь мыслью о бедах Уилла. Сам он вслух ни разу не посетовал на решение Пола и уже на следующее утро отправился к своему прежнему нанимателю, мистеру Дэвису, не потеряв впустую ни одного рабочего дня. Однако он скучал по фабрике. Там он успел прижиться и почувствовать себя в своей стихии, и теперь ему очень этого не хватало.

Она уже заканчивала розу, когда объявился Уильям:

— Как ты можешь шить при таком слабом свете, мама? Красивая вещица! Что это?

— Роза. Но она не годится для женщины моего возраста. Пусть полежит в комоде до того дня, когда ты приведешь в дом невесту.

Увидев, что для цветка она изрезала образцы тканей, он досадливо скривился, но тут же превратил эту гримасу в улыбку, чтобы ее не огорчать. Нависнув над ней в сумерках, красивый и статный, как его отец, он взял розу и приложил ее к маминым волосам.

— Носи ее. Прикрепи к своей шляпке, когда пойдем на свадьбу Фреда, и я буду рад идти под руку с самой красивой мамой в Уиттингфорде.

Дора была тронута его попыткой скрыть от нее свои душевные муки. После стольких лет самоотверженной заботы о сыне она никак не могла привыкнуть к тому, что он вырос и теперь сам готов заботиться о ней.

— Позволь мне поговорить с Полом, — попросила она. — Я скажу, что ты сделал это от избытка энтузиазма, но теперь усвоил полученный урок...

Он быстро отвернулся, но мать успела заметить, как исказилось его лицо.

— Конечно, попробуй... — пробормотал он.

«Еще немного, и я расплачусь», — подумала она и в попытке отвлечься сняла с вешалки свою шляпку, однако было уже слишком темно для шитья.

По звукам за спиной она поняла, что Уилл повернулся, а через секунду он сдавил ее плечи в коротком, жестком объятии. И сразу же покинул дом.

Вот только усвоил ли он урок? На беду, энтузиазм Уилла не ведал границ. Если он что-то задумывал, остановить его было невозможно, уж она-то знала — кому, как не матери, это знать.

9

Пол свернул от берега Виндраша на главную улицу городка. Хотелось немного побыть среди людской суеты, отвлечься от малоприятных мыслей.

Поравнявшись с церковью, он вдруг увидел стоявшего на паперти Уильяма в облачении хориста. В церковном дворе толпились люди, и среди них была Дора — с красной розой на шляпке.

Нет, еще не время с ними встречаться, решил Пол. Все равно он не сможет сказать им ничего определенного.

А денек выдался погожий, для свадьбы лучше не придумаешь. Помнится, кто-то говорил ему, что нынче женится сын пекаря. Девушку Пол видел впервые, но успел заметить, что она весьма недурна собой. Ее улыбка сияла беспрестанно, а на щеках играл яркий румянец, когда молодой супруг пожимал руку Уильяму, которого она в свой черед обняла — и, надо сказать, с недюжинным пылом. После этого Уильям, улыбаясь, поклонился им обоим, а Пол испытал подобие родительской гордости. Он знал, что Уильям мечтает вернуться на фабрику, знал о его переживаниях из-за допущенных промахов. Однако сегодня, на свадьбе своего друга, он держался молодцом; и никто из присутствующих, кроме Пола (и Доры, конечно), даже представить себе не мог, каких усилий стоила ему эта улыбка.

Да и Полу очень недоставало на фабрике Уильяма. За год совместной работы он привык полагаться на племянника. Если вдруг что-то шло не так — в техническом, административном или сугубо человеческом плане, — Уильям быстро вникал в суть проблемы и подключался к ее решению, не жалея для этого ни времени, ни сил. Он одинаково успешно справлялся с поломками механизмов, запутавшейся пряжей, личными конфликтами, арифметическими расчетами и канцелярской работой. Его ловкие руки, физическая сила и коммуникабельность оказывались к месту в самых разных ситуациях, что не могло не удивлять, учитывая его юный возраст. «Это задача для Уилла, — сотню раз на дню походя отмечал про себя Пол. — Уилл с этим разберется». И всякий раз с опозданием вспоминал, что теперь должен обходиться без его помощи.

Но парень сам загнал себя в угол.

Пол не питал особой любви к мистеру Лоу. Его привлек на фабрику Беллмен-старший, при котором Лоу сделался фактически никому не подконтрольным главой красильного производства. «В этой истории вообще многовато отцовского», — мрачно размышлял Пол. Мистер Лоу выпускал отличную синюю ткань только потому, что его отец научился выпускать отличную синюю ткань; а он, Пол Беллмен, никогда не вмешивался в работу красильни только потому, что его отец никогда не вмешивался в работу красильни, — таким вот образом, передаваясь от отца к сыну, и формируются неписаные правила и традиции.

А как же Уильям? Выросший без отца, который также не знал своего настоящего отца, Уильям был свободен от всего этого. Он не зависел от правил и традиций, принимая все вещи такими, какие они есть. Над ним не довлело прошлое. Быть может, именно поэтому он лучше многих прозревал будущее. Когда прошлое не накрывает тебя своей длинной тенью, будущее должно видеться яснее, разве нет? В этой связи не грех было ему и позавидовать.

Пола заметили. Отделившись от толпы, к нему приблизилась Дора.

— Какая красивая роза у тебя на шляпке.

— О розах в другой раз, Пол. Хоть Уилл сейчас и кажется веселым, но он очень несчастен. Неужели нет способа все это уладить?

Он сделал глубокий вдох:

— Возможно, способ есть.

Дора встрепенулась.

— Дай-ка мне свою розу.

Озадаченная, она поднесла руку к шляпке:

— Эту? Но она пришита.

— Тогда позволь...

И она позволила ему срезать цветок перочинным ножом.

— Теперь зови сюда Уильяма.

Дора призывно помахала сыну.

— Как я понимаю, это все те же образцы из красильни? — спросил его Пол, дотрагиваясь кончиком ножа до лепестков.

— Да.

Пол нашел самый яркий из лепестков, через лупу осмотрел край среза, проверяя, как прокрасилась материя, и остался доволен: краска пропитала шерсть насквозь. Аналогичное обследование других лепестков выявило белую сердцевину в срезах нитей.

Дальнейший разговор между Полом и Уильямом состоял из быстрого обмена фразами, плохо понятными Доре из-за обилия специальных терминов. Однако она хорошо улавливала их взволнованные интонации. Энни Роупер и ее слабо закрученные нити... закупка свежей марены у Харриса, а не у Чентри... сушка под открытым небом... двухванное крашение... и все операции должны быть четко расписаны...

— Если мы это сделаем, — заключил Уильям, — можно будет всякий раз получать первоклассную ткань, такую же мягкую и такую же яркую, как эта.

Дора переводила взгляд с лица своего сына на лицо Пола. Она не вполне уяснила, что происходит и почему ее бедная роза была столь безжалостно и непоправимо растерзана, однако, судя по их лицам, появился шанс вернуть все в прежнее, благополучное состояние.

— А мистер Лоу...

Дора задержала дыхание, молясь, чтобы Уильям придержал свой язык.

Улыбка Пола поблекла.

— Что еще?

— Может, устроим все так, чтобы он посчитал это своей собственной идеей?

Пол взял Уильяма за руку и крепко ее пожал:

— Мистера Лоу я возьму на себя, хорошо?

10

— В другой раз предупреждайте заранее! — С этими словами мистер Радж ворвался в кабинет Пола.

— Предупреждать о чем?

— Да об этой ярко-красной! Прямо высверливает мозг, скажу я вам! Ее наверняка видать аж с другого конца долины. У меня начинается резь в глазах — как бы они не лопнули.

Пришлось Полу покинуть контору, чтобы разобраться с проблемой на месте.

Погода была идеальной для сушки. Солнце грело, но не припекало, дул легкий и теплый бриз. Привычный грохот фабрики ничуть не мешал удовольствию, получаемому от вида голубого неба и дальних полей, разбитых на неровные зеленые и желтые прямоугольники.

Когда он обогнул угол красильни и взгляду открылся сушильный двор, Пол замер от неожиданности. Влево и вправо простирались длинные ряды рам с натянутыми на них ярдами и ярдами ткани разительно яркого, сочно-красного цвета — как только что пролитая кровь. Несколько мгновений Пол не видел ничего, кроме этого цвета, и понял, что Радж не так уж преувеличил, говоря о своих глазах. Он ощутил приятное волнение, пульс забился чаще, губы сами собой раскрылись в улыбке. И лишь минуту-другую спустя он заметил, что находится здесь не один.

Через двор в его сторону двигался мистер Крейс, начальник сушильного цеха, то и дело останавливаясь и нагибаясь над рамами якобы с целью проверить натяжение ткани, хотя было очевидно, что эта пантомима предназначена исключительно для глаз босса, тогда как в действительности мастер находится здесь только по одной причине — дабы насладиться зрелищем.

Пол его поприветствовал:

— Случалось вам видеть красную ткань лучше этой, мистер Крейс?

— Такого сказать не могу.

— И я тоже. Ни здесь, ни где-либо еще.

В дверях красильни, плечом к косяку, стоял сам мистер Лоу, наблюдая за тем, как сохнет окрашенная им ткань.

— Как вам этот цвет, мистер Беллмен, достаточно ярок? — спросил он.

— Потрясающе, мистер Лоу!

Лоу кивнул и исчез в глубине помещения.

Появление Пола заставило дюжину любопытных работников из других цехов поспешно вернуться к своим обязанностям, но в течение дня на фабрике только и было разговоров что о новой красной ткани, и всякий имевший такую возможность приходил на сушильный двор, чтобы удостовериться воочию. Интерес проявляли не только фабричные. У дальней ограды собирались кучки зевак, а проезжавшие мимо всадники и повозки замедляли ход; никто не упускал случая полюбоваться этим пламенеющим великолепием.

— Ну и как оно там? — нетерпеливо спросил Уильям.

— Поздравляю, — сказал Пол. — Можно рассчитывать на хорошие продажи.

Его племянник облегченно вздохнул.

— Ты правильно сделал, что не пошел туда сейчас. Лоу делает вид, что его ничуть не трогают похвалы, а на деле наслаждается каждой минутой своей славы. Ты еще что-то задумал, Уилл?

— Рамы.

— Сушильные рамы? А что с ними?

— У нас достаточно места еще для одного ряда рам по дальнему краю двора, но там их будет накрывать тенью соседняя роща. А мистер Грегори ни за что не согласится продать нам часть восточного поля, хоть золотые горы ему сули.

Пол рассмеялся:

— И что с того? Нынешних рам вполне достаточно, мы и пятый-то ряд задействуем нечасто.

— Это верно, но когда пойдут заказы на новую красную...

— Попридержи коней, Уильям. Мы пока еще не знаем, как будет расходиться эта партия.

Но Уильям его уже не слышал:

— Тут я вижу два варианта. Можно прикупить участок земли с другой стороны, где ничто не будет его затенять. То поле принадлежит мистеру Дриффилду, он не будет слишком упрямиться и запрашивать сверх меры. А можно построить еще один сушильный ангар — сушка под кровлей не сильно скажется на качестве цвета при нынешней глубине прокрашивания, зато ткань будет более мягкой, и мы сможем поднять цену. Лично я предпочел бы второй вариант, но строительство — это дело долгое. Вот если бы мистер Дриффилд сдал нам в аренду свой участок на то время, пока строится ангар...

— Да погоди ты. К чему такая спешка?

— Сколько сейчас времени?

Пол сверился со своими часами:

— Без десяти три.

— Он скоро появится.

Оптовый торговец должен был прибыть на фабрику к трем часам. И по пути, с открытого пространства вдоль Берфорд-роуд, он мог добрых десять минут любоваться свежеокрашенными полотнами.

Уже к пяти часам Пол имел заказы на тысячу ярдов красной материи с поставкой до конца сентября и еще на такую же партию в следующем месяце.

По дороге домой он завернул к мистеру Дриффилду и договорился об аренде земельного участка, примыкающего к фабрике.

Один год. Всего лишь год потребовался юнцу, чтобы произвести такие перемены. А что будет, если ему предоставить свободу действий?

11

Уильям понятия не имел о спорах, которые все это время велись за его спиной.

— Отец, ты назначил меня управляющим фабрикой. Так позволь же мне ею управлять. Я хочу сделать Уильяма своим секретарем.

— Но унаследовать фабрику должен Чарльз! Твой родной сын!

— Чарльза нисколько не интересует управление фабрикой. Мне это ясно точно так же, как должно быть ясно и тебе. Если мы взвалим на него работу, которая ему неинтересна и, скажем прямо, не по плечу, результат может быть только один — разорение фирмы. Уильям член нашей семьи. У него есть желание работать, а способностей — хоть отбавляй. После двух лет, проведенных на фабрике, он знает об управлении ею намного больше, чем Чарльз, которого после окончания школы туда и пряником не заманишь.

— В нужное время у Чарльза появится стимул. Когда он унаследует...

— Чарльза привлекают только путешествия и живопись. Он не умеет общаться с рабочими и вести переговоры с клиентами. Деньги навевают на него скуку. Унаследовав бизнес, он первым же делом наймет управляющего. Лучшее, что мы можем сделать и для фабрики, и для Чарльза, — это заранее подготовить такого человека. Чарльз не хочет заниматься фабрикой. Уильям только этого и хочет. Почему не позволить тому и другому вести жизнь, которая им по душе? Это будет во благо обоим. И во благо семейному бизнесу.

Старый мистер Беллмен оставался неколебим в своем мнении, Пол также отступать не собирался. Возникла тупиковая ситуация. В конечном счете согласились на том, что Чарльз на двенадцать месяцев отправится в столь желанное ему путешествие, а Уильям на тот же срок займет место секретаря при Поле. А по истечении года...

Старик дал свое согласие только потому, что дальнейшее виделось ему как на ладони.

— Когда Чарльз вернется, он уже созреет для дела. А когда мальчишка Уильям увидит, *что* стоит на кону, он пойдет на попятную. Вкладывать столько труда в предприятие, которое тебе не принадлежит? Нет уж, извините, скажет он. Помяни мое слово!

Через двенадцать месяцев Чарльз, донельзя проникшийся духом итальянских палаццо и базилик, вообще отказался возвращаться домой, тогда как Уильям, далекий от «попятных» намерений, затевал все новые проекты и преобразования, в результате чего Беллменская фабрика процветала, как никогда прежде.

Но еще до истечения отмеренного срока произошло одно событие.

Старый мистер Беллмен подхватил насморк, перешедший в кашель. Летняя простуда — вещь не такая уж редкая, однако болезнь затянулась, приобретая все более серьезный характер. В его спальне на первом этаже постоянно топился камин, а сам он целые дни проводил в кресле с укутанными пледом коленями, глядя из окна на соседнее поле, которое заполонили грачи, без устали долбившие землю крепкими клювами.

Там служанка его и нашла.

Если в предсмертные минуты перед его мысленным взором и промелькнула вся прожитая жизнь — несчастливый брак, неверность жены, мщение за это ее второму сыну — и если в самый последний миг он раскаялся, осознав, что его семейные беды во многом стали следствием его же нетерпимости, то никаких признаков этого раскаяния на застывшем лице не проявилось. Жесткое, суровое и насупленное, оно настолько соответствовало прижизненному облику Беллмена-старшего, что служанка трижды повторила свой вопрос, прежде чем поняла, что хозяин мертв.

В это время Уильям находился в Лондоне, ведя переговоры с агентами Индийской общеторговой компании. «Доверь эту сделку мне, — перед тем упрашивал он дядю. — Они решат, что я еще совсем зелен, и это усыпит их внимание». Вернувшись домой с приличным пакетом заказов, он узнал, что старый мистер Беллмен — Уилл никогда не думал о нем как о своем деде — уже покоится в гробу и гроб этот уже в могиле.

— Мне очень жаль, дядя.

— Покажи заказы. — Пол быстро просмотрел бумаги и кивнул. — Ты все сделал правильно. И сроки не пересекаются с портсмутскими контрактами... Скажи, Уилл, ты хоть изредка вспоминаешь о своем отце?

Уилл помотал головой.

— И тебе никогда не хотелось узнать, где он? Жив он или мертв?

Уилл задумался, как будто пытаясь отыскать в глубинах памяти хоть один случай проявления им подобного любопытства, и снова качнул головой:

— Никогда.

12

Случилось это так.

Дора Беллмен почувствовала усталость. «Это на меня не похоже», — озадачилась она.

Взяв миску, она вышла в палисадник, где поспевала ежевика. Свежий воздух обычно действовал на нее бодряще. Вдали, за возделанными полями, виднелся сушильный двор фабрики: длинные ряды белых полотен и несколько крошечных темных фигурок, копошившихся между ними. Уильяма там сейчас не было — даже на таком расстоянии она бы его узнала. Однако не слишком ли ветреный день для сушки? Сильный бриз трепал вершины деревьев, а над рощей грачи затеяли подобие буйной пляски, с пронзительными воплями кувыркаясь и ныряя в воздушном потоке.

Миска уже до половины заполнилась сочными ягодами, а пальцы Доры покраснели от сока, когда вновь нахлынула усталость, разом сковавшая все тело. Миска выпала из рук, ягоды рассыпались по земле. Затем начали отказывать ноги, и она ухватилась за живую изгородь, чтобы не падать прямо на россыпь ягод, но лишь ободрала руки, так и не избежав падения. Ежевичные пятна расплылись на материи.

Испуг и смятение — оттого что испачкано платье, оттого что неприлично обнажилась часть ноги, оттого что пришла ее смерть.

Подумай об Уильяме... помолись...

Но сначала надо прикрыть ноги...

Отпущенного Доре времени едва хватило на то, чтобы прикрыть ноги.

Весть принесли две мисс Янг. До той поры у них не было никаких поводов посещать фабрику, и потому уже сам факт их появления предполагал, что произошло нечто из ряда вон выходящее. Вероятных причин набиралось немного; скорбный вид посетительниц еще более сузил круг версий, а когда они пожелали встретиться с Уильямом, догадки фабричных переросли в уверенность: не иначе как у мистера Уильяма померла мать.

Только Уильям ничего не заподозрил.

«Ах, Уильям!» и «Милый Уильям!» — нестройным трагическим хором грянули обе мисс с порога комнаты, где он находился вместе с дядей.

Уильям встретил их озадаченным и чуть насмешливым взглядом. Обе мисс Янг собственными персонами. Здесь, на фабрике. Чудо из чудес! В своих вычурных шляпках и крикливо-нарядных платьях одинакового фасона, с широко распахнутыми глазами и каким-то странным выражением лица. Старшая мисс Янг судорожно сжимала в руках белую фаянсовую миску, заляпанную чем-то красным. Они что, явились сюда прямиком с кухни? Забавные дамочки, право слово!

— Чем могу помочь? — спросил он.

Две пары глаз глядели на него выразительно. Пусть он сам догадается! Пусть хотя бы начнет догадываться!

Уильям изобразил вежливое удивление. Почему они таращатся так, будто чего-то от него ждут, тогда как объясняться, по идее, должны они сами?

Старшая мисс Янг открыла рот, но ей было трудно начать, столкнувшись с таким абсолютным непониманием. Тогда она молча протянула ему миску — в качестве материального свидетельства.

Уильям миску не взял, окончательно сбитый с толку.

Пол догадался раньше его. Он распознал в их лицах и жестах то пугающе безысходное сочувствие, которое могло означать лишь одно, и поднялся из-за стола.

— Миссис Беллмен... — промолвил он.

И тогда последовала собственно история. Старшая и младшая мисс Янг поправляли и дополняли друг друга, их голоса переплетались, дрожали и срывались, но понемногу картина случившегося прояснялась. Прогулка на прибрежном лугу, поднимается ветер — да такой сильный, чуть не унес шляпку Сьюзен! — возвращение домой коротким путем, поворот за угол, что-то виднеется у живой изгороди — миссис Беллмен! бедная миссис Беллмен! — и рассыпанные ягоды, и эта белая миска — взгляните! — не разбилась, каким-то чудом не разбилась...

Уильям словно со стороны наблюдал за тем, как его дядя выслушивает этот путаный рассказ. У него возникло ощущение, что весь мир неожиданно сбился с правильного пути, но при этом достаточно одного его слова или движения, чтобы все вернулось на круги своя; однако его как будто сковал паралич, язык отказывался повиноваться, и поэтому — только поэтому — он не мог сейчас же восстановить этот мир в его нормальном виде.

Лишь когда старшая мисс Янг повернулась к нему, чтобы еще раз вблизи продемонстрировать чудом уцелевшую миску, язык его вновь обрел подвижность.

— Да, — согласился он. — Я вижу. Ни единой трещины.

В тот вечер — и в последующие дни — Пол не оставлял племянника без присмотра. Он уступил просьбам обеих мисс Янг, непременно желавших принять участие в судьбе юноши, и теперь, по крайней мере, мог быть уверен, что Уиллу не грозят голод, холод или недостаток чистых рубашек. Свою главную задачу Пол видел в том, чтобы все время находить ему какие-нибудь занятия. И это оказалось даже легче, чем он думал. Нужно было срочно решать разные вопросы. На какой день назначить похороны: на среду или на четверг?

В какое время? В одиннадцать? Какие гимны выбрать для исполнения? Еще надо было известить брата Доры в Вичвуде и всех прочих родственников. Затем потоком пошли люди с соболезнованиями: певцы из церковного хора, рабочие с фабрики, завсегдатаи «Красного льва», старые девы, которым Уилл когда-то поправлял изгородь, завзятые игроки, с которыми он когда-то резался в карты, мясники, булочники, свечных дел мастера, а также сестры и дочери всех вышеперечисленных. До той поры Пол и не подозревал, что в городке проживает так много хорошеньких девиц. Интересно, был ли во всей округе хоть один человек, не знакомый с Уильямом? Сотни рук протягивались для пожатия, сотни голосов произносили слова сочувствия. «Благодарю, — отвечал им Уильям. — Вы очень добры». И так продолжалось до бесконечности.

Стараниями своего дяди, хлопотливых мисс Янг и всех этих визитеров Уильям никогда не оставался в одиночестве, исключая время, отведенное на сон. И каждый раз, ложась в постель, он испытывал смутную надежду, что по пробуждении найдет мир исправившимся — таким, каким тот был раньше. Затем тянулись бесконечно долгие часы забытья без сновидений, а когда он пробуждался, ничуть не освеженный сном, мир был все тем же, упрямо продолжающим движение по неверному пути. Все вокруг казалось мрачным и безотрадным. Стена тумана выросла между ним и его собственным разумом, а за этой стеной неясной тенью маячила мысль: «Когда же наконец все придет в норму?»

Его мама умерла, он сам видел тело; однако его сознание находило миллионы причин, опровергающих этот факт. Мама умерла? Что за чушь, взгляните сюда: вот же ее платья, вот ее чайный сервиз, вот ее воскресная шляпка на полочке над вешалкой. Мама умерла? Но разве вы не слышите скрип садовой калитки? Через какой-то миг она появится в дверях.

Чувство, что все это какой-то пошлый фарс, не оставляло его и в день похорон, а раздражение только усилилось:

уж слишком далеко это зашло. Он надевал свой воскресный костюм и парадные ботинки, с минуты на минуту ожидая, что вслед за очередным визитером в дверь войдет мама, живая и здоровая: «Вырядился в будний день? С чего это вдруг?» Когда процессия мужчин двинулась в сторону церкви, обе мисс Янг остались в коттедже готовить чай, чтобы женщины могли помянуть усопшую в своем, по-домашнему уютном кругу. «Она будет здесь к моменту моего возвращения», — подумал он на выходе.

Уильяму доводилось петь на многих похоронах, и он знал обряд назубок. Но сегодня все казалось ему ненастоящим. Он сидел на скамье в переднем ряду — вместо того, чтобы находиться на хорах, как обычно. И сама церковь была не той, к которой он привык, больше походила на театральные декорации: под видом преподобного Поррита выступал какой-то фигляр, а бутафорский гроб мог ввести в заблуждение разве что полных дилетантов. Все это расстраивало и смущало Уильяма. А когда в ходе службы этак фальшиво-сусально прозвучало имя Доры Беллмен, он едва совладал с позывом от всей души заехать псевдопреподобному псевдо-Порриту кулаком в нос.

Голос Уилла привычно вел мелодию гимна — и вдруг сорвался.

Нечто странное творилось у него в груди. И это нечто, болезненно разрастаясь, давило на сердце, сжимало легкие.

Да что же такое с ним происходит?

По инерции прохрипев еще несколько тактов, он перешел на невнятное мычание, а общий хор, вдруг потеряв направляющий голос, пошел вразброд и быстро скатился в какую-то жуткую, болезненную дисгармонию.

Ко всему добавилось еще одно неприятное ощущение. Это был зуд в области верхних шейных позвонков, между воротником и линией роста волос, — принято считать, что таким образом человек реагирует на чей-то пристальный взгляд, направленный сзади...

Уиллу очень хотелось почесать зудящее место, а еще сильнее хотелось повернуться и выяснить, кто же на него так смотрит. «Не забывай, что ты находишься в церкви!» — предостерегающе прозвучал в голове мамин голос. Ослушаться маму он не мог, только не в этот день. И он старался подавить в себе это желание.

Как же так вышло, что он очутился здесь и сейчас? Как вообще могла возникнуть такая странная — такая нелепая — ситуация?

Уже теряя контроль над собой, он вздохнул и потянулся к зудящему месту пониже затылка, однако нечто, давившее на его легкие и сжимавшее сердце, превратило вздох в громкий крик, и он почувствовал, как рука Пола обхватила его за плечи. Дядя продолжал его поддерживать и позднее, когда они вышли из церкви на открытый воздух.

И вот он уже на кладбище. Нежаркое сентябрьское солнце прозрачными лучами-пальцами указывает на гроб и на разверстую могилу. Трудно поверить, что преподобный Поррит и этот гроб всего минуту назад казались ему ненастоящими. Взгляни на них сейчас...

А нечто в его груди продолжало разрастаться и уже достигло горла, так что он не мог проглотить заполнившую рот слюну. Затем оно сковало челюсти и начало давить изнутри черепа на глазные яблоки...

Провожающие Дору в последний путь рассредоточились вокруг могилы. Здесь были ее брат, ее племянники и двоюродная родня; здесь были ее соседи и друзья; здесь были те, кто ее любил и ею восхищался, те, кто распускал о ней сплетни, и те, кто к этим сплетням прислушивался или же их отвергал.

Уилла вдруг насторожило какое-то едва заметное движение. Вон там, позади всех. Человек мелькнул в просвете и вновь исчез за спинами — всего лишь миг, попробуй разгляди...

Так вот чей взгляд не давал ему покоя в церкви! Теперь Уилл в этом не сомневался.

Он перенес вес на одну ногу и чуть-чуть сместился влево в попытке разглядеть незнакомца. Не получилось. Должно быть, и тот сменил позицию. Тогда Уилл медленно, дюйм за дюймом, передвинулся вправо. Между стоящими в последнем ряду показалось чье-то массивное плечо. Он это или нет? Или вон там, где виден край плаща? Но в массе траурно-черных фигур, среди множества скорбно поникших голов, было невозможно отличить одного мужчину от другого.

Пол заметил эти качания из стороны в сторону и, решив, что Уилл близок к обмороку, покрепче ухватил его за локоть.

Нечто продолжало терзать Уильяма изнутри. Его руки тряслись, ноги опасно подкашивались. Холод угнездился в желудке и пополз вдоль спины, грудная клетка не могла расшириться для вдоха, горло было заложено, воздуха не хватало.

Он медленно прикрыл глаза и подумал: «Теперь уже ничто не будет как прежде».

Первое, что он увидел, подняв веки, были солнечные лучи, преломлявшиеся в слезах. Кажется, кто-то подает ему знаки, стоя по другую сторону могилы? Какой-то жест. Предупреждающий? Ободряющий? Уилл сморгнул слезы и прищурился. Похоже на поднятую руку. Широкая складка черного одеяния, согнутые растопыренные пальцы, выныривающие из рукава. Что еще там сверкнуло? Ослепленный этим внезапным блеском, он отвел глаза и дал им передышку, глядя в мрачную глубину могилы. Одновременно его боковое зрение уловило гигантский взмах черной полы плаща — взмах, затмивший небо и солнце, накрывший тьмою всех людей вокруг и, наконец, самого Уильяма.

Позднее. По некоему молчаливому соглашению в этот вечер заботу об Уилле взяли на себя его друзья с фабрики. Сам он чувствовал себя вялым и опустошенным, не видя смысла прибегать к сидру и виски для дальнейшего расслабления, но друзьям было виднее, и они повели Уилла в «Красный лев». После трех дней слезливого сюсюканья обеих мисс Янг ему действительно пришелся кстати более простой и грубый способ утешения, предложенный фабричной братией. Кувшин сидра на столе вновь наполнялся тотчас после опорожнения. Пришел Фред и сжал его в объятиях, едва не оторвав от пола.

— Твоя мама была прекрасной женщиной. Жаль, не могу посидеть с вами. Пора домой. Я теперь женатый человек, сам понимаешь.

Стригальщики Хэмлин и Гэмбин заглянули в трактир с единственной целью — пожать ему руку; слов их он не разобрал из-за общего шума, но смысл был понятен.

— Благодарю, — сказал им Уилл. — Вы очень добры.

Радж выразил соболезнования тяжелым хлопком заскорузлой ладони по плечу Уилла. А Немой Грег сложил домиком пальцы обеих рук, что символизировало дружеское сочувствие, и этот простой жест растрогал Уильяма сильнее, чем любые многословные излияния. Кто-то уходил, другие появлялись, а Полли, хозяйка трактира, поминутно наполняя кувшин, всякий раз проводила рукой по его волосам, словно он был милым бродячим псом, отныне принятым на довольствие в «Красном льве». В зале он видел много улыбающихся лиц; то тут, то там раздавался смех. Несколько раз уголок его рта непроизвольно дернулся. За соседним столом грянул новый взрыв хохота, рядом кто-то обвинял кого-то в безбожном вранье... Уилл слушал невероятные фантазии о распутстве почтеннейших местных матрон, которыми обменивались собутыльники, доверительно сблизив головы над столом.

— Это про нас, что ли, треп? — Полли по-матерински взъерошила его волосы, невесть в который раз наполняя кувшин.

Течение было сильным, и Уилл отдался на его волю.

На время сидр выключил сознание, переместив его в какое-то тихое место, далекое от окружающего гвалта. Очнувшись, он обнаружил себя распевающим куплеты похабной песенки. Грубым, сиплым, каркающим голосом.

Кто-то перегнулся через его плечо и поставил на стол стакан виски:

— Может, это прочистит твою глотку?

Все его движения были замедленны — каждый раз, поднимая стакан, он на несколько секунд отставал от других. С большим трудом он наскреб слова для ответа подошедшему сыну кузнеца, с которым он когда-то был дружен.

— Люк! Спасибо, что зашел... А ты разве не выпьешь?

Люк скорчил рожу:

— Полли больше не наливает мне в долг.

Его рыжая шевелюра потускнела от грязи, нездорово желтая кожа висела складками.

— Хотя чего там, я ее не виню. — Он пожал плечами. — А ты оклемываешься помаленьку? Видел, как тебя скрутило там, на кладбище.

— А-а... ты тоже там был?

— Я же и вырыл могилу. И я ее закопал, честь по чести. — Он растянул рот, показав черные пеньки зубов. — Постарался как мог. Сделал холмик в лучшем виде.

Что мог Уильям на это сказать?

— Благодарю. Ты очень добр.

— Она была славной, твоя мама. — Здоровый глаз Люка уставился в пространство, возможно видя там маму Уилла, достающую из буфета еду для голодного соседского парнишки. — Ну, пойду я. Сил нету смотреть на то, как люди пьют, а у самого в горле пересохло.

— Я закажу для тебя выпивку. — Уилл, пошатываясь, встал из-за стола.

— Нет нужды.

Люк распахнул полу куртки, продемонстрировав бутыль какого-то дешевого пойла.

— Этим ты себя угробишь.

В ответ — прощальный взмах и новый оскал черных пеньков.

— Не этим, так другим, какая, к черту, разница!

Полли вновь наполнила кувшин. Смех. Чья-то рука на его плече. Пение. Полли ласково треплет его волосы и подливает сидр. Смутно знакомый голос:

— Ну как, полегчало тебе, старина?

Снова пение. Полли наполняет кувшин и гладит его руку. Кто-то берет его за плечи и слегка встряхивает, проверяя, не рассыплется ли он на куски. Он не рассыпается. Смех. Пение. Полли наполняет кувшин...

Полная тишина. Уилл открыл глаза. Никого вокруг. Он лежал на скамье под окном «Красного льва»; серое одеяло, которым его укрыли, соскользнуло на пол, и он проснулся от холода. Небо за окном начинало светлеть. Он спустил ноги на пол и встал, издав громкий стон.

Приоткрылась дверь, и в проеме возникла голова Полли с выбившимися из-под чепчика прядями.

— Все в порядке?

Он кивнул.

— Уходишь?

Еще один кивок.

— Тогда я заберу одеяло.

Он пересек комнату, чтобы вернуть одеяло, и с ходу поцеловал ее в губы. На своей узкой кровати она задрала ночную сорочку, еще через миг он вошел в нее, несколько раз качнулся вперед-назад, и дело было сделано.

— Вот и ладно, — сказала она. — Ты возьми немного хлеба, пожуешь по дороге. Хлеб в кладовой, на полке над большой бочкой.

Уилл шел к своему дому вдоль живой изгороди. Он отломил кусочек от краюхи, помусолил во рту, проглотил. Почувствовал голод, съел еще кусочек, потом еще, а потом его вывернуло наизнанку — еле успел нагнуться над канавой. «Это к лучшему», — подумал он, ожидая, что в потоке рвоты из него вылетит нечто гадкое, кроваво-зловонное, какой-нибудь полуразложившийся сгусток липкой и темной дряни. Однако его желудок выдал наружу лишь золотистую струю перебродившего яблочного сока да сладкую пену, которую он сплюнул напоследок.

Однако он чувствовал, что внутри еще что-то осталось. Плотное, чужеродное. Это оно самое и есть. Он снова нагнулся над канавой, открыв рот, но оттуда вырвался лишь хриплый, каркающий звук отрыжки: «ГРРАА!»

Грач, сидевший на ветке ближайшего вяза, наклонил голову и взглянул на него с интересом.

Дома он еще около часа подремал и затем отправился на фабрику. Физический труд вместе с обильным потом выгнал из тела остатки алкоголя. Грохот станков и крики рабочих глушили все посторонние мысли. Следующий день он провел в конторе, тринадцать часов просидев за столом в полной неподвижности — кроме пальцев, которые безостановочно щелкали костяшками счетов, — и к концу дня навел порядок в запущенной бухгалтерской отчетности.

Фабрика обладала своей собственной живой энергией, своим особым ритмом, и это давало ему возможность забыться. Подобно челноку станка, тянущему нескончаемую нить, или колесу, приводимому в движение речным потоком, Уилл бездумно, механически выполнял нужную работу. Он никогда не уставал, он очень редко допускал ошибки; закончив одну операцию, он без перерыва приступал к следующей. Проблем со сном не было: он не помнил, как опускал голову на подушку, а восход солнца встречал уже на ногах.

Он старался максимально сократить временной отрезок между концом рабочего дня и отходом ко сну. Иногда по вечерам играл в карты — выигрывал по мелочи, проигрывал такие же гроши. Иногда посещал «Красный лев». Пару раз оставался там после ухода всех посетителей. «Только не рассчитывай, что это войдет в обычай», — предупредила его Полли. По воскресеньям он пел в хоре — все тем же чистым и звонким тенором, — а во второй половине дня несколько раз рыбачил с Полом.

— Эти мисс Янг до сих пор тебя обслуживают?

— Да.

— Хмм.

Он догадывался, что означало дядино «хмм». Эта парочка определенно строила планы насчет Уильяма, что со временем могло привести к осложнениям.

— Я найму женщину, чтобы днем приходила делать уборку и оставляла на плите готовый ужин.

— Хорошая мысль, — одобрил Пол.

В один из первых дней Рождественского поста Уильям разбил мамину чашку. Он ею даже не пользовался, просто слегка задел, и та слетела с полки на выложенный плитняком пол с такой готовностью, будто в ней был заключен некий мстительный дух, только этого и ждавший. Он собрал осколки и захоронил их в саду, а сразу после того ощутил сильнейшее головокружение и жуткую, бездонную пустоту под сердцем.

Это был уже не первый подобный случай. Как раз этот еще можно было объяснить: любимая мамина чашка, недавние похороны, напоминание об утрате и все такое. Но сходное чувство — провал в области солнечного сплетения, тошнота и накрывающая сознание тьма — возникало у него и при других обстоятельствах. Спровоцировать эти приступы могло что угодно: неожиданная помеха или затянувшаяся пауза в работе, слишком раннее пробуждение или просто темнота, если она заставала его в одиночестве.

Это было сложно описать словами: порой он будто заглядывал в беспредельную, вечную вселенскую пустоту. Наблюдая за окружающими — Полом, Недом, Фредом или Джинни, — он пришел к выводу, что никто из них ни с чем подобным не сталкивался. В иных случаях ощущение принимало форму темной и жуткой твари внутри самого Уилла, и это было пострашнее вселенской пустоты. Что-то мерзкое и гнилостное отравляло его кровь и его мысли. Оставалось радоваться лишь тому, что другие в нем этого не замечают.

С тоской и удивлением он вспоминал времена, когда мир вокруг был приветлив и светел. В ту пору он очень редко болел и быстро поправлялся; он никогда не страдал от голода; повсюду его встречали дружелюбные улыбки; труды его справедливо вознаграждались, а за его проступками, как правило, следовали раскаяние и прощение. Хотя он был из тех мальчишек, которые вечно нарываются на неприятности, ему хватало ума и ловкости, чтобы из этих неприятностей выпутываться. То немногое, что могло его напугать или огорчить, осталось в забытых днях детства. Возмужав, он уже не видел причин бояться чего бы то ни было. И вот теперь некая чудовищная рука одним махом содрала благостную обертку с этого сказочно прекрасного мира, открыв бездну у него под ногами.

Впрочем, он был не так уж беспомощен и беззащитен. Он мог сопротивляться, используя три эффективных средства: сон, выпивку и работу, причем последняя была самым мощным оружием в этой триаде.

Уильям и прежде не позволял себе лениться, но сейчас он старался не проводить ни минуты без какого-нибудь дела. Страх перед бездействием побуждал его хвататься за любую работу и заставлял нервничать, если таковая вдруг завершалась чуть раньше, нежели он рассчитывал. Со временем он приучился заранее составлять список всяких второстепенных дел, которыми можно было заполнить опасные паузы в течение дня. Специально для этих записей он обзавелся блокнотом в переплете из телячьей кожи, купленным по случаю на оксфордской Терл-стрит во время одной из деловых поездок. С этим блокнотом он был неразлучен — постоянно держал его под рукой на письменном столе, когда находился в конторе, или носил в кармане при перемещениях по фабрике и за ее пределами. Ночью блокнот лежал на тумбочке у его изголовья и был первой вещью, которую Уилл брал в руки по пробуждении. Иной раз, когда кошмарная тварь уже тянула к нему свои лапы, одного лишь прикосновения к кожаному переплету бывало достаточно, чтобы сдержать ее, пока Уилл срочно искал себе занятие.

Приступы накатывали и проходили; и он боролся с ними, как только мог. А после каждого приступа, жадно хватая ртом воздух и сотрясаясь от бешеного сердцебиения, он надеялся, что на этом все и закончится.

Прошло три месяца после похорон. Внешне он был тем же Уиллом, каким его все привыкли видеть: бодрым, улыбчивым, жизнерадостным. Только Пол, общавшийся с ним чаще и теснее других, заметил, что в последнее время он стал как-то слишком уж рьяно налегать на работу. Пол настоятельно советовал ему отдохнуть — погулять на природе, порыбачить или съездить в гости к родственникам. Но Уильям избегал одиночества с таким же упорством, с каким он избегал праздности. С виду он был полон кипучей энергии. Но внутри его скрывался другой человек, неведомый даже ему самому; и этот человек шел по жизни с пугливой осторожностью, как по зыбкой трясине, которая в любой момент может разверзнуться под его ногами.

&

Молодого грача можно узнать по гладкому черному клюву. С годами клюв приобретает гранитно-серый оттенок, а у его основания образуется бугристый — и, скажем прямо, уродливый — нарост. Поверья приписывают эту метаморфозу неким колдовским проискам: якобы заклятие должно было целиком обратить его в камень, но коснулось лишь клюва до того, как грач-ловкач сумел ускользнуть. Куда прозаичнее это объясняется самим образом жизни грача. На любой инструмент приятно взглянуть, когда он только что выкован кузнецом; но поработайте им несколько лет — вспахивая землю, дробя черепа и кости, убивая и разделывая морских животных, — а потом сравните его вид с тем, что был вначале. Грачиный клюв идеально подходит для добывания пищи, но сам этот процесс его неизбежно уродует.

В умении выживать грачу не откажешь. Его предки населяли планету задолго до появления человека, о чем можно судить хотя бы по его голосу: этот хриплый, скрипучий крик принадлежит к более древнему миру, не знавшему свирели, лютни и виолы. Еще до изобретения музыки его обучала пению сама планета. Он подражал рокоту морского прибоя, гулу вулканических извержений, треску сползающих в океан ледников и утробным стонам земли, когда она в корчах и муках пыталась перекроить себя заново. При таких исходных данных стоит ли удивляться тому, что грачиное пение лишено мелодичности, присущей тем же дроздам, услаждающим наш слух в весеннем саду. (Но если представится такая возможность, прислушайтесь к звучанию неба, когда в нем полным-полно грачей. Это не то чтобы красиво; но это воистину впечатляет.)

Многовековая школа выживания дала грачу отменную закалку. Он может летать под проливным дождем и при штормовом ветре. Он танцует среди молний, а гром небесный вызывает у него ответное неистовство. Он преспокойно парит в разреженном воздухе над горными пиками и совершает перелеты через безводную пустыню. Чума, голод и кровавые побоища — все это хорошо знакомо грачу. Он видел их прежде и знает, как извлечь из них пользу. Ибо грач способен прекрасно устроиться в любом месте. Он улетает, куда захочет, и прилетает, когда ему вздумается. Всякий раз с громким хохотом.

Температура, высота, опасность... Эти вещи могут стать преградой для человека, но не для грача. Его горизонты гораздо шире. Вот почему именно грачи сопровождают души умерших через плотный туман неизвестности в то место, где воздух не нужен, а жажда не имеет значения. Поместив туда очередную расставшуюся с телом душу, грач возвращается — не преминув по пути угоститься драконьей печенью и языком единорога — в наш с вами мир.

Когда грачи собираются в превеликом множестве, для этого есть самые разные названия. Кое-где используют выражение «грачиный гам».

13

Месяц за месяцем проходили со дня похорон Доры Беллмен, и вот прошел без малого год. Как-то раз после воскресной службы, дабы занять время, Уильям отправился в гости к своему дяде по материнской линии, владевшему фермой в Вичвуде, в семи милях от Уиттингфорда. По пути туда он размышлял о предстоявшей через несколько дней встрече с поставщиком деталей для прядильных машин, пытаясь предугадать его возражения по условиям сделки и продумывая свои ответы. К тому моменту, когда его конь въехал во двор фермы и остановился перед массивным каменным домом, он завершил воображаемый разговор к вящему удовлетворению обеих сторон — и поставщика, и фабрики. Время было потрачено с пользой.

Прогулявшись и осмотрев дядину ферму, они собрались перекусить — свежий хлеб, сливочное масло и булочки с тмином уже были на столе, — когда дверь кухни распахнулась и послышался дробный топот. Мальчуган лет шестисеми выпалил, задыхаясь после быстрого бега:

— Там наша лучшая корова свалилась в яму. Одним нам ее никак оттудова не вытянуть. Просили еще позвать мистера Томаса. Прямо сейчас, пожалуйста. Мне велено быть вежливым, но без подмоги не приходить.

Уилл поднялся из-за стола вместе с дядей, вернув на тарелку едва надкушенный бутерброд.

Дренажный канал был глубок, с коричневой жижей на дне. Его склон обвалился под весом коровы, и неудивительно — ведь он на три четверти состоял из камней, а трава, корни которой могли бы его скрепить и удерживать, здесь не прорастала. Уилл быстро огляделся, оценивая ситуацию. Вдоль канала шла изгородь — вероятно, сооруженная после предыдущего оползня, — но часть ее рухнула вниз вместе со злосчастной коровой. Последняя была одним боком прижата к склону, а с другой стороны придавлена осыпавшимся грунтом и теперь отчаянно дрыгала единственной свободной ногой, в меру сил затрудняя спасательные работы.

Двое парней — примерно ровесники Уилла — отбрасывали лопатами землю, а в непосредственной близости от перепуганной буренки приходилось копать голыми руками. На дне канала мужчина средних лет пытался успокоить свою любимицу, поглаживая и похлопывая ее ладонью по боку. Плечистый и крепкий, он стоял по колено в грязи (что мешало оценить его рост), светлые волосы на лбу и висках потемнели от пота.

— Мы не можем сдвинуть ее с места, — произнес он таким тоном, что стало уже непонятно, кто из этих двоих, человек или корова, испытывает наибольшие муки.

Скинув куртку, Уилл спустился на дно канала.

— Я так понимаю, вы хотите расчистить землю, подсунуть что-то ей под брюхо и потом поднимать на руках?

— Похоже, другого способа нет.

Уилл обернулся к мальчугану:

— Еще лопаты найдутся?

Тот снова умчался в сторону дома.

Работа закипела. Поначалу серьезной помехой была свободная нога коровы, которой та молотила без устали, не понимая, что ей пытаются помочь. Но после того как на ногу накинули петлю, сделанную из вожжей, корова смогла выражать свой протест лишь мычанием, и дело пошло быстрее.

Мальчишка принес лопаты, и Уилл тут же дал ему новое задание: освободить от остатков поперечных жердей столбы сломанной изгороди. Мужчины между тем работали лопатами, а затем руками выгребали из-под коровьего брюха стылую грязь вперемешку с камнями. Трудились молча; лишь изредка сосед-фермер, распрямив спину и поведя плечами, со страдальческой гримасой утешал животное:

— Не волнуйся так, все будет хорошо, вот увидишь...

Наверху объявилась стайка ребят, примчавшихся поглазеть на катастрофу.

— Прочь отсюда! — погнали их, но минут через пять зрители вернулись. — Пошли прочь!

И все равно любопытство брало верх. Они подбирались ближе и ближе к краю, пока не возникла реальная опасность нового оползня, что разом свело бы на нет все усилия взрослых.

Уилл вполголоса дал совет владельцу коровы, и тот кивнул.

— Эй, ребятня! — позвал он. — Вот вам задание: бегите на ферму и скажите моей жене, чтобы дала вам инструменты. Потом снимите с петель дверь погреба и тащите ее сюда.

Им поручили важное дело! Снять с петель дверь погреба! Мальчишек как ветром сдуло.

Провозившись более двух часов, они наконец смогли подсунуть под корову столбы от изгороди. К тому времени массивная дверь уже примчалась к ним через поле на дюжине резвых ног. Шестеро мужчин, по двое на каждый столб, поднатужились и вытянули корову из грязи. О том, чтобы сразу вернуть ее на родное поле, не могло быть и речи — слабый склон просто не выдержал бы их общего веса. Поэтому корову подняли на противоположный край канала, через который в самом узком месте перекинули дверь в качестве мостика.

— Ну, вот видишь, милая? Что я тебе говорил?

Ощутив под всеми четырьмя ногами твердую почву, корова без лишних понуканий перешла по временному мосту на свою сторону, с некоторым недоумением огляделась — и начала щипать траву как ни в чем не бывало.

— Похоже, она в полном порядке, — сказал дядя Уильяма.

Работники отдувались и выгибали натруженные спины.

— Уилл, это Том Уэстон. Том, это мой племянник Уилл.

— Рад знакомству.

Руки обоих были слишком грязны, да и после таких совместных трудов рукопожатие стало бы излишней формальностью.

— Не заглянете к нам? — Том Уэстон поднес руку к губам жестом, изображающим опрокидываемый стакан.

Мужчины приняли приглашение.

Когда они подошли к ферме Тома Уэстона, навстречу выбежала женщина — красивые голубые глаза с улыбчивыми морщинками и никаких признаков седины в светло-русых волосах. Очень приятная женщина, вот только очень встревоженная.

— Вытащили?

Да, да, с коровой все хорошо, снова пасется в поле. Никакого ущерба, только куча времени потеряна да шестеро человек изнывают от жажды. Ах да, это вот Уильям Беллмен из Уиттингфорда, племянник Джеффри.

Она улыбнулась с облегчением, а затем еще раз — уже Уиллу. Зубы у нее были ровные, но со щербинками. Впрочем, ее это ничуть не портило.

— Роза! — крикнула она в глубину дома. — Накрывай на стол. Хлеб, масло и копченый окорок. И сладкий пирог не забудь!

На кухне мужчины сняли рубашки, обтерлись полотенцами и расшнуровали мокрую обувь. Жена Тома подкинула в печку дров, а Том, верный своему обещанию, наполнил стаканы чем-то горячительным.

— Вы ведь не собираетесь на ночь глядя ехать в Уиттингфорд, мистер Беллмен? — спросила жена Тома, развешивая над очагом сырую одежду.

Узнав, что он все же намерен ехать, она снова крикнула:

— Роза! Здесь молодой человек, мокрый с головы до пят, собрался скакать верхом в Уиттингфорд. Займись в первую очередь его ботинками. Пусть они хоть немного подсохнут до отъезда.

Звон посуды и столовых приборов в соседней комнате стих, и на пороге появилась девушка. Светлые волосы, голубые глаза — копия матери.

— Может, подберем что-то из дедовой одежды, Роза? Как думаешь, ему подойдет?

Девушка смерила его взглядом:

— Думаю, да.

Затем она посмотрела ему в глаза, спокойно и прямо:

— Надеюсь, вас не очень раздражает запах нафталина?

— Ничуть.

Девушка отправилась за одеждой.

— Я все верну в следующее воскресенье, — пообещал он миссис Уэстон.

Уже из соседней комнаты девушка бросила на него взгляд через плечо и улыбнулась. Между передними зубами у нее была очаровательная щербинка.

Накануне Пол обстоятельно проинструктировал его по поводу нового контракта с Индийской общеторговой компанией, а сегодня вдруг выяснилось, что Уилл не помнит ни слова из сказанного. Пришлось повторять все заново.

— Ага, — сказал Уилл, — теперь понятно.

И снова уткнулся в гроссбух.

— Случилось что-нибудь? — спросил Пол.

— Да нет, ничего.

Однако Уилл определенно был в нерабочем состоянии. Что-то мешало ему сосредоточиться. Посему Пол решил позвать его на рыбалку. Быть может, воскресным вечером на берегу реки ему удастся разговорить племянника и выведать, что с ним такое стряслось. Но, услышав предложение Пола, тот неожиданно воспротивился. Нет, в этот раз он не сможет пойти, у него намечено одно дело.

Ну что ж, он хотя бы попытался. Что бы там ни было, со временем все утрясется. В любом случае, даже работая вполсилы и слушая вполуха, Уильям приносил фабрике немалую пользу.

Заветный блокнот Уильяма не был открыт ни разу в течение этой недели. Теперь ему не требовалось заполнять каким-нибудь делом освободившиеся минуты, поскольку каждая его минута была уже заполнена мыслями о Розе. Ее глаза, ее волосы, ее зубы — он мог часами воображать, как его язык скользит по этим чудесным зубам. Да и во всем остальном девушка полностью соответствовала его идеалу. Она была хорошо сложена, с какой стороны ни смотри. После первого — прямого и открытого — взгляда она ни разу, вплоть до момента прощания, не подняла глаза на Уильяма. Никакого кокетства — да Розе и некогда было кокетничать: она набивала ботинки мешочками с рисом, чтобы скорее вытянуть влагу, резала хлеб и мясо, разливала по кружкам чай, приносила сладкий пирог, корчила смешные рожицы малютке-сестре, грозила пальцем младшим братьям, каждый из которых норовил стянуть кусок пирога с тарелки другого. Но уже по тому, как она избегала смотреть на Уилла, чувствовалось, что ей нравится ловить на себе его взгляд.

Та самая щербинка меж зубами Розы на поверку оказалась ничуть не менее приятной для языка, чем Уилл представлял в своих фантазиях.

— Каждый раз, когда ты улыбаешься, я вижу эту щербинку и не могу удержаться от поцелуя, — сказал он.

— Ну тогда поцелуям конца не видать, — ответила Роза, — потому что я улыбаюсь все время!

Так оно и было. И эту самую фразу она произнесла с улыбкой. Он вновь ее поцеловал.

Сколько же воскресений прошло? Три, включая день первого знакомства. То есть всего-то пара недель, но их он провел в совершенно другом мире.

Поцелуи, объятия и ласки продолжались под деревом на краю поля. Его пальцы уже нашли все, что нужно, под ее нательным бельем; ее пальцы не отставали в этих изысканиях. Получив и доставив друг другу наслаждение с помощью рук, они не собирались останавливаться на этом.

— Я хочу... — начал он.

— И я тоже, — подхватила она.

Проблема заключалась в том, что после достопамятного спасения коровы и вечера, проведенного у них в гостях, Уилл проникся симпатией к этим людям и менее всего хотел бы причинить им боль. Такая милая, добросердечная женщина, первым делом позаботившаяся о его мокрой обуви. Обидеть ее? Это было немыслимо. А ее заботливый муж, у которого всегда найдутся слова утешения даже для перепуганной бессловесной твари? Нет, так не годилось. Это была счастливая дружная семья, и он просто не мог разрушить идиллию, тайком соблазнив их дочь.

Однако, однако, однако. До бесконечности так продолжаться не могло. Блаженство или катастрофа, называйте это как хотите, но рано или поздно неизбежное должно было случиться. Оставался один достойный выход.

И в четверг, посреди рабочего дня, находясь в сушильном цехе, он принял решение.

— Дядя Пол!

Пол тревожно привстал, когда Уильям ворвался в его кабинет с этим криком.

— Что такое?

Он уже приготовился услышать трагическую новость: загублена партия ткани, кто-нибудь обгорел или утонул...

— Дайте мне лошадь. Я еду в Вичвуд.

— Прямо сейчас? С какой целью?

— Там есть одна девушка. Я должен на ней жениться.

— Что, сию минуту? Так дела не делаются. Ну-ка, присядь.

Но Уильям не пожелал садиться. Он даже не убрал руку с дверной ручки, готовый отбыть сразу, как только получит разрешение. Пол начал задавать вопросы, но вразумительных ответов не добился. Что они за люди? А эта Роза — чем она обычно занимается на ферме? И почему Уилл прямотаки должен на ней жениться?

В Вичвуд они поехали вместе. Пол убедился, что Уэстоны хорошие, достойные люди. Уэстонам пришлось по душе то, что они увидели в Поле. Во время их беседы Уилл и Роза, бледные от волнения, сидели на скамье у дальней стены, держась за руки. Свадьбу решили сыграть через две недели.

14

Планам, которые парочка мисс Янг строила насчет Уильяма, не суждено было сбыться. На последней холостяцкой пирушке в «Красном льве» Полли потрепала его по загривку, как домашнего пса:

— Девчонка, знать, собой недурна? — и, услышав ответ, заключила: — Вот и ладно.

Прядильщицы дразнили его безжалостно, так что вогнали в краску. Но их можно было понять: тешились-то напоследок, с женатым мужчиной уже не очень пофлиртуешь. И по всей фабрике, куда бы он ни пошел, рабочие жали ему руку с поздравлениями, пожеланиями и шутливыми предостережениями. Немой Грег подарил ему пару фигурок, жениха и невесту, искусно сплетенных из соломы.

На главной улице городка Уильям повстречал Джинни и Фреда, гулявших под ручку, — она порядком раздобрела, а он и вовсе заплыл жиром, лоснясь от сытости и довольства.

— Рады слышать новость, Уильям! Семейная жизнь — это прекрасно!..

— А это прислал Чарльз, — сказал Пол, протягивая письмо, в котором, помимо поздравлений, сообщалось, что Чарльз высылает картину — пейзаж Венеции — в подарок Уильяму и его молодой супруге, чтобы украсить их жилище.

Возвращаясь с мальчишника после полуночи, накануне дня свадьбы, Уильям в темноте не разглядел какого-то бродягу, сидевшего на корточках у стены. Налетев на препятствие, он едва не упал, отчаянно замахав руками, чтобы сохранить баланс. Бродяга завалился набок, издав глухое ворчание; брякнула опрокинутая бутыль.

— Люк? Это ты, Люк?

— Кто здесь?

— Это Уилл Беллмен.

Люк не спешил подниматься, шаря руками по земле. Наконец раздался слабый стеклянный звук и довольный возглас. Значит, бутыль не разбилась. Состояние Люка, судя по мощному алкогольному выхлопу, было таково, что он вряд ли узнал Уильяма, если вообще заметил чье-то присутствие. Уилл взял его за плечо — сейчас он казался еще тщедушнее, чем был в детстве, — и легонько встряхнул:

— Ты в порядке, Люк? Где ты нынче обретаешься?

Последовало долгое молчание, и Уилл уже было решил, что пьянчужка вновь погрузился в сон, но тут Люк подал голос:

— Я помню...

Продолжить он не смог и перешел на язык жестов, при его трясущихся руках такой же маловнятный, как и его речь. Поплевав себе на ладонь — во всяком случае это можно было истолковать именно так, — он с пьяной старательностью свел вместе подушечки большого и указательного пальцев, смочил их слюной и начал тереть друг о друга. Полная бессмыслица. Напрягшись, Люк выдавил из себя еще несколько звуков, в сумме похожих на слово «ро-гат-ка», и удовлетворенно икнул.

Уильям ждал дальнейших пояснений, но их не последовало.

— Завтра я женюсь, — сообщил он.

Никаких признаков того, что Люк его услышал. Постояв еще немного, Уильям собрался продолжить путь, когда вновь послышался голос Люка:

— А ты-то помнишь? Я помню...

Уильям оставил его и пошел домой. Его ждала последняя одинокая ночь в холостяцкой постели.

— Завтра я женюсь, — сказал он своему дому, переступая порог.

— Завтра я женюсь, — сказал он свече у постели, перед тем как ее задуть.

— Завтра я женюсь, — прошептал он подушке, опуская на нее голову.

А в последний момент перед погружением в сон ему вдруг вспомнилась фраза Люка, сказанная той пьяной ночью в «Красном льве»: «Я ее закопал, честь по чести».

Но и это воспоминание не помешало ему уснуть. Завтра он женится.

15

Уильям Беллмен больше не устраивал попойки в «Красном льве». Он больше не играл в карты с подмастерьями из сукновальни. Он погасил все долги, и ничто не отягощало его совесть. Та часть жизни осталась позади. Ему было двадцать шесть лет, он имел стабильный доход и крепкое здоровье, при этом пользуясь всеобщей любовью и уважением. После пяти лет семейной жизни он находил еще больше причин для влюбленности в свою жену, чем в день их свадьбы; а если порой и случались споры, то они были краткими, беззлобными и в конечном счете продуктивными. Их дочь Дора была здоровой, смышленой и любознательной девочкой, а их младший сынишка, по доброй семейной традиции Беллменов названный Полом, рос крепышом и смеялся без устали.

Судьба благоволила к Уильяму Беллмену. Даже незнакомые люди, впервые увидев его на улице, тотчас про себя отмечали: «Вот человек, который полон сил, счастлив и удачлив во всем». Об этом свидетельствовали и его манера держаться, и каждая деталь его облика, от ботинок до шляпы.

Сам Уильям, конечно же, не мог не сознавать свою удачливость, но, будучи по преимуществу человеком действия, предпочитал просто наслаждаться выпавшим на его долю счастьем, не вдаваясь в особые размышления по этому поводу.

Но далеко не ко всем судьба была столь благосклонна.

Ранним зимним утром кто-то забарабанил в дверь коттеджа. Уилл приоткрыл ее, впустив в прихожую порыв снежного ветра. На крыльце стоял Немой Грег, обсыпанный снегом, дрожащий, с тревогой в глазах.

Что могло случиться? Пожар? Авария? Волнения среди рабочих исключались: если б таковые назревали, Уилл был бы в курсе. Тогда, может, какие-то козни конкурентов, порожденные банальной завистью...

Уильям натянул одежду поверх ночной рубашки и вместе с Грегом побежал на фабрику. Когда они приблизились к фабричным корпусам, Грег схватил его за руку. Не туда. Для пояснения он описал рукой широкий круг в морозном воздухе, — стало быть, водяное колесо.

Небо и земля слились в одно целое — повсюду был только снег. Единственными темными пятнами на этом фоне были старые дубы, на верхних ветвях которых чернели комья прошлогодних грачиных гнезд. У плотины их поджидала небольшая группа рабочих из числа тех, кто не имел собственного жилья и ночевал на фабрике. В холодную погоду они обычно собирались у большой печи для нагрева прессовочных листов — погашенная после работы, печь еще держала тепло далеко за полночь. А в самые сильные морозы их спасала сукновальня, где стояла густая вонь, зато бочки, в которых шел процесс ферментации, всегда были теплыми.

Уильям стал с ними рядом, глядя на водяное колесо. Что-то его заклинило. Скорее всего, крупная ветка с прибрежного дерева, обломившаяся под весом снега. Или рассыпался штабель на лесопилке Фэрраха, одно из бревен скатилось в реку и доплыло по течению до фабрики. Или какие-то отпетые гуляки стащили бочку пива, выхлебали ее за милую душу, а потом и концы — то есть бочку — в воду.

Уилл снял пальто и пиджак. Если дольше колебаться, будет только хуже. Он соскользнул в воду и сморщился, как от боли: казалось, сотни ледяных игл разом вонзились в тело. Торопясь, пока холод не сковал движения, он добрался до колеса и сквозь брызги и пену пригляделся к застрявшему в нем темному продолговатому предмету, стараясь уточнить его длину и расположение. Ухватиться надо было с первого раза: потом руки онемеют и он перестанет контролировать свои действия. Примерившись, он запустил руки в глубину, вцепился в предмет и потянул.

Первая попытка дала лишь минимальный сдвиг, но после второй колесо было освобождено. При этом рывке из-под воды взметнулся сжатый кулак и ударил его по губам. В первый миг Уильям даже подумал, что это его собственная рука, онемевшая до бесчувствия. Следующим рывком утопленник был перемещен к плотине, где его схватили за одежду рабочие, а Немой Грег протянул руку Беллмену. Вытащили их одновременно; ледяная вода струями сбегала с двух тел, мертвого и живого.

— Что здесь происходит? — Это прибежал Пол, также получивший тревожное известие. — Боже правый! Кто это? Знаете его? — Не дожидаясь ответа, он повернулся к Уиллу. — Ведите его домой быстрее, пока не замерз до смерти! Его надо срочно обсушить и согреть.

Уильям чувствовал жжение глубоко в груди. Самостоятельно он идти уже не мог, и двое мужчин повели его под руки — или, скорее, поволокли, так как он едва переставлял ноги.

Тем временем оставшиеся на берегу люди перевернули утопленника лицом вверх.

— Это один из Смитов, — сказал кто-то. — Надо бы кого послать в кузню, братьям его сообщить.

— Да им начхать на него, — заметил другой. — Он с родней, почитай, и не знался. Как и с другими.

— Тут дело ясное: парень перебрал и сковырнулся с берега.

Пол вспомнил:

— Он, кажется, копал могилы? Вот бедолага.

Уильям, уже издали, оглянулся через плечо.

На снегу пламенело яркое пятно — медно-рыжие волосы, дочиста отмытые водами Виндраша.

Одинокий грач на вершине дерева скрипуче прокаркал какую-то фразу, понятную лишь мертвецу.

Первым делом Роза стянула с Уилла мокрую одежду, крепко растерла его полотенцем и обернула несколькими одеялами. Потом она загрузила в камин целую охапку дров. Потом вскипятила воду, развела в ней мед, добавила туда рому и дала мужу выпить эту смесь. Потом разогрела побольше воды для ванны, в которой он долго сидел, окунувшись по грудь, тогда как она ведро за ведром лила горячую воду ему на плечи. Потом вновь его растерла и надела на него столько слоев теплого белья, сколько он и не предполагал у себя в наличии. Потом подвинула кресло ближе к камину и усадила в него Уилла.

Сначала ему было жарко, а затем стало очень, очень холодно.

Младенец спал, но Дора, заинтересовавшись необычной суетой, выбралась из спальни и начала путаться у матери под ногами. Роза на нее накричала и отправила обратно в постель. Уилл слышал, как дочка всхлипывает у себя в комнате.

— Пусть придет, — сказал он.

Дора взобралась к нему на колени, и Уилл, еле двигая непослушными пальцами, обернул ее своим одеялом. Обильный снегопад за окном был для нее явлением необычным, как и отцовское присутствие дома в дневные часы. Немного повозившись, она притихла, дыхание стало медленным и ровным. Животом и бедрами Уилл ощущал вес ее тела — до чего же теплого!

У него начали слипаться глаза, все мышцы парализовала усталость, а когда он уже приблизился к границе сна, сами собой всплыли воспоминания: Люк в «Красном льве» — «Она была славной, твоя мама» — и ночь на улице в канун свадьбы — «А ты-то помнишь?».

Уильям проснулся от странного беспокойства. Еще только открывая глаза, он уловил какое-то мгновенное затемнение в комнате. Что-то секунду назад маячило за окном, перекрывая доступ свету. Он успел заметить темную фигуру, приникшую к стеклу и тотчас исчезнувшую. Встревоженный, он еще несколько минут безотрывно следил за окном. Там ничего не изменилось. Все тот же снежный пейзаж с вкраплениями дубов, протягивающих черные ветви поперек белесого неба. Встать и подойти к окну означало бы разбудить Дору; да и конечности его затекли настолько, что сдвинуться с места он мог едва ли.

Дора слегка пошевелилась у него на коленях.

Опустив глаза, он встретил ее полусонный взгляд. Она медленно подняла руку, и Уилл почувствовал, как тонкие пальчики скользят по лицу и опускают его веки. Милое дитя! Сердцебиение выровнялось. Как приятно ощущать тепло. Он слышал, как потрескивают дрова в камине; с кухни доносились аппетитные запахи.

Поудобнее откинувшись на спинку кресла, он успокоенно подумал, что какие бы несчастья и беды ни случались с другими людьми, он, Уильям Беллмен, был от этих вещей застрахован.

Были когда-то грачи — там, на деревьях за коттеджем, — припомнил он, погружаясь в сон. В детстве они каждое утро будили его своим гамом. А зимой на голых ветвях чернели их гнезда, как сегодня на тех дубах близ фабричной плотины. Но те грачи остались в прошлом. Навсегда.

Люк был похоронен как положено. Его братья не сочли нужным раскошеливаться на погребение, и все расходы — включая услуги преподобного Поррита — оплатил Пол.

— Кто-то ведь должен позаботиться о бедняге хотя бы после его смерти, — сказал он.

Уильям еще отлеживался дома после купания в ледяной воде, и Пол думал, что провожать покойного придется в одиночку. К его удивлению, на кладбище явился еще один провожающий — молодой владелец пекарни.

Когда все закончилось и могильщик обрел вечный покой в собственной могиле, Пол и Фред Армстронг обменялись рукопожатием.

— Я слыхал, это Уильям вытянул его из воды, — сказал Фред.

— Так оно и было.

— Вы не могли бы сообщить о смерти Люка вашему сыну, когда будете писать ему в Италию?

Пол озадачился:

— А они разве знали друг друга?

Фред помедлил с ответом, припоминая события одного очень давнего дня.

— Может, и не знали. Навряд ли. Мы тогда были просто детьми.

16

— Я вот думаю: не разослать ли нам людей с тонким слухом по кабакам вдоль Страудского тракта? — сказал Уильям.

Он вполне мог бы выразиться категоричнее: «Надо заслать к ним шпионов» или «Пора выяснить, что замышляет эта страудская братия». А такая задумчиво-предположительная формулировка подразумевала, что он лишь предлагает идею, которая нуждается в одобрении Пола.

Дядя был тронут такой деликатностью племянника, который теперь уже ничуть не уступал ему в знаниях, чутье и деловой сметке. Другое дело, конечно, право собственности. В редких случаях, когда мнения Уильяма и Пола расходились, как раз право собственности являлось решающим фактором. «Ладно-ладно, это твоя фабрика, дядя», — говорил Уильям, с улыбкой поднимая ладони в знак капитуляции. Впрочем, Пол этим преимуществом не злоупотреблял и, как правило, поддерживал идеи Уилла. А с некоторых пор он даже предпочитал наступать на горло собственной песне, если она звучала не в унисон с Уильямом.

Девять лет назад он назначил племянника своим секретарем, и все эти годы предприятие процветало. Портфель заказов был туго набит. Работники хорошо знали свое дело и трудились на совесть. Доходы существенно выросли и продолжали расти. Они расширяли производство, закупали новое оборудование и уже изучали возможность внедрения паровых машин. В одиночку он никогда не добился бы таких успехов. И в данный момент Пол не сомневался, что раз уж Уильям заговорил о возможных происках конкурентов из Страуда, у него были на то серьезные основания.

— Ты знаешь людей, подходящих для этого дела?

— Есть кое-кто на примете.

— Тогда действуй.

Уильям взглянул на часы. Начало шестого.

— По дороге домой я поговорю об этом с кем нужно.

Дома также все обстояло как нельзя лучше. Давно минули дни, когда он допоздна пропадал на фабрике, при слабом свете сверяя столбики цифр в гроссбухах. Теперь у него была другая жизнь.

— Какие планы на воскресенье, Уилл? А то приходи ко мне на обед вместе с Розой и детьми. Старому особняку пойдет на пользу небольшое оживление.

— Хорошо, мы придем, — сказал Уильям. — Значит, до завтра.

Пол мог бы в мечтах представлять Уильяма своим родным сыном. Он мог бы, глядя на Дору и двух ее младших братьев, представлять их своими внуками. Однако он не позволял себе увлекаться мечтаниями. Будучи мудрее своего отца, он понимал, что Чарльз никогда не женится и никогда не вернется в Уиттингфорд. Но какие бы известия о жизни Чарльза в Италии ни достигали его ушей, это не сказывалось на его любви к сыну. Хорошо еще, что эти сплетни распространялись на чужом языке и нашептывались иноземцами, не знавшими Чарльза в детстве. Пол Беллмен любил и сына, и племянника, но порой признавался самому себе: любить Уилла было намного легче.

После ужина Уильям усадил к себе на колени Пола и малыша Филлипа, а Дора устроилась рядом, привалившись к отцовскому плечу. Они собирали головоломку из трех фигурных кусочков ясеня, которые, при определенной смекалке играющих, должны были соединиться в нечто цельное.

Уильям смешил детей, намеренно путаясь и складывая кусочки так и этак, но всякий раз неправильно.

На стук в дверь среагировала Роза. Открыв ее, она увидела девочку одних лет с Дорой, запыхавшуюся и вымокшую под дождем.

— Моя мама просит мистера Уильяма поскорее прийти.

— Ты ведь Мэри, да? Дочь миссис Лейн?

Роза прошла в комнату к Уильяму и детям.

— Тебя срочно зовут в дом дяди. — Она подала мужу пальто. — С чего бы это?

В отличие от нее, Уильям не выглядел обеспокоенным. Возможно, ничего страшного не случилось.

В старом особняке Беллменов экономка обрушила на него целую лавину слов. Она говорила слишком много, слишком быстро и слишком путано. Мол, что-то следовало сделать как можно скорее, но уже поздно, уже поздно... Все еще не улавливая общий смысл ее речей, Уильям направился в кабинет дяди и, открыв дверь, увидел его сидящим за письменным столом спиной ко входу.

— Что тут происходит, дядя? — спросил он.

Миссис Лейн захлебнулась и умолкла на полуслове. Уильям глядел на нее и ждал.

— Но он умер, — сказала она через секунду. — О чем я и говорю. Он умер.

Уильям покачал головой, уже готовый рассмеяться.

— Глупости, я говорил с ним всего пару часов назад. Он был в полном порядке.

— Это верно, — подтвердила миссис Лейн. — Два часа назад мистер Беллмен пришел с фабрики, и тогда он был в полном порядке. А сейчас он мертв. И умер так тихо!

Она попыталась затащить Уильяма в кабинет, чтобы он убедился, увидел собственными глазами. Но он как будто прирос к месту.

— Покойным, как обычно, займется миссис Мид, — продолжила экономка. — Но сперва надо бы перенести его наверх. Вдвоем мы с этим справимся, как думаете?

Пол неподвижно сидел на своем обычном месте. Только сейчас Уильям заметил нечто неестественное в его позе. Тело сохраняло это положение не из-за какого-то внутреннего усилия. Просто на момент смерти — внезапной и, должно быть, безболезненной — оно оказалось так точно уравновешено, что не завалилось ни вперед, ни назад, ни набок, а только малость осело на стуле. При этом легкого прикосновения к его плечу было бы достаточно, чтобы нарушить баланс, и тогда...

Уильяму нужно было успокоиться, собраться с мыслями. И он вспомнил верный способ: составить перечень задач.

— Я позову людей, чтобы его перенести. Я пошлю за миссис Мид и за священником. Я напишу письмо Чарльзу.

Стало легче. Головокружение исчезло.

— Вы очень бледны, миссис Лейн, это последствия шока. Садитесь и подождите прихода остальных, я велю служанке принести вам чашку чая.

Он вышел из комнаты, но уже за порогом повернулся:

— А где ключ?

— Какой ключ?

— От фабричных ворот.

— Он... в его кармане, должно быть.

Уильям посмотрел на твидовый пиджак дяди. Нет, сейчас он не мог к нему прикоснуться. Не мог, и все тут.

— В кармане его пальто, на вешалке в прихожей.

Это другое дело.

Уильям распорядился насчет чая для миссис Лейн, взял ключ и покинул дом.

Высоко над его головой рваными клочьями туч кружили грачи, многозначительно каркая и похохатывая.

Первым делом Уильям направился к дому Неда Хэддона, поднял с постелей Неда и его брата и направил их в дядин особняк. Узнав печальную новость, мать Неда вызвалась сходить за миссис Мид, и Уильям с благодарностью принял ее помощь. Преподобного Поррита он дома не застал и оставил ему записку. Покончив с этим, он поспешил на фабрику. Никогда еще он лично не отпирал главный вход — и теперь вот довелось.

В конторе среди бумаг дяди он нашел адрес Чарльза и написал своему кузену короткое письмо, без лишних сантиментов сообщив о случившемся. Затем он разбудил Немого Грега, устроившегося на ночлег рядом с ослиным стойлом, и вручил ему конверт:

— Доставь это Роббинсу. Письмо надо отправить сегодня же.

Вернувшись в контору, он просмотрел развешенные на стене графики и таблицы, в которых фиксировались заказы и распределение нагрузок по цехам на ближайшие недели. В соседнем кабинете он сверил свое личное расписание с пометками в настольном календаре Пола. Само собой, обязанности Пола теперь придется исполнять ему. Посему он решил, что проще будет не переносить дядины записи в свой блокнот, а, напротив, взять его календарь за основу и добавить к списку те из своих работ, которые нельзя препоручить кому-то другому. Не теряя даром времени, он начал своим размашистым почерком заполнять в календаре пробелы между более аккуратными записями дяди.

А как быть с остальными его обязанностями? Кому их передать? Он быстро перебирал в уме людей, с которыми давно работал вместе, которые хорошо его знали и понимали, на которых можно было положиться. При этом он был методичен в своих размышлениях, сразу раскладывая все по полочкам. Какие из дел самые срочные? Что можно отложить на более позднее время? Что можно отменить, совместить, пересмотреть? Он составлял списки, делал к ним примечания и дополнения на отдельных листках и все это складывал стопкой в нужном порядке.

За этим занятием — то и дело перескакивая с общих задач управления фабрикой на мелкие детали, к которым все в конечном счете сводится, — Уилл совершенно забыл о времени.

Часы пролетали, как минуты. Да, еще необходимо уведомить дядиного адвоката, а также местных поставщиков и постоянных клиентов, причем как можно скорее: они должны узнать о случившемся не от кого-нибудь, а от самого Уильяма, дабы увериться, что он контролирует ситуацию. Теперь священник: похороны лучше всего назначить на среду. Как-либо обосновывать это не обязательно. Другой вопрос: пристойно ли устраивать похоронную церемонию, в то же время не останавливая работу фабрики? Вероятно, нет. Однако же священник в день похорон, помимо этой церемонии, выполняет и другие, вполне рутинные обязанности. Так почему бы и на фабрике не свести простой к необходимому минимуму?

Вернулся Немой Грег, и Уильям вручил ему дюжину новых писем:

— Теперь нужно отправить эти, Грег. Срочно.

Сам того не осознавая, он испытывал облегчение, когда с головой погружался в работу. Его мозг уверенно и четко переходил от одного пункта к другому, устанавливал очередность, организовывал, планировал, рассчитывал, определял задачи и принимал решения.

Когда он вышел из этого состояния предельной концентрации, за окнами уже занимался рассвет. Он отправился в прессовочный цех, поднял спавших у печи работников и дал им инструкции.

— Ждите у ворот, и когда появятся... — он назвал имена Крейса, Раджа и еще нескольких, — сразу направляйте их ко мне.

К семи часам все названные люди собрались в его кабинете. По их лицам Уильям понял, что весть уже разнеслась. Он официально объявил о кончине своего дяди и выслушал соболезнования: это так неожиданно... мистер Пол был очень хорошим человеком... пути Господни неисповедимы... только вчера он был здоровехонек... и т. д. и т. п.

Когда все подобающие случаю фразы были произнесены, Уильям высказался в том духе, что даже столь печальное событие не должно серьезно нарушить работу предприятия, и сообщил каждому из присутствующих, каких действий он ждет от него в данной ситуации.

— Да, — отвечал каждый из них, — будет сделано.

— Отныне вы моя главная опора, — сказал Уильям. — Мне необходима ваша помощь, чтобы фабрика прошла через этот сложный период без потрясений. Естественно, люди будут волноваться. Перемены всегда вызывают беспокойство. Но я уверен, что поводов для сомнений и тревог у нас нет. Вашей задачей является довести эту мысль до сведения рабочих самым убедительным для них образом. Вы с этим справитесь?

Они смотрели на Уильяма. Он был спокоен, уверен, надежен. Невозможно было представить, чтобы хоть что-то пошло не так.

— Да, мистер Уильям, — закивали они. — Да, мистер Беллмен, сэр.

17

Наступила среда. День похорон. Уильям был взвинчен до предела. После смерти дяди он почти все время проводил на фабрике, планируя, отдавая распоряжения, решая проблемы. На сон оставались считаные часы. И еще так много предстояло сделать.

А что такое похороны? Сидишь, стоишь, поешь, молишься. Это может каждый дурак. Его прагматичный ум сотню раз поднимал вопрос: а не устраниться ли, назначив кого-нибудь своим представителем на похоронах? Но это было исключено. Кто, как не он, должен первым идти за гробом; ему нужно показаться на людях в качестве нового мистера Беллмена с фабрики. Вряд ли Чарльз к этому времени успел получить письмо, но если бы даже он прибыл на похороны, его присутствие не возымело бы нужного эффекта. Возглавлять процессию скорбящих должен был мистер Уильям, Беллмен-племянник. И никак иначе.

С утра проведя пять плодотворных часов на фабрике, Уильям поспешил домой, чтобы переодеться. Роза уже час как держала подогретой воду для ванны. Сама она была давно готова, надев свой лучший жакет и свежевыстиранную юбку, и очень сердилась. Но в день похорон негоже допекать упреками ближайшего родственника покойного.

Уже на выходе она остановила мужа, чтобы заново повязать галстук, который он в спешке измял. Уильям был весь нетерпение — как натянутая струна.

— Ты совсем измотался, — сказала Роза, на несколько долгих секунд вглядевшись в его лицо.

Но он думал о чем-то другом и не среагировал на ее слова.

— С похорон прямиком возвращайся домой. Ты меня слышишь?

— Конечно.

— Хорошо. Теперь поторопись, а то опоздаешь.

Он в самом деле опоздал, хоть и ненамного. Собравшиеся перед церковью люди уже начали растерянно оглядываться по сторонам.

— Вот он! — вскричала миссис Лейн и с облегчением перекрестилась.

Уильям занял свое место впереди, и процессия вступила под церковный свод.

В ходе службы Уильям вставал, садился, преклонял колени и бормотал «аминь» вместе со всеми. И разумеется, пел. Голос его привычно сплачивал и организовывал голоса остальных прихожан, включая полуглухих фабричных. А так как Уильям знал все гимны наизусть, доведя их исполнение до автоматизма, пение нисколько не мешало ему думать о своем.

Страуд... Вот что его тревожило. Надежные люди, разосланные им по всем питейным заведениям вдоль Страудского тракта, помимо чутких ушей, имели рты, и эти рты пересказывали Уиллу все там услышанное. У страудских фабрикантов появились новые заказы. Рабочие, которых они уволили в период спада, теперь снова были востребованы, и хозяева обещали платить им не меньше, чем платил Беллмен.

— Некоторые всерьез подумывают о возвращении, — доносил один из информаторов. — По крайней мере те, у кого в Страуде остались семьи.

Уильям был расстроен, но не удивлен. Терять опытных работников, конечно, не хотелось. Самым простым вариантом было предложить им больше денег. Но где гарантии, что в Страуде не ответят тем же? Поднимать зарплаты несложно, куда труднее сдерживать их в разумных пределах. Должен быть какой-то другой выход. И над этим следовало подумать.

Из-за переутомления и хронического недосыпания под глазами Уильяма набухли мешки, румянец сошел со щек, белки налились кровью. Во время церемонии он сохранял отрешенный вид, — впрочем, со стороны это выглядело как естественная реакция на тяжелую утрату.

При выходе из церкви в дверях образовался небольшой затор, и Уильям, погруженный в свои мысли, налетел на шедших впереди. Один из этих людей развернулся, и лицо его показалось Уильяму смутно знакомым. Склонив голову набок, человек устремил на него взгляд — прямой, ироничный, оценивающий. Где-то они уже встречались, но где именно, вспомнить не удалось. Вроде пустячный эпизод, но Уильям почему-то никак не мог выбросить его из головы.

В особняке Беллменов он выпил пару бокалов с друзьями Пола, соседями и несколькими людьми из фабричного руководства.

— Что за тип был сегодня на похоронах? — спросил он у Неда. — Лицо вроде знакомое, но имя не припоминаю.

— Как он выглядел?

Уильям открыл рот, собираясь описать этого человека, но — видимо, от усталости — не смог воссоздать в памяти его облик.

— Сюда он не заходил? — спросил Нед.

— Нет.

— Ты лучше меня знаешь друзей мистера Беллмена. Уж если ты его не опознал, то я не смогу тем более.

— Это верно.

Уильям покинул особняк одним из первых. По выходе на улицу он побрел, сам не зная куда, и ноги привычно свернули в сторону фабрики. Уильям дал обещание Розе, однако его ноги ничего никому не обещали и действовали по своему усмотрению. Фабрика была остановлена во второй половине дня, с началом похоронной церемонии, как дань уважения покойному владельцу. И сейчас он мог, ни на что не отвлекаясь, поработать с документами.

Безмолвие казалось неестественным. Уильям привык к грохоту станков, крикам рабочих, шуму водяного колеса — каждый из этих звуков имел собственный тон и ритм, а вместе они составляли какофонию, слишком хорошо ему знакомую, чтобы вызывать раздражение. Странно было в будний день слышать крики грачей, кружащих над корпусами. Более того, он мог отчетливо слышать биение собственного сердца и даже пульсацию крови в венах. Открыв дверь кабинета, он неожиданно увидел нечто черное и бесформенное, примостившееся на его рабочем столе. В следующий миг это черное взмыло в воздух и устремилось на Уильяма, колыхаясь и разрастаясь в полете.

Уильям с криком поднял руки, пытаясь защититься, — но чернота уже плавно оседала на пол.

Оказалось, это всего лишь ткань. Образец превосходной черной ткани из мериносовой шерсти, распахнутое окно и сквозняк, возникший при открывании двери, — ничего более. На бумажке, приколотой к образцу, почерком его дяди было написано: «Уиллу — для Портсмута? П.».

Уильям взял ручку, макнул ее в чернильницу и уже поднес к бумаге, чтобы написать ответ, и только тут вспомнил, что его дядя мертв.

«Я видел того человека прежде, — подумал он вдруг. — На похоронах мамы».

Ему пришлось ухватиться за спинку стула, чтобы сохранить равновесие.

Много часов спустя Уильям встал и покинул контору. Документы, с которыми он собирался работать, так и остались нетронутыми. Остаток дня и половину вечера он просидел за столом, но сейчас не смог бы сказать, на что потратил все это время. Мысли его были спутаны, как кипа шерсти, только начинающая свой путь через фабричные цеха.

Сердце отчаянно колотилось, дыхание было прерывистым, острая боль пронзала грудь при каждом вдохе.

Когда он шел от фабрики к дому, быстро темнеющее небо казалось исполненным какой-то неясной угрозы. Ему хотелось поскорее ощутить стены вокруг себя, крышу над головой и спасительные объятия Розы. Он старался не смотреть на густые кроны деревьев, шелестевшие в сумраке, и испытал огромное облегчение, дойдя до двери коттеджа.

— Уильям Беллмен, что же ты вытворяешь? Ты обещал сразу после похорон прийти домой, а вместо этого до темноты проторчал на фабрике.

Роза была слишком заботливой матерью, чтобы кричать дома при спящих детях, и потому выражала негодование звенящим шепотом.

— Ты забыл, что у тебя есть семья? Ты хоть раз в последние дни подумал о детях? Ты хоть раз вспомнил обо мне? Потому что все мы только о тебе и думаем — и вот что получаем взамен!

Она отвернулась, склонившись над мойкой, но Уильям успел заметить слезы на ее щеках.

Он посмотрел на кухонный стол. С уборкой посуды после ужина Роза явно припозднилась.

— Мы ждали тебя. Мы долго тянули с ужином, хотя дети проголодались. Мы ждали, потому что ты был на похоронах и мы хотели тебя утешить!

Уильям опустился на колени в углу кухни, прижимая кулаки к глазам, как это делали его сыновья, когда плакали. Однако он не плакал. Плечи его тряслись, боль поднялась из груди и сдавила горло; он задыхался, но так и не смог заплакать.

Он слышал тихое звяканье тарелок в мойке, а затем Роза склонилась над ним, вытирая руки полотенцем. Эти же еще влажные руки его обняли, и он почувствовал, как ее щека легла ему на макушку.

— Извини. Я понимаю, эти похороны... Он был тебе как отец. Мне очень жаль.

Она заставила его съесть несколько кусочков хлеба и сыра. Она подавала ему поздние сливы, перед тем вынимая из них косточки. Она уложила его в постель, и они — с неожиданной силой и страстью — занялись любовью. После этого они уснули в объятиях друг друга.

На следующее утро Уилл еще до рассвета выскользнул из теплой постели и отправился на фабрику.

Смерть Пола практически не отразилась на производительности предприятия. Уильям теперь выполнял работу дяди, а также добрую половину своих прежних обязанностей. Часть его конторской работы отошла к Неду, а остальное распределили между собой Радж, Крейс и другие мастера. Кроме того, Уильям отобрал нескольких работников помоложе — надежных, толковых, инициативных — и дал им возможность себя проявить. Было непросто выкроить время для того, чтобы подтянуть их до нужного уровня, но овчинка стоила выделки. Через полгода, а то и месяца через четыре, его усилия должны были принести плоды в виде новых специалистов, способных взять на себя важную часть работы. А кто, кроме него, мог их как следует обучить? Одновременно он уволил нескольких лодырей и халтурщиков. Если Страуд так остро нуждается в кадрах, пусть подбирает то, что он сам забраковал и выбросил...

В любое время дня он был доступен всем желавшим к нему обратиться. Люди должны сознавать, что на корабле есть капитан и он крепко держит штурвал. Его уверенность должна передаваться подчиненным. И он старался все время быть на виду. Он шел туда, где в его присутствии возникала потребность. Он отвечал на любые вопросы: простые и сложные, банальные и хитроумные. Он общался с мастерами, клерками, ткачами, стригальщиками, сукновалами, красильщиками, грузчиками и прядильщицами. Он никогда не забывал кивком поприветствовать Немого Грега и ободряюще хлопнуть по крупу трудягу-ослика, если эта парочка попадалась ему на пути. Все должны знать, что фабрика находится в надежных руках.

И лишь когда под вечер фабричный шум стихал, для него наступало время бумажной работы: проверки счетов, подведения баланса, написания писем. Покончив с этим, Уильям переходил к личным финансам своего дяди, которыми тоже пришлось заниматься ему. Он из своего кармана рассчитался с мелкими долгами Пола, позаботился о том, чтобы за миссис Лейн сохранилось место экономки, регулярно платил садовнику, обсуждал разные вопросы с управляющим банком.

— Как долго это будет продолжаться? — спросила Роза в конце недели, на протяжении которой Уильям работал по семнадцать часов в день. — Так ты себя вконец заморишь.

— Еще пять недель, — предсказал он.

— Правда? Именно так, ни больше ни меньше?

Уильям кивнул. У него все было рассчитано.

Но к тому времени, когда этот пятинедельный период завершился, уже созрели новые планы и проекты.

18

Человек, слезший с лошади посреди фабричного двора, являл собой весьма занятное зрелище: иноземный наряд вкупе с растерянным взглядом. Из окна своего кабинета Уильям видел, как приезжий подзывает одного из грузчиков и о чем-то его спрашивает.

«Он даже не помнит, как пройти в контору», — подумал Уильям.

Спустя пару минут Чарльз объявился в дверях.

— Когда я получил твое письмо... Я приехал быстро, как только смог. Но слишком поздно, конечно же...

Уильям, как положено, выразил соболезнования; Чарльз их принял соответствующим образом.

— Полагаю, мои соболезнования в твой адрес будут уместны ничуть не менее, — сказал Чарльз. — Многие годы ты был во всех смыслах ближе к своему дяде, чем я был когда-либо к моему отцу.

Это было сказано без обиды или досады — просто констатация факта.

Уильям предложил кузену стул, но тот не спешил садиться. Высокий, осанистый и склонный к полноте, он явно не перегружал себя физическими упражнениями — из таковых, подумалось Уильяму, для него подходил разве что подъем на какой-нибудь живописный холм, чтобы оттуда любоваться пейзажем. Когда Уильям раскрыл перед ним бухгалтерскую книгу и стал описывать состояние дел на семейном предприятии, Чарльз и пальцем не прикоснулся к страницам, спрятав за спину свои мягкие белые руки. Правда, он слегка склонился над столом — но не настолько, чтобы это можно было принять за действительное проявление интереса. А Уильям тыкал в цифры пальцем — заскорузлым, с въевшейся грязью — и в самых общих словах разъяснял, что было сделано и что делается сейчас для успешной работы фабрики.

— Да, — сказал Чарльз. — Я понимаю.

Он не сумел произнести это с должной уверенностью. Взгляд его беспомощно скользил по столбикам цифр и спискам заказов, и, хотя Уильям старательно избегал технических подробностей и терминов, было ясно, что для Чарльза это все — темный лес.

— Вообще-то, — сказал он, — у меня остались кое-какие дела и обязательства в Венеции...

Это смахивало на начало отрепетированной фразы, которую он многократно повторял про себя на пути из Италии. Должно быть, когда он трясся в вагоне поезда, ехал верхом или плыл на пароходе, эти магические слова, долженствующие избавить его от всех проблем, казались ему вполне убедительными. Но сейчас, озвучив их в помещении фабричной конторы, Чарльз и сам почувствовал, насколько они здесь неуместны.

Кузены посмотрели друг на друга.

— Ты не обязан жить в Уиттингфорде, если ты этого не хочешь, — сказал Уильям. — Все под контролем. Я могу держать тебя в курсе дел, регулярно отправляя письма в Италию или куда-нибудь еще. Тебе нет нужды переворачивать свою жизнь с ног на голову.

— Однако же... Если тебя самого это устроит...

Уильям кивнул:

— Я буду получать вознаграждение как управляющий. — Он назвал сумму. — И еще. Вот данные о прибылях фабрики за последние пять лет. Мы возьмем средний показатель и поделим его пятьдесят на пятьдесят. Я намерен реинвестировать в производство больше средств, чем было до сих пор, выделяя все эти средства из своей доли. Но в дальнейшем я буду получать и весь прирост прибыли сверх нынешнего уровня. А тебе я могу гарантировать стабильный годовой доход в... — Он написал цифру на бумажке и передал ее Чарльзу. — Что скажешь?

Предложенная сумма намного превышала содержание, которое Чарльз получал от отца. Она с лихвой перекрывала все его потребности. Отныне он сможет жить в свое удовольствие.

— Это звучит...

Он попытался вспомнить одно из емких и весомых слов, которые употреблял его отец в разговорах о деньгах и бизнесе, но ничего такого в голову не приходило. Чарльз мог легко и свободно рассуждать о поэзии, истории или мебели в стиле Людовика XV, без запинки переходя с английского на итальянский или французский, но язык деловых переговоров был ему абсолютно чужд. Поэтому он ограничился кивком.

Кузены пожали друг другу руки.

Лицо Чарльза начало приобретать свой естественный цвет. Он был спасен. Уильям его спас.

Следующие пять минут Чарльз провел в ожидании, пока Уильям составлял документ, закрепляющий только что достигнутое соглашение. Более не страшась перспективы провести остаток своих дней узником этих стен, Чарльз осмотрелся уже как совершенно посторонний человек, заставший другого человека на его рабочем месте. Даже не понимая, что здесь к чему, он был впечатлен практичностью и строгой функциональностью обстановки. Без сомнения, Уильям хорошо знал свое дело. Дважды в течение этих минут в дверь стучали, объявлялись люди с какими-то невероятными вопросами, и каждый раз Уильям решал их полудюжиной слов, звучавших для Чарльза как дикая тарабарщина. Дважды Уильям делал пометки в своем блокноте и возвращался к тексту договора.

Перо, которым Чарльз поставил подпись, было первым предметом, до которого он дотронулся с момента своего прибытия на фабрику. Уильям также подписал документ, и они повторно обменялись рукопожатием.

— Спасибо тебе, — не сдержавшись, с чувством сказал Чарльз. — Минуточку, а это что такое?

Его внимание привлек явно детский карандашный рисунок на раскрытой странице блокнота. Ослик. Уильям рассмеялся:

— Это дочь развлекается, рисуя в моем блокноте, когда нет под рукой ничего другого.

Нарисованный ослик вызвал у Чарльза куда больший интерес, чем все ранее увиденное на фабрике. Он полистал блокнот и нашел еще несколько рисунков: цветок, ворота, кошка.

— Сколько ей лет? — спросил он. — Она берет уроки рисования?

Уильям уже понял, что его кузен — любитель потрепать языком, не привыкший работать, не считающий нужным следить за временем и не умеющий загодя распределять свои часы и минуты в соответствии с количеством и сложностью предстоящих задач.

— Приходи к нам на ужин сегодня вечером, — предложил он, сворачивая этот разговор. — Дора сама охотно сообщит тебе свой возраст. И может, нарисует твой портрет, если будешь хорошо себя вести.

Когда кузен удалился, Уильям взял только что подписанный документ и еще раз просмотрел его с чувством глубокого удовлетворения. Уже очень давно он замыслил один интересный проект, но Пол, узнав, каких вложений это потребует, предпочел не рисковать. Уильям внимательно следил за последними достижениями в области гидравлики, изучив этот предмет в достаточной степени, чтобы самостоятельно сделать эскизы. Он произвел оценку местности с привлечением экспертов. Если доверить реализацию проекта опытному человеку, риск будет минимальным, — и такой человек у него на примете имелся. Но он не мог действовать, пока ситуация с Чарльзом оставалась неопределенной. Зато теперь...

Он тут же сел за письмо инженеру, дополняя его пояснительными эскизами, и так увлекся этим занятием, что надолго забыл обо всем прочем.

Наконец он взглянул на часы. Близилось время ужина. Пора возвращаться домой.

С другой стороны, момент был самый подходящий для визита к Тернеру и разговора о покупке земельного участка — теперь Уильям был готов сделать предложение, от которого тот не сможет отказаться.

19

Познакомившись с женой своего кузена, Чарльз нашел ее очень милой и благоразумной — как раз такой, какая требовалась мужчине вроде Уильяма. Понравились ему и дети: бойкие, жизнерадостные и любознательные. Он сидел в маленькой гостиной, которую помнил со времен своего детства. Его бабушка сердилась, когда Чарльз гостил у кузена, но отец против этого не возражал. Потом он вспомнил свою тетю, маму Уильяма, и рассказал несколько историй с ее участием.

Заметив, что Чарльза удивил тот жадный интерес, с каким слушатели восприняли его рассказы, Роза пояснила:

— За несколько минут мы узнали о детстве Уилла больше, чем от него самого за все прошедшие годы. Надеюсь, вы останетесь на ужин? А пока я вожусь на кухне, Дора покажет вам свои рисунки.

Вечер был светлый и теплый. Чарльз сидел в садике с юной художницей, наблюдая ее за работой, — в альбоме одно за другим появлялись трудноуловимые сочетания рваных, ломаных, незавершенных линий, однако Чарльз углядел в каждом из них несомненно птичьи черты.

Сделав набросок, Дора сразу переворачивала страницу, явно собой недовольная.

— Погоди-ка. — Он задержал ее руку. — Что это у тебя?

— Грач. Он часто прилетает к нам в сад, и я слежу за ним из окна.

Чарльз придвинул к себе альбом. Недочеты были налицо. Никто не учил девочку правильно держать карандаш, и она слишком сильно нажимала на бумагу. Ее попытки изобразить перья выглядели наивными. У птицы отсутствовали глаза. Но характерные признаки семейства врановых были видны отчетливо. Лапа, вцепившаяся в ветку, угол между ногами и телом, необходимый для баланса, — все это было подхвачено верно. При всей неопытности художницы, ее рисунок был достаточно убедителен.

— Вот здесь неправильно, и здесь тоже, — говорила она, указывая кончиком карандаша на недостатки рисунка, которые он и сам уже заметил. Что ж, осознание своих ошибок — это уже нечто. Девочка определенно подавала надежды.

Чарльз тоже сознавал собственные ошибки и слабости. Включая самую главную — ту, которая сделала его изгоем, но доставила ему столько наслаждения, что он был не в силах ее проклинать. Среди прочих, не столь пагубных, ошибок была его попытка стать большим художником. Кто-то однажды сказал ему, что страстное желание что-либо сотворить уже само по себе свидетельствует о наличии таланта. Применительно к Чарльзу это правило не сработало. Художником он оказался никчемным. Да, он любил живопись и хорошо разбирался в искусстве, но его собственные творческие потуги приводили к самым жалким результатам, сколь бы страстным ни было желание. Он умел видеть окружающий мир глазами художника; он мог замыслить картину, в точности передающую то, что он видит; но воплотить этот замысел на холсте было ему не под силу. В лучшем случае он мог бы стать неплохим учителем. Но где это видано, чтобы состоятельный джентльмен обучал рисованию маленьких девочек? Это было бы просто смешно. Посему единственное, что ему оставалось, — это коллекционирование. Приобретая картины художников, более одаренных, чем он сам, Чарльз тем самым оказывал им материальную поддержку и давал стимул к дальнейшему созиданию. Так он и жил в одном шаге от своей мечты, уже смирившись с тем, что она недостижима.

Возможно, у Доры было то, чего не хватало ему самому. Она рисовала по наитию, не получая подсказок и наставлений, зато имела верный глаз и точную руку, не пасуя в растерянности перед чистым листом бумаги.

— Смотри. — Чарльз взял карандаш, показывая, как следует его держать. — Тогда ты можешь делать так... и так...

Она вернула себе карандаш и попробовала повторить его действия.

— Вот так, да?

— Теперь правильно.

И в этот самый момент, как будто призванный из ниоткуда своим изображением на бумаге, объявился грач. Снижался он довольно неуклюже, но приземление на лужайку выполнил эффектно. Чарльза позабавила и умилила внезапная перемена, произошедшая с девочкой: ее лицо сразу сделалось серьезным и сосредоточенным. Она безотрывно смотрела на птицу, которая что-то клевала в траве, ничуть не боясь находящихся рядом людей.

Дора не пыталась делать зарисовки с натуры, а только наблюдала. Но вот грач покончил с поисками, захлопал крыльями и взмыл в воздух. Только после этого она взялась за карандаш.

На чистом листе штрих за штрихом появлялся очередной грач. Чарльз заметил, что Дора уже приспособилась держать карандаш так, как он ей показывал; движения ее руки стали более свободными, а линии — более четкими и выверенными. Сделав все, что было в ее силах, она склонила голову набок, оценивая результат.

— Получилось лучше, правда? — сказала она, передавая ему рисунок. — Я всегда так рисую птиц: сначала смотрю долго-долго, а потом, когда птица уже улетит, в памяти остается картинка.

— Это очень хороший метод, — согласился Чарльз.

— Ты завтра уедешь в Италию?

— Да.

Она повернулась к Чарльзу и с минуту очень серьезно и внимательно вглядывалась в его лицо.

— Сохраняешь меня в памяти?

— Да, покуда ты не улетел. — Она тряхнула головой. — Ну вот, готово. Теперь картинка останется.

20

На следующее утро, за несколько часов до отъезда, Чарльз повидался с адвокатом своего отца.

— Я не намерен задерживаться в Англии, — первым делом сообщил Чарльз. — У меня остались дела и обязательства за границей. Что касается управления фабрикой, то я заключил соглашение с Уильямом Беллменом.

И он вручил собеседнику экземпляр составленного накануне документа. Адвокат начал внимательно читать. Дойдя до пункта о вознаграждении управляющего, он поднял руку и задумчиво погладил свою бороду.

— На редкость щедрое вознаграждение. — Он взглянул на Чарльза. — Хотя человек он толковый и даровитый. Будет обидно, если такого управляющего переманят конкуренты.

У Чарльза испуганно екнуло сердце. Такая мысль ему в голову не приходила.

Адвокат продолжил чтение.

— Прибыль пятьдесят на пятьдесят...

Он нахмурился.

— Что-то не так? — спросил Чарльз.

— Это необычно.

Чарльзу было трудно судить о таких вещах.

— И далее: ваш кузен намеревается вкладывать личные средства в развитие предприятия, при этом забирая себе всю дополнительную прибыль. Неординарный вариант...

Чарльз попытался представить, чем для него обернется уход Уильяма на другую фабрику.

— Он мой родственник. Полагаю, семейные связи также следует принять в расчет.

Он невольно улыбнулся про себя, подумав, что именно такой ответ дал бы его отец.

Адвокат на минуту задумался.

— Ваш покойный родитель был очень высокого мнения об Уильяме Беллмене, о чем можно судить хотя бы по условиям контракта, подписанного им при назначении Уильяма секретарем. Конечно, если вы пожелаете изменить порядок распределения прибыли, будет несложно добиться пересмотра вашего договора с мистером Беллменом. Насколько я понимаю, он был заключен слишком поспешно: вы только что прибыли в город после утомительного путешествия и к тому же еще не оправились от потрясения в связи с кончиной вашего отца. И если вы, поразмыслив, сочтете этот пункт договора неприемлемым, на мистера Беллмена можно будет оказать давление, чтобы...

Оказать давление? На Уильяма? Чарльз тотчас отверг эту мысль. Вопрос закрыт, и уже к трем часам дня ему надо быть в Оксфорде, где он заранее нанял экипаж, чтобы успеть к завтрашнему рейсу на континент.

— Этот договор меня полностью устраивает.

Уловив в голосе Чарльза новую нотку, адвокат удивленно вскинул глаза.

— Ну что ж... — только и промолвил он.

Стало быть, подписав договор, Чарльз получил то, что ему было нужно. И что бы под этим ни подразумевалось, Чарльз от полученного не откажется. Пусть так и будет. Тем более что адвокат отнюдь не горел желанием ввязываться в тяжбу с Уильямом Беллменом.

Позднее, вспоминая этот разговор, адвокат постарался убедить себя в том, что его решение соответствовало интересам клиента. «Дополнительные прибыли? Да много ли их наберется?» Он с сомнением покачал головой. Фабрика и так работала на пределе своих возможностей. Что еще можно было из нее выжать?

Когда выяснилось, что все готово к отъезду даже раньше намеченного срока, Чарльз решил отправляться немедленно. Коляска у крыльца — зачем тянуть время? Уезжая, он не испытывал никаких сожалений. Теперь его домом была Италия. Там сейчас находился человек, которого он любил. А здесь его ничто не держало — ни фабрика, ни старый семейный дом. Он был только рад от них отделаться. Хотя было как-то странно сознавать, что ему больше незачем сюда возвращаться.

Покидая Уиттингфорд, Чарльз проехал мимо коттеджа кузена. Он толком так и не пообщался с Уильямом. Зато убедился, что фабрика под надежным присмотром. А сам Уильям был под надежным присмотром Розы. В жизни Уильяма многое было достойно восхищения, однако Чарльз не смог бы жить такой жизнью — ни единого дня. За все время пребывания здесь у него выдался лишь один нежданно счастливый час — когда он в саду помогал своей двоюродной племяннице рисовать птиц. Внезапно он подумал — и эта мысль, как сочетание желаемого и абсолютно невозможного, явилась для него полнейшим откровением, — что он, Чарльз, мог бы быть отцом такой же девочки, как Дора, и так же учить ее рисованию, сидя в саду летним солнечным днем.

Вспомнив о граче, которого они рисовали, Чарльз повернулся и посмотрел в другую сторону. Там, за полем, близ речного берега, маячила группа дубов, и кроны их были так же густы, как в пору его детства. Он вспомнил камень, описывающий безупречную дугу в небе — дугу между рогаткой Уильяма и молодым грачом на ветке дуба. Тогда это показалось им настоящим чудом. Он и сейчас воспринимал это как чудо. Там был Фред. И еще Люк — уже умерший, о чем он в свое время узнал из отцовского письма. Это Люк тогда расправил грачиное крыло, чернота которого вдруг обернулась переливами ослепительных красок. Они ослепляли его и сейчас, так что начали слезиться глаза.

Благодаря раннему прибытию в Оксфорд он нашел время пройтись по магазинам на Терл-стрит, где приобрел альбомы и набор карандашей. Распорядившись доставить покупки мисс Доре Беллмен по указанному адресу, он сел в поджидавший экипаж: начинался следующий этап путешествия.

ном льве». Но теперь друг детства управлял фабрикой — и стал совершенно чужим. Может, его следует называть «мистером Беллменом»?

Фред взглянул на баулы и коробки, загромождавшие помещение.

— Я слыхал, вы переезжаете.

— Да, с завтрашнего дня будем жить в старом особняке.

— Как вам мой хлеб? Если что-то не устраивает...

— С хлебом все в порядке. Просто теперь его потребуется гораздо больше.

И Уильям, склонившись над кухонным столом, изложил свой план. Понадобятся сотни булочек, регулярно поставляемых на фабрику по утрам, в одно и то же время.

Фред слушал его и недоумевал.

— Вот моя цена за каждую партию... — Уильям нацарапал сумму на клочке бумаги. Сумма была велика — настолько велика, что у Фреда глаза полезли на лоб. — А в пересчете на одну булочку это будет... — Уильям приписал внизу цену каждой булочки.

Пекарь снял шляпу и поскреб затылок:

— Не получится.

— Почему?

— Дело не в цене. У меня только два помощника, и нам не справиться, а для такого количества потребуется еще пара дополнительных печей.

— Присядь. — Уильям кивком указал на ближайший ящик.

И вот, усевшись рядышком, управляющий фабрикой и владелец пекарни склонились над покрытым цифрами листом бумаги. Что бы там ни связывало их в прошлом, сейчас они были прежде всего деловыми партнерами. Они подсчитывали, сколько можно выгадать на закупке муки более крупными партиями, прикидывали расходы на приобретение двух новых печей и на оплату труда новых помощников.

— У меня на фабрике есть человек, который отвечает за прием новых работников, — сказал Уильям. — Я дам задание, и он отберет нескольких парней, которых сочтет годными для работы в пекарне.

Так, пункт за пунктом, цифра за цифрой, эта более чем странная сделка обретала реальные контуры — начиная с займа, который Уильям давал Фреду для приобретения печей, и заканчивая временным возвращением в пекарню Армстронга-старшего, который давно отошел от дел, но сейчас мог бы помочь с обучением новичков. Постепенно все детали были согласованы, препятствия преодолены, и напоследок Уильям подсчитал ожидаемую прибыль Фреда:

— В неделю... — Карандаш чиркнул по бумаге. — В месяц... — Еще одна размашистая закорючка. — И в год. — Финальный росчерк.

К моменту заключения договоренности Фред уже снова ощущал себя на дружеской ноге с Уильямом.

— Говорят, твой кузен Чарльз недавно приезжал в Уитингфорд? — спросил он перед самым уходом.

Уильям кивнул.

— А что касается Люка...

Уильям слушал рассеянно, уже приступив к осмотру поклажи и ставя галочки в списке.

— Это ведь ты тогда вытянул его из-под воды?

Уильям снова кивнул, на сей раз слабее, всем своим видом показывая, что не настроен продолжать беседу.

— Понятно, у тебя завтра переезд, забот невпроворот, — сказал Фред.

Он знал, каково это. Сам был деловым человеком.

Они пожали руки на прощание.

— В моей жизни это второй случай, когда Уилл Беллмен оказывает мне большую услугу, — сказал Фред своей супруге вечером того же дня.

— А какая услуга была первой? — спросила Джинни.

— Я так и не решился бы за тобой приударить, если бы Уилл меня к этому не подтолкнул. Если помнишь, у меня не очень-то получалось разговаривать с девушками.

Она помнила. И в то время как Джинни вспоминала некий день на речном берегу и вид своих оголенных ног на фоне осоки, Фред мысленно вернулся в другой день, когда выпущенный из идеальной рогатки камень описал идеальную траекторию на фоне неба и сразил идеальную черную птицу, чернота которой неожиданно засияла радужным разноцветьем.

— Завтра Уилл с семьей переезжает в старый особняк Беллменов, — сказал Фред жене. — Его кузен Чарльз, похоже, не думает возвращаться в наши края.

За ужином, все еще во власти воспоминаний, он обронил:

— Я всегда был уверен, что он далеко пойдет, этот Уилл Беллмен.

Пекарь в маленьком городке не может заказать сразу две новые печи, не привлекая к себе всеобщего внимания. Просочился слух, что Уильям Беллмен собирается кормить своих рабочих завтраками. Заказы от него поступили и на местные молочные фермы. У конкурентов эта новость вызвала смех. Не иначе как этот Беллмен повредился умом.

Уильям понимал, что идет на риск. Ну сколько опозданий и прогулов можно предотвратить, выдавая четырем сотням рабочих по горячей булочке и стакану молока в день? Кого из приезжих это убедит остаться у Беллмена вместо возвращения в Страуд?

Он не был уверен, что план сработает, — жизнь, увы, никогда не дает стопроцентных гарантий. Приходится рисковать, вычислять вероятности. По расчетам Уильяма, шансы на успех были.

Как очень скоро выяснилось, он даже недооценил эффект от этой булочно-молочной инновации. Число опозданий и прогулов резко сократилось, производительность возросла. Очереди желающих работать на Беллменской фабрике становились все длиннее, а Страуд теперь мог рассчитывать лишь на тех, кого здесь отсеивали за непригодностью.

Решив эту проблему, Уильям сосредоточился на расширении предприятия. Строительство железнодорожной ветки для подвоза угля и создание водохранилища на бывшем поле Тернера могли как минимум удвоить фабричные мощности. Инженер приступал к работе в ближайший понедельник.

22

Фил поднатужился и взгромоздил на стол красный фетровый мешок. Пол, согнувшись, нес второй мешок на плече с видом отягощенного добычей вора. Следом Дора несла объемистую чашу, а Роза — большую бутыль уксуса. Когда все было приготовлено, Фил и Пол взобрались на стулья. Уильям развязал узлы на мешках, и мальчики ухватились каждый за свой.

— Раз, два, взяли!

Раздался громкий и протяжный звон монет, высыпаемых в чашу; мальчишки кричали «ура!» во все горло. Фил пошарил на дне своего мешка, проверяя, не завалялся ли там пенни (оказалось, что нет), а Пол оглядел монеты, на три четверти заполнившие сосуд.

— Вот одна совсем черная, — сказал он, скользя ладонью по денежной массе.

Теперь наступила очередь Доры. Сознавая свою ответственность и стараясь не пролить мимо ни капли, она наклонила бутыль над чашей. Резкий запах уксуса ударил в ноздри всем, кроме Пола, который был к этому готов и вовремя зажал нос пальцами.

— Можно, мы будем перемешивать? — спросили мальчики.

Уильям оглянулся на жену. Сам-то он был склонен потакать желаниям ребятни во время этих еженедельных процедур.

— Их руки будут пахнуть уксусом всю ночь и весь следующий день, — проворчала Роза, однако она знала, как радует мужа вид веселящихся детей. — Ну да ладно.

Мальчики запустили руки в чашу и начали перемешивать монеты в уксусе с таким удовольствием, словно это было сладкое тесто для рождественского кекса. Когда Пол объявил, что деньги достаточно перемешаны, Уильям убрал чашу в сейф и запер его большим ключом, после чего мальчикам было велено трижды вымыть руки.

Мыла они не жалели, но уксусный запах на руках остался. С этим запахом — и с мыслями о завтрашнем ритуале — они отошли ко сну. Этот же запах был первым, что они ощутили, проснувшись утром. Мальчишки выскочили из постелей: предстояло самое интересное.

Даже Дора, видевшая это уже добрую сотню раз, никогда не уставала наблюдать за тем, как потемневший, дымящийся уксус утекает сквозь отверстия дуршлага, в котором остаются монеты — яркие и блестящие, как будто только что отчеканенные. Их обмывали, несколько раз сменив воду, после чего за дело брались Пол с Филом. Они насухо вытирали монеты и сортировали их по достоинству — под присмотром Доры, в чью задачу также входила поимка отдельных монеток, норовивших скатиться со стола на пол.

Но в этот раз Уильям отозвал дочь в сторону:

— Сколько тебе лет, Дора?

— Десять. Ты же знаешь, что десять.

— Какое удачное совпадение! Сегодня мне как раз потребуется помощник, и по правилам этому человеку должно быть не меньше десяти лет.

Дора начала догадываться, к чему он клонит, но не сразу в это поверила.

— Я буду помогать тебе с выдачей денег, да?

Обычно в день выплаты Уильяму помогала Роза, но сейчас, на поздней стадии беременности, она все чаще нуждалась в отдыхе. Посему, к превеликой зависти младших братьев, когда Сюзи и Мег вынесли стол из передней на крыльцо дома, Доре было позволено сесть рядом с отцом и отсчитывать деньги, столбиками разложенные на подносе, тогда как Уильям заносил выплаченные суммы в гроссбух напротив имен получателей.

Всю вторую половину дня она считала — столько-то суконовалам, столько-то прядильщицам, солидные кучки ее любимцам, стригальщикам Хэмлину и Гэмбину, — и не допустила ни одной ошибки, хотя работать приходилось быстро, а громкая болтовня и шутки в очереди мешали сосредоточиться. Когда был отпущен последний работник — им оказался Немой Грег, получавший еще и надбавку за своего ослика, — Дора недоуменно уставилась на поднос. Там лежала одна монета. Но ведь все было рассчитано до последнего пенни, без остатка.

— Ты кого-то забыл? — спросила она, поворачиваясь к отцу.

— Никого! — сказал он. — Да и нет такой работы, за которую платили бы пенни в неделю.

Видя ее сомнения и тревогу, Уильям поцеловал дочку в лоб:

— А как насчет оплаты услуг одной маленькой девочки, считающей деньги? Стоит эта работа одного пенни в неделю?

Дора отругала отца, заставившего ее поверить в собственную ошибку, и он смиренно выслушал нагоняй. Одержав победу, Дора поспешила ею воспользоваться, чтобы выторговать награду и для маленьких чистильщиков монет.

— Папа, ты же не хочешь, чтобы они переметнулись на другую фабрику, где им будут платить за чистку?

— Нет, этого я не хочу, — был вынужден согласиться он.

— Девчонке палец в рот не клади — всю руку оттяпает! — позднее со смехом говорил он Розе, ослабляя шнурки ее ботинок, ставших слишком тесными из-за отека ног.

— А как же я? — спросила Роза. — Что получу я? Я несла бутыль с уксусом, ты разве забыл?

— Тоже хочешь пенни за свой труд? Не знаю, как долго я смогу поддерживать фабрику на плаву при таких сумасшедших тратах.

И он сделал вид, что лезет в карман за монетой.

— Со мной можешь расплатиться поцелуем, — засмеялась она, демонстрируя щербинку между зубами.

— Да хоть тысячей поцелуев — и со скидкой!

Он бережно наклонился над ее округлившимся животом и поцеловал жену.

И еще раз, и еще.

— Не представляю, как бы я со всем этим справлялся без тебя, — прошептал он уже ночью, расправляя на подушке ее спутавшиеся волосы.

— Мм-да, — промычала она сквозь сон. — Ты не забыл помыть руки? Я все еще чувствую запах уксуса.

Они погрузились в сон, но ненадолго.

Среди ночи Роза проснулась с пронзительным криком, а еще несколько часов спустя на свет явилось новое дитя. Их дочка, Люси.

23

Картина была хороша. Пожалуй, даже более, чем просто хороша. Блестящий птичий глаз смотрел с холста осмысленно, со значением, а позади птицы расстилался типично итальянский пейзаж, но Чарльзу он почему-то напомнил берега Виндраша. Может, купить ее?

Он был совершенно выбит из колеи. В Турин он приехал потому, что просто не мог оставаться в своем прежнем жилище. Молодой художник, в последние полтора года деливший с ним кров, теперь его покинул.

— Мне надо заводить семью, — сказал он. — Я должен позаботиться о родителях. Моя жизнь совсем не похожа на твою.

Чарльз рыдал от отчаяния. Хотя чего он мог ожидать? Это случилось с ним не в первый раз. И не в последний. Все они в конце концов женятся. Но эта боль была сильнее всех предыдущих. На сей раз он позволил себе лелеять надежды, крушение которых обернулось невыносимыми муками.

Тогда он отправился в странствия и так очутился в Турине, в этой галерее, перед этой картиной, напомнившей о другом, далеком доме, куда он вернуться не мог.

Та же картина напомнила об одном дне его детства. Там был грач. И рогатка. На глаза его навернулись слезы при мысли об Уильяме — вот кто шел по жизни легко и счастливо, со спокойствием и уверенностью в завтрашнем дне. Он подумал о малышке Доре, его дочери. О глубокой черноте и об игре ярких красок.

Он решил купить эту картину с грачом в подарок Доре.

Смахнув слезы, он направился к владельцу галереи оформлять покупку. Можно ли доставить картину к нему в гостиницу? Сегодня, ближе к вечеру. *Grazie*[1].

Несколько часов спустя портье в гостинице принял картину от посыльного, подозвал слугу и приказал отнести ее английскому синьору. Не дождавшись ответа на стук в дверь, слуга решил, что синьор Беллмен куда-то ушел, и открыл номер служебным ключом. Так было обнаружено тело Чарльза.

Из Италии пришла весточка. Непонятное письмо на чужом языке. Уильяму пришлось посылать в Оксфорд за человеком, способным его прочесть.

— Но разве он болел? Нам об этом ничего не известно, — сказала Роза. — Это был несчастный случай? От чего он умер?

Переводчик негромко кашлянул:

— В письме не указана причина смерти.

Уильям жестом пригласил итальянца выйти из комнаты.

— Мой кузен наложил на себя руки? — спросил он тихо, когда за ними закрылась дверь.

Чужеземец нервно облизнул губы:

— Из текста можно сделать и такой вывод.

Со времени своего последнего визита Чарльз писал им несколько раз. Роза достала эти письма из ящика стола и стала зачитывать отдельные места вслух. Чарльз опубликовал несколько своих стихотворений в одном журнале — правда, журнал не из самых солидных. Он посетил одно из красивейших мест в Италии — и несколько фраз с описанием тамошних гор. Во время поездки в Париж он приобрел очень изящный столик — качество отделки выше всяких похвал, вот только не вписался он в интерьер дома так, как хотелось бы Чарльзу.

---

[1] Спасибо *(ит.)*.

Уильяму не нравился вид этих листков в руках Розы. Черные чернила на белом фоне. Мертвец, говорящий устами его жены. Однако он не смог подобрать слова, чтобы ей это высказать.

Она опустила руку с письмом и всхлипнула:

— Ох, Уильям! Подумать только! А ведь он был не старше тебя!

«Он был старше меня на три недели», — подумал Уильям.

И, оставив Розу плакать над письмами, вернулся к своим счетам.

Спустя неделю пришло еще одно письмо. На сей раз написанное по-английски, оно являло собой странную смесь из формально-юридических фраз и цветистых пассажей, которые приходилось перечитывать дважды, чтобы уловить смысл. Но главное было понятно.

Для человека состоятельного и праздного Чарльз вел не такую уж экстравагантную жизнь. Он любил хорошие вина и сигары, но не слишком увлекался тем и другим; он любил живопись и красивую мебель, но арендуемый им небольшой дом отнюдь не был переполнен антиквариатом. Прочие расходы его были весьма умеренны.

Свою мебель Чарльз завещал поименованному в письме «другу-живописцу». Дар был щедрый, но не настолько, чтобы вызвать пересуды.

Его деньги, фабрика и особняк отошли к Уильяму.

Доре по завещанию достались картины.

24

Какая-то часть сознания Уильяма вела отсчет. Безостановочно, помимо его воли. Он был всего тремя неделями моложе Чарльза. Двадцать один день. О смерти Чарльза они узнали с шестидневной задержкой. Значит, оставалось пятнадцать дней. Уильям старался максимально загрузить себя работой, чтобы отвлечься от этого неумолимого отсчета, но все было напрасно.

Дни проходили один за другим, и вот настал тот самый день. «Сегодня я достиг возраста, в котором умер мой кузен». Был выходной, так что он не мог искать спасения в фабричном шуме и суете. Тревога усугублялась возникшим в груди ощущением: там время от времени словно что-то подпрыгивало и затем проваливалось в пустоту.

— Роза!

Дети прервали игру в мяч. Пол повернулся к Доре: как самая старшая, она должна показать, стоит ли им беспокоиться по этому поводу.

Зов повторился, переходя в истошный вопль:

— РОЗА!

Дора выпустила из рук мяч.

— Приглядите за Люси, — сказала она братьям.

Пол и Фил заняли позиции бдительных стражей слева и справа от коляски, в которой спала их маленькая сестра, а Дора помчалась через лужайку к дому.

Отца она отыскала, идя на звук: он сидел на полу в своем кабинете и подвывал, как от боли, временами сбиваясь на хрип. Лицо его приобрело восковой оттенок, тело лихорадочно подергивалось.

— Мама еще не вернулась, — сказала Дора, глядя на него растерянно. — И миссис Лейн куда-то ушла.

— Дымоход! — произнес он дрогнувшим голосом.

Она взглянула на камин с давно потухшими углями — в последний раз его топили накануне вечером.

— Слушай!

Дора прислушалась. А слух у нее был острый. Тиканье часов в холле. Шум реки в отдалении. Скрип половицы, когда она наклонилась. Легкий шорох ее волос, когда она повернула голову. Судорожные вдохи и выдохи отца.

— Ничего необычного, — сказала она, и одновременно раздался крик Уильяма:

— Ну вот, опять!

И она действительно что-то услышала. Звук совпал по времени с ее последними словами и был ими перекрыт, но все же она его уловила — очень-очень тихий, почти что никакой.

Она подошла к камину и, пригнувшись, наставила ухо.

Отец по-прежнему быстро и шумно дышал, охваченный паникой. Она приложила палец к губам, и он притих, глядя на дочь широко раскрытыми глазами.

Звук повторился, на сей раз сопровождаемый слабым движением в каминной трубе, по которой вниз плавно стекла струйка сажи. Отец вздрогнул всем телом.

— Это птица застряла в дымоходе, — сказала Дора.

Уильям непонимающе уставился на дочь.

— Просто птица, только и всего.

Она помогла отцу подняться с пола, отвела его в гостиную и усадила в большое кресло, подставив под ноги скамеечку. Затем принесла одеяло и укрыла его, старательно подоткнув края, потрогала лоб — не горячий ли? — и пригладила волосы.

— Ну вот, — сказала она, — теперь все хорошо.

Вернувшись в кабинет, она закрыла дверь и подняла оконные рамы как можно выше, для чего пришлось забираться на стул. Теперь оставалось только ждать. Чтобы как-то развлечься, она принялась щелкать костяшками счетов и дополнила список задач в отцовском блокноте еще одним пунктом: «Выдать Доре пенни».

Поток сажи шумно обрушился в камин, и нечто черное вырвалось из его зева в комнату. Истерическое биение крыльев, удары — шмяк! шмяк! шмяк! — в стену, в потолок, в верхнюю часть оконной рамы. Затем воздушная волна задела ее щеку, обезумевшая птица пронеслась мимо и, угодив в раскрытое окно, исчезла.

Клубы тонкой угольной пыли медленно дрейфовали по комнате. Сажа была у Доры на языке, от сажи першило в горле.

А это что? Как печально! И как красиво! Птица оставила о себе память в виде смазанных оттисков оперения на стене и на потолке. И еще один, призрачно-серый, на оконном стекле.

Она взобралась на стул, чтобы дотянуться до края рамы и закрыть окно. Прямо перед ее лицом оказалось то самое пятно сажи, и Дора помедлила, его разглядывая. Местами оттиск вышел на редкость четким, включая мелкие детали перьев: стержни, бородки, опахала. А вот здесь идеально отпечатался самый кончик пера. Папа не должен это видеть, решила она.

Отметины на потолке и стене находились слишком высоко, и Дора не могла до них добраться, а оконный отпечаток она стерла рукавом, на котором осталось черное пятно.

Бедная птица.

Не надеясь ее увидеть, Дора на секунду подняла взгляд к небу. Там ничего не было.

Она задержала взгляд еще на секунду.

Спустя несколько недель Дора и ее мама занимались разбором прибывшей посылки с картинами. С ними была и Дорина подруга Мэри, дочка миссис Лейн, помогавшая носить картины по комнатам, когда они выбирали для каждой из них подходящее место. Некоторые картины девочкам нравились, другие оставляли их равнодушными. Они вынули из ящика очередное произведение, завернутое в кусок мешковины, и быстро его распаковали.

— Ох! — воскликнула Дора, увидев на переднем плане черного, с блестящим отливом грача.

— Тебе это в самом деле нравится? — спросила Роза, озадаченная столь бурной реакцией дочери.

— Грач смотрит прямо на меня! —Дора развеселилась. — Разве вы не замечаете? Смотрит и словно смеется.

Она повернула картину к маме и Мэри, чтобы те могли ее получше рассмотреть. Роза с улыбкой склонила голову набок, бессознательно подражая нарисованной птице.

— Не понимаю, с чего ты взяла, будто он смеется. Да и какой может быть смех с таким-то клювом! И куда же мы это повесим?

Дора внезапно переменилась в лице.

— Папа не любит птиц.

— Неужели? — удивилась ее мама.

Дора вновь завернула картину и перевязала ее бечевкой.

— Я спрячу ее под своей кроватью — до той поры, когда выйду замуж и буду иметь собственный дом.

Роза, посчитавшая эту картину довольно неприятной, возражать не стала.

25

Дела на фабрике шли в гору. Идея с завтраками для рабочих полностью себя оправдала. Объемы выработки увеличивались. Благодаря дешевому углю для котельной, теперь подвозимому по железной дороге, процесс сушки уже не так зависел от погодных условий: новые сушильни были оснащены паровым отоплением, что, помимо прочего, делало ткани более мягкими и повысило их ценность. А с водохранилищем, которое Уильям планировал создать на участке земли, купленном у Тернера, можно будет не опасаться колебаний уровня воды. Если река обмелеет, достаточно будет приоткрыть шлюз, чтобы поддерживать необходимый напор воды, вращающей механизмы. Снизив зависимость от непредсказуемых факторов, он сможет точнее рассчитывать объемы работ и гарантировать своевременные поставки тканей, вселяя уверенность в клиентов и обеспечивая рост заказов... Перспективы были самые радужные.

Заказчиков становилось все больше. Уильям вкладывал средства в замену изношенной и устаревшей техники — в частности, приобрел новейшие чесальные машины. Временами он давал ссуды другим фабрикантам, преследуя далеко идущие цели. Когда у тех (как рассчитывал Уильям) возникнут серьезные проблемы, он в качестве кредитора узнает об этом одним из первых. В его планах уже была экспансия за пределы Беллменской фабрики.

———

Пришло печальное известие с фермы родителей Розы. Маленький сын ее брата упал с лошади, когда та вдруг заартачилась и встала на дыбы. Мальчик отделался ушибами, но мать Розы, поспешившая ему на помощь, получила сильный удар копытом. Теперь она лежала дома без сознания. Роза собралась ехать туда, чтобы ухаживать за матерью.

Миссис Лейн согласилась присмотреть за детьми, и Роза уехала.

Через шесть дней она прислала короткое письмо. Ее мать скончалась.

Утром Уильям отправился в Вичвуд и принял участие в похоронной церемонии вместе с отцом и братьями Розы, а сама она, как принято, осталась в доме родителей оплакивать утрату со своими сестрами.

Было решено, что Уильям и Роза вернутся в Уиттингфорд на следующий день, а эту ночь проведут на ферме. Роза шесть дней и ночей просидела у постели матери и потом еще двое суток скорбела. Теперь у нее больше не осталось слез. Если что и могло помочь ей в таком состоянии, так это сон — и присутствие любимого человека. Она задула свечу и повернулась к мужу. Тот лежал рядом с ней, застывший и напряженный, словно чужой.

— На похоронах был один человек, — произнес в темноте Уильям, — и я не знаю, кто он такой.

Роза поняла, что он ждет от нее какой-то реакции.

— Он заходил сюда после кладбища? — спросила она.

— Нет.

Тогда почему он об этом спрашивает? Какой смысл спрашивать ее о человеке, которого она даже не видела? Там, на похоронах, были только мужчины. Почему не спросить у них? Но вслух она этого не сказала.

— Мой брат его знает, наверное.

Голос ее прозвучал резковато. Роза тут же простила себя за эту резкость, одновременно простив и Уильяма за его неуместные в данных обстоятельствах расспросы.

Она обняла мужа, нуждаясь в его поддержке и утешении.

— Как это было, когда ты потерял свою маму?

Если она сможет вызвать в нем воспоминания о собственном горе, быть может, это подскажет ему, как утешить ее...

— Он был и там. На маминых похоронах.

Эта нотка в его голосе — упрямая и жесткая — была ей знакома. Сердце ее тоскливо сжалось. Стало ясно, что сочувствия от него сейчас не дождешься.

— Он был в черном.

— Разумеется, на похоронах он был в черном, — сказала она уже сердито. — Как и две дюжины других людей.

Роза убрала руку с его груди. Он никак не среагировал, не повернулся к ней, чтобы обнять. Что ж, раз ласки от него не дождешься, она постарается уснуть.

Она повернулась спиной к мужу и поудобнее пристроила голову на подушке.

— И он также был на похоронах Пола.

Роза промолчала, уже чувствуя приближение сна.

— Полагаю, его можно вычислить. Кто мог одновременно знать твою маму, мою маму и дядю Пола? Таких людей наберется немного.

Ее веки тяжелели. Мышцы шеи и плеч расслаблялись. Челюсть слегка отвисла...

Уильям заерзал на своей половине постели. Начал тянуть на себя простыню. Потом ему стало жарко, и он открыл окно. Теперь его стал раздражать сквозняк.

Роза вздохнула, смиряясь с неизбежным.

— Ну и как он выглядел, этот человек?

Минуту-другую она вполуха слушала Уильяма, пытавшегося составить словесный портрет незнакомца, чья внешность была столь примечательной, но почему-то никак не поддавалась описанию. Наконец Роза пришла к выводу, что он просто не помнит этого человека.

— Он выше или ниже тебя ростом? — уточняла она. — Есть у него борода? Волосы темные или светлые?

Информация оказалась скудной. Ростом он примерно с Уильяма. Насчет наличия либо отсутствия бороды — конечно, Уильям не должен был упустить из виду такую заметную деталь внешности, однако же уверенно сказать не мог. Но волосы черные — в этом он не сомневался.

«Сейчас я смогла бы уснуть, — думала она. — Только бы он замолчал и позволил мне уснуть!»

Но, достаточно хорошо изучив мужа, она знала: столкнувшись с проблемой, он не успокоится, пока ее не решит. Вот только уж очень туманным было описание — под него подошел бы кто угодно. А у нее только что умерла мама, и сама она смертельно хотела спать.

— Возможно, это мой дядя Джек, — предположила она.

— Как он выглядит? Опиши его.

— Ростом с тебя. Темные волосы. В прежние годы он носил бороду, а как сейчас, не знаю.

— А откуда твой дядя Джек мог знать моего дядю Пола?

— Кажется, он в молодости жил в Уиттингфорде.

— Вот как? И он мог знать мою маму?

— Очень может быть.

Похоже, Уильям начал успокаиваться. Он еще немного поворочался в постели и затих. Наконец-то! «Ну вот, — подумала она, — теперь он уснет».

И он действительно уснул.

Роза надеялась, что ночь принесет ей какое-то облегчение. Но этого не произошло. Ее мать умерла, а она лежала в чужой постели с чужим человеком, считавшимся ее мужем. Теперь она была уже слишком измучена, чтобы заснуть, и слишком подавлена горем, чтобы плакать.

26

Как-то утром, во время завтрака, Роза распечатала только что полученное письмо и нахмурилась.

— Неприятности? — спросил Уильям.

— Умер мой дядя.

Ложка Уильяма зависла над овсяной кашей.

— Который из них?

— Дядя Джек.

Уильям и сам не смог бы себе объяснить то чувство радостного удовлетворения, которое он испытал, услышав эту новость.

— Когда похороны? — спросил он.

— В четверг. Но тебе там быть не обязательно. Ты ведь так занят с этим новым водоемом. Я сама в последний раз видела дядю Джека, когда была еще маленькой. Так что твое отсутствие никого не обидит.

Уильям проглотил овсянку.

— Ничего, я съезжу, выделю на это полдня.

Приятно было сознавать себя живым — с таким чувством и чуть ли не с нетерпением Уильям дожидался похорон. Странная антипатия к человеку, с которым он ни разу и словом не обменялся, исчезла при известии о его смерти, и, подъезжая к вичвудской церкви, Уильям испытывал душевный подъем, обычно не сопутствующий подобным печальным мероприятиям.

У дверей церкви кто-то стоял, словно его поджидая. Все тот же человек в черном! Уильям оторопело замер на месте.

А человек смотрел на него с веселым, отнюдь не похоронным видом, явно развлекаясь замешательством Уильяма, как будто знал о его заблуждении насчет дяди Джека и намеренно ждал здесь, чтобы над ним посмеяться.

Когда же человек направился прямо к нему с очевидным намерением заговорить, Уильям испугался. Сию секунду он раскроет рот и скажет: «Ага, тебя-то я и ждал!» Эти слова были уже написаны на его лице, но тут к церкви подъехали новые всадники, и незнакомцу пришлось попятиться, чтобы дать им дорогу. Вновь прибывшие спешились и плотной группой пошли к дверям, увлекая с собой и черного человека, однако тот успел обернуться к Уильяму с этаким по-свойски небрежным кивком: мол, в другой раз, мне это не к спеху.

Кто-нибудь посторонний, заметив этот жест, счел бы его вполне дружеским, как в общении между добрыми знакомыми.

Но Уильям был этим взбешен.

21

Уильяма продолжала беспокоить мысль о страудских фабрикантах, норовивших перекупить его людей — ткачей, сукновалов, упаковщиков и прочих, — людей, которых он обучил, из которых он сделал первоклассных работников. Все полагали, что решить эту проблему могут только деньги, но Уильям думал иначе. Зачем платить больше за тот же самый объем работы? Он не собирался вот так, за здорово живешь, отдавать свои деньги, которым можно было найти лучшее применение.

И у него появилась идея.

В одно прекрасное утро, когда Уильям был на кухне, мальчишка из пекарни, как обычно, принес свежий хлеб.

— Передай своему папе, что я хотел бы с ним встретиться, ладно? — сказал ему Уильям. — Он застанет меня здесь, если придет сразу после обеда.

В три часа пополудни Фред Армстронг, владелец пекарни, постучал в дверь кухни.

Мужчины обменялись рукопожатиями.

Было время, когда Фред Армстронг чувствовал себя в этом коттедже как дома. В детстве они вдвоем частенько сиживали на этих самых ступенях, грызя яблоки и болтая о чем попало; а потом Уилла отправили в оксфордскую школу вместе с кузеном Чарли.

Но сейчас, когда они встретились как малознакомые люди, прошлое показалось Фреду нереальным. Как он должен обращаться к собеседнику? Просто по имени? Еще несколько лет назад они порой пропускали по стаканчику в «Крас-

&

Известна история куда древнее этой — о паре воронов (от грачей эти птицы отличаются только размерами), которые были спутниками и советниками великого северного бога. Одного ворона звали Хугинн, что значит Мысль, а второго Мунинн, что значит Память. Они жили на ветвях волшебного ясеня, где сходятся границы многих миров, и могли свободно пролетать из одного мира в другой, собирая знания для Одина. Другим тварям не дано перемещаться между мирами, но Мысль и Память летали, куда им вздумается, и возвращались с громким хохотом.

Мысль и Память имели большое потомство, которое унаследовало уникальные способности и сохранило немалую часть знаний двух воронов, передавая их собственным детям и далее по прямой линии родства.

Грачи, издавна вившие гнезда на дубе близ старого коттеджа Уильяма Беллмена, как раз являлись потомками Мысли и Памяти. Погибший грач был одним из их бесчисленных прапрапра-многажды-правнуков.

И в тот самый день, когда Уиллу Беллмену исполнилось десять лет и четверо суток от роду, грачи сделали все, что у них принято делать при гибели одного из своих. Затем они покинули это место. И больше не вернулись.

А дуб стоит до сих пор. Вы и сейчас можете его увидеть — да, прямо сейчас, в вашем настоящем времени, — но вы не увидите на его ветвях ни единого грача. Они не забыли о случившемся. Грачи созданы из мысли и памяти. Они знают все и ничего не забывают.

Раз уж речь зашла о воронах, стоит упомянуть слово, которое ассоциируется со всем их племенем: безжалостность. Хотя применительно к Мысли и Памяти это может показаться несколько странным.

27

— Великолепно!

Уильям Беллмен вместе с инженером и бригадиром строителей наблюдал, как начинает заполняться водоем. На входном шлюзе вода бурлила и пенилась, как будто удивленная своим новым направлением, но у дальней плотины она успокаивалась и лишь слегка рябила, уже прирученная. Это было впечатляющее зрелище. Тысячи галлонов воды, собранные здесь на случай засухи, смогут поддерживать работу предприятия и при обмелевшей реке, тем самым гарантируя стабильную прибыль.

Со стороны фабрики примчался запыхавшийся паренек.

— Другие дела подождут, — сказал ему Беллмен. — Я занят здесь.

Еще минут через двадцать паренек вернулся с извиняющимся видом.

— Миссис Беллмен сказала привести вас немедля. И чтоб я без вас не являлся.

Беллмен нахмурился. Больше всего на свете ему сейчас хотелось остаться здесь и своими глазами увидеть, как заполняется его водохранилище. Эту мечту он вынашивал много лет. Сразу после той первой встречи с инженером он долго стоял, глядя на водяное колесо, и уже тогда сообразил, что и как нужно сделать. И вот наконец это сделано!

Но Роза неспроста была так настойчива. Она знала о намеченном на этот день важном событии и не послала бы за ним по пустячному поводу.

———

Едва вступив в холл особняка, Уильям поморщился, уловив едкий, удушливый запах. Он завертел головой, пытаясь определить его происхождение, и тут по лестнице бегом спустилась Роза. Ее было не узнать: волосы растрепаны, лицо бледное и напряженное.

— Слава богу, ты пришел! — вскричала эта неузнаваемая Роза чужим, неузнаваемым голосом. — У Люси сильный жар!

— Ты послала за доктором?

— Он только что ушел. Сказал, что ее надо изолировать. То есть мы должны держать ее отдельно от всех домашних! — Голос Розы негодующе зазвенел. До этой минуты она сдерживалась, но теперь слезы хлынули ручьем. — Ох, Уильям! Он состриг ее волосы и бросил их в огонь!

Так вот откуда взялась эта едкая вонь.

Роза нервно вытерла глаза рукавом платья, а он поспешил ее успокоить:

— Ничего, волосы отрастут снова. Где она?

Узнав, что даже ему нельзя сейчас общаться с младшей дочерью, Беллмен взял во дворе лестницу, приставил ее к стене и добрался до окна детской комнаты. Внутри он увидел склонившуюся над кроваткой миссис Лейн — она вызвалась ухаживать за Люси, чтобы Роза могла заниматься остальными детьми.

Он постучал ногтями по стеклу, миссис Лейн распрямилась и посмотрела в его сторону.

Ребенок в кроватке не был той Люси, которую он знал. В первый миг его потрясла белизна голого черепа, а затем и неожиданная худоба девочки, хотя она не могла похудеть так быстро: ведь он видел ее не далее как вчера. В ней еще была сильна вера в доброту и милосердие этого мира, и она взглянула на отца с радостной надеждой, но затем поняла: он не войдет в комнату, чтобы избавить ее от страшных болей в голове, скривилась и вновь заплакала.

Это был солидный, очень громкий плач. Что и говорить, они с Розой произвели на свет сильных, выносливых и голосистых детей. Люси выкарабкается. Славная девочка!

Он сделал один шаг вниз, помедлил, еще раз вглядевшись в ее умоляющее личико, и затем спустился по лестнице.

Роза не находила себе места.

— Не могу смотреть на то, как она мучается. Я должна пойти к ней.

— Надо следовать указаниям доктора. Люси крепкая девочка. Миссис Лейн опытная сиделка. Все будет хорошо.

— Ты уверен?

Он взял Розу за руки и долго, не отрываясь, смотрел ей в глаза, пока она не перестала дрожать.

— Да, — сказала она, вздохнув и слабо улыбнувшись. — Ты прав, все будет хорошо.

Доктор Сандерсон нанес повторный визит тем же вечером. Он осмотрел пациентку и побеседовал с миссис Лейн, а затем прошел в гостиную, где его ждали Уильям и Роза.

— Я сделал все возможное. К сожалению, ничего больше я сделать не в силах. Осталось лишь молиться.

Теперь уже Розу было не удержать — она бросилась к своему ребенку.

Уильям был озадачен. Он всегда считал Сандерсона хорошим врачом — по крайней мере, среди врачей Уиттингфорда у него была наилучшая репутация. Он тотчас же послал за другим врачом, но посланец вернулся с запиской: в городе свирепствует лихорадка, очень много вызовов, и доктор будет занят всю ночь. Так что он сможет навестить Люси не ранее завтрашнего утра.

Когда Уильям читал записку, вошла дочь экономки. Вид у нее был заплаканный, да и сейчас она еле сдерживала слезы.

— Миссис Беллмен сказала, что уже недолго. Время молиться.

Он кивнул и последовал за ней в детскую комнату.

— Почему она прислала тебя, а не Сюзи или Мег? — спросил он по пути.

— Они ушли, сэр. Боятся заразы.

Войдя в комнату, Уильям первым делом обратился к миссис Лейн, засыпав ее вопросами: сделала ли она то-то, не забыла ли о том-то?

— Я вовсе не думаю, что вы допустили какой-то промах, — пояснил он. — Напротив, я полностью уверен в том, что вы все сделали правильно. Просто я хочу знать, какие именно меры были приняты.

Миссис Лейн приходилось отвечать на его порой заковыристые вопросы и одновременно следить за состоянием умирающей девочки.

— Уильям... — с упреком пробормотала Роза, а когда ее слова не возымели эффекта, повысила голос: — Уильям!

Он удивленно посмотрел на жену.

— Все, что мы сейчас можем, — это облегчить ее уход. Прекрати отвлекать миссис Лейн и стань на колени рядом со мной. Помолимся за ее вечную жизнь в лучшем мире.

Он никогда не слышал, чтобы жена говорила таким властным тоном. И он опустился на колени рядом с ней, сложил ладони и присоединился к ее молитвам.

В то же время он продолжал наблюдать. От прежней Люси мало что осталось. Лихорадка сожгла ее плоть, и сейчас перед ним было мертвенно-бледное костлявое существо с глубоко запавшими глазами, которое билось в конвульсиях и не сознавало его присутствия. От его внимания не ускользала ни одна деталь.

Его жена также не сводила глаз с девочки. Но она не просто смотрела. В ее пристальном, немигающем взгляде заключалось усилие, далеко выходящее за рамки простого наблюдения. Он это чувствовал, но не мог понять, что именно кроется за этим взглядом.

Люси скончалась.

Не помня себя, Уильям встал и покинул комнату. В гостиной он начал стремительно расхаживать от стены до стены. Им овладело невыносимое беспокойство. Он никак не мог отделаться от мысли, что надо срочно что-то предпринять. Люси нас покинула, думал он, и я должен сейчас же ее вернуть. Еще не поздно, всего лишь час назад она была с нами. Надо седлать коня! Сотню раз он преодолевал побуждение пойти в конюшню, и сотню раз оно возникало вновь. А если это была не мысль о конюшне, то другая, не менее дикая: Люси просто сломалась, как ломаются куклы. Какая-то часть ее нарушена, и это надо поскорее исправить. Он обращался к специалисту, но тот оказался не на высоте. Значит, он должен сам выполнить эту работу. Когда такое было, чтобы ему не удавалось задуманное? Где его инструменты? Он восстановит Люси в лучшем виде, она будет как новенькая.

Она умерла, раз за разом говорил он себе, но мозг не желал признавать этот факт. Ничего невозможного нет. Все на свете можно исправить. Сломанные вещи могут быть отремонтированы. Если только существует способ заставить солнце светить всю ночь напролет, Уильям Беллмен этот способ отыщет.

Он продолжал мерить шагами гостиную, пытаясь найти решение. Результатов не было, но он не прекращал поиски до самого утра — когда возникла новая проблема. Заболели Пол и Филлип.

Что ж, теперь он хотя бы мог действовать.

Уильям помчался в Оксфорд, чтобы проконсультироваться у тамошних врачей. Вернувшись, он привез селитру, борную кислоту, разные соли, уксуснокислый аммоний и нитрат серебра. Он развернул пакет со щетками из верблюжьего волоса. Он достал лимонное масло и сок хурмы. Еще у него был какой-то густой бальзам, издававший сильный гвоздичный аромат. Он проинструктировал Розу и миссис Лейн, как нужно смешивать, дозировать и применять все эти препараты.

— Их головы надо побрить до блеска, — говорил он. — Голова Люси была недостаточно гладко выбрита. Потом надо обернуть головы шелком, пропитанным лимонным маслом, и подложить под них высокие подушки. Ноги будем согревать гвоздичным бальзамом и тканью, смоченной теплой водой. Никаких пиявок, никаких кровопусканий. В первые три дня кормить их только ячменным или рисовым отваром. После трех дней — мясной бульон и курятина, причем курица должна быть приготовлена на пару. Мочевой пузырь опорожнять через каждые шесть часов, кишечник — раз в сутки. По вечерам язвочки в горле смазывать ляписом...

У него все было расписано по дням и часам. Его блокнот в переплете из телячьей кожи изобиловал рецептами, предписаниями и графиками. Он лично контролировал каждое опорожнение мочевого пузыря или кишечника. Он скрупулезно отмечал в блокноте все, что происходило с больными и что предпринималось для их лечения.

Сначала мальчики были просто удивлены своей внезапной хворью. Они смотрели на отца сквозь завесу боли и недоумевали, почему он все время что-то записывает, вместо того чтобы протянуть руку и снять эту завесу. Они боролись, угасали, агонизировали.

Уильям пересматривал свои записи, пытаясь уяснить себе картину болезни, выискивая намеки на положительную динамику. Он осторожно варьировал время проведения процедур и дозы препаратов. Есть ли теперь признаки улучшения? Или еще рано об этом судить?

А когда отец не дежурил у детских постелей, он беспрестанно метался из комнаты в комнату. Какие вещи принадлежали Люси? Где ее игрушки? Под какими одеялами она спала? На каких подушках?

— Сжечь это!

В саду был разведен большой костер, который никогда не угасал: то и дело они вспоминали о чем-то еще не сожженном. Одежда мальчиков. Их книжки. Их матрасы. И его собственная одежда, в которой он их обнимал и целовал. Сжечь! И Роза — какую одежду носила она? Все комнаты, все шкафы и чуланы были обысканы; вот еще одна кукла, вот шляпка, вот ленточка... «Сжечь это! Сжечь это все!»

В спальне сыновей он вытащил из-под кроватей их коробки. Там, под книгами, игрушками и шариками, под всякой всячиной, имеющей ценность в мальчишеской жизни, обнаружилась пара примитивных рогаток. Он швырнул их из окна спальни оторопевшему садовнику, который внизу следил за костром.

— СЖЕЧЬ ЭТО!

Задыхаясь, он дрожащими руками ухватился за оконную раму. Когда дыхание восстановилось, он направился в комнату к мальчикам и снова раскрыл блокнот.

Сначала наблюдение. Только наблюдая, ты сможешь понять. И только когда ты понял, ты можешь действовать. Болезнь была механизмом и в этом смысле не сильно отличалась от любого другого механизма. Внимательное наблюдение всегда помогало ему разобраться в проблеме. Это было всего лишь вопросом времени.

Уильям отправился на похороны Люси. Церемонию сократили — на очереди было очень много умерших. Незнакомец в черном сочувственно ему кивнул, но Уильям едва его заметил. По возвращении домой он узнал, что его сыновья скончались один за другим, с разницей в несколько минут.

Роза, молившаяся у их постелей, подняла на мужа лихорадочно блестящие глаза; на ее горле ярко алело пятно.

— Любовь моя, — сказал он, — ты больна.

— Тогда скорее найди ножницы.

Когда он принес кожаный футляр с ножницами, Роза распустила свои волосы и обрезала их как могла коротко. Затем она бросила волосы на горящие в камине дрова и легла в постель.

На следующий день Уильям оставил Розу под присмотром миссис Лейн, чтобы пойти на похороны сыновей. Это была необычная церемония. Ввиду большого количества покойников, погребальную службу справляли не отдельно по Полу и Филлипу, а по всем сразу — и все это были люди, которых Уильям знал лично или хотя бы понаслышке. И всех надо было похоронить сегодня, потому что завтра будут новые мертвецы. Провожающих собралось немного — иные сами слегли, другие ухаживали за больными или же боялись заразиться. Пения не было, как и собственно хора, да и настрой был не тот. Мужчины стояли, сидели и молились отдельно друг от друга, оплакивая кто жену, кто брата или сестру, кто ребенка. Никто не обращался со словами утешения к другим; сил едва хватало на скорбь по своим близким. «Кто-то сделает себе состояние на торговле траурным крепом», — мрачно подумал Уильям.

И, оттолкнувшись от этой мысли, он углубился в сложные расчеты. Как можно измерить утрату близкого человека? Как подсчитать, взвесить, оценить горе? В прошлом ему сопутствовала удача, и он это сознавал как никто другой. Однако за все в этом мире приходится платить. И вот теперь он расплачивался. Но в конце концов некая беспристрастная сила, убедившись, что соотношение удач и утрат... как сказать... выровнялось? — должна вновь повернуть его жизнь в лучшую сторону. Костяшки счетов стучали в его сердце, производя ужасные вычисления: Люси потеряна, два его сына потеряны. Итого трое. У него еще остались жена и дочь. И он вполне может рассчитывать на то, что их ему оставят. Трое против двух. Шестьдесят процентов против сорока. Для другой стороны сделка представлялась выгодной. Шестьдесят против сорока. Это щедрое предложение. Цифры его успокаивали.

На кладбище Уильям ничуть не удивился, заметив незнакомца в черном. Несмотря на черноту — какую-то особенно глубокую и пронзительную черноту — его траурного костюма, он не казался угнетенным личной утратой. По его виду нельзя было подумать, что дома у него лежит при смерти жена. Не походил он и на измученного родителя, проведшего много дней и ночей у постели умирающего ребенка. Тогда зачем он пришел? Только потому, что здесь был Уильям? Человек взглянул ему в глаза уверенно и прямо — так, будто они хорошо знали друг друга. На сегодня с Уильяма было уже достаточно; он не имел больше сил, чтобы противостоять этой уверенности. И он просто кивнул незнакомцу. В ответ последовал кивок — на сей раз очень выразительный и понимающий.

Шестьдесят против сорока?

«Знай своего оппонента» — в этом ключ к успеху переговоров. А вдруг эти переговоры обернутся ничем? Уильям почувствовал, как земля уходит из-под ног.

Если один план не удался, пробуй другой. Выход всегда найдется.

Уильям сделал глубокий вдох и сохранил равновесие.

Он вернулся домой, к постели Розы, к пропитанному лимонным маслом шелку, к бульону с ложечки, к теплым ваннам для ног, к приготовлению смесей из алоэ, солей и патоки... Он искал способ справиться с этой болезнью. Наблюдение. Понимание. Действие. Он обязательно найдет способ.

В этот период Уильям совсем не ложился в постель и практически не спал. Лишь иногда, во время затиший между судорожными приступами, ему удавалось вздремнуть, сидя на стуле у изголовья Розы. В одну из таких минут что-то необычное вывело его из состояния полудремы. Он огляделся в поисках причины. В комнате все было так же, с Розой никаких перемен.

Потом он понял: это был едкий запах, идущий из коридора. В доме кто-то жег волосы.

Вскочив со стула, он помчался в комнату Доры.

Его дочь в белой ночной рубашке стояла у камина, в котором был разведен — должно быть, ею самой — небольшой аккуратный огонь. Она локон за локоном срезала свои длинные темные волосы и роняла их в пламя.

— Я тебя разбудила? — спросила она. — От этих жженых волос такая вонь. Мне остаться у себя в комнате? Или лучше перейти в комнату мальчиков? Там уже есть все, что нужно для больных.

Он забрал ножницы из руки дочери. Ее миловидное личико выглядело непривычно. Голова острижена с одного боку, на шее расползлось красное пятно.

— Нет нужды срезать волосы, — сказал он. — Это ничего не дает.

— Да? Но я уже начала, не оставлять же все в таком виде.

Он стал срезать локоны, бросая их в огонь и захлебываясь слезами. Когда он обошел кругом, закончив стрижку, и вновь оказался с Дорой лицом к лицу, она спокойно взглянула на отца и чуть заметно улыбнулась, словно извиняясь за что-то.

28

Присутствие незнакомца на похоронах Розы лишь усугубило тяжелое душевное состояние Уильяма. Подходя к церкви, он с раздражением увидел перед собой человека в черном, вежливо уступившего ему дорогу, и был раздражен еще больше, заметив его на кладбище. Незнакомец озирался по сторонам с видом самодовольным и беспечным, будто выбрался на воскресный пикник.

Во время надгробной речи священника этот тип куда-то исчез, но передышка оказалась недолгой. Когда Уильям взял в руки лопату, чтобы первым бросить землю на гроб, незнакомец возник по другую сторону могилы и пристроился рядышком с Недом. Нет, какова наглость! Стоит себе вальяжно, взирая на сцену погребения так, словно здесь разыгрывается пьеса единственно ради его удовольствия. Кощунство и глумление, вот что это такое!

Уильяму очень хотелось сойтись с ним один на один и разом выяснить все отношения — но не в такой же день и не в такой момент. Посему он решил игнорировать незнакомца. Однако тот, как будто прочитав его мысли, уставился прямо на Уильяма. Он даже слегка поклонился, словно здороваясь, а затем качнул головой в сторону ворот — это выглядело как приглашение встретиться попозже и переговорить. Уильям загреб лопатой землю и уже приготовился швырнуть ее через могилу прямо в эту мерзкую, слащаво ухмыляющуюся рожу. Но человек в черном юрко скользнул куда-то вбок и исчез из виду, и перед Уильямом оказался лишь Нед, глядящий на него с тревогой.

Уильям бросил землю на гроб и быстро зашагал прочь.

Вот такие дела. Он схоронил свою жену. Он схоронил троих детей из четверых. И сейчас ему предстояло вернуться домой, чтобы по возможности облегчить уход из жизни своего четвертого, и последнего ребенка.

— Она уже никого не узнает, — сообщила миссис Лейн на пороге комнаты.

Ничто уже не могло удивить его у смертного ложа. Все было точно так же, как в предыдущих случаях. Он говорил со своей дочкой и видел, что она его не понимает. Миссис Лейн периодически прикладывала ко лбу Доры влажный платок, обходясь без обычных ласковых слов, которые девочка все равно бы не услышала. Минута тянулась за минутой, и он отмерял долгую безнадежную пустоту каждой из уходящих секунд. Миссис Лейн читала молитвы. Он вместе с ней бормотал «аминь».

Бремя надежд теперь уже не добавлялось к их горю. В душе Уильяма по инерции сохранялся протест против творящейся несправедливости, но протест этот слабел и угасал. То, что еще осталось от прежнего отца, не желало мириться с потерей своего ребенка, но он сознавал, что гнев его подобен гневу мухи, бьющейся в окно пустого здания. Смерть крепко взяла его в оборот; ныне он весь был в ее власти, под ее неумолимым игом.

Беллмен уже привык к тому, что с определенного момента его близкие становятся совершенно неузнаваемыми. То же случилось и с Дорой. Остриженная голова, заострившиеся черты лица, туго обтянутые бледной кожей, запавшие глаза, — этот ребенок в постели казался не имеющим никакого отношения к его кудрявой розовощекой дочурке, какой он видел ее пару недель назад. Глаза ее закатились под верхние веки, дыхание было хриплым и неровным. Она уже более чем наполовину принадлежала к иному миру.

К этому Беллмен был готов. Он знал все симптомы всех стадий болезни, знал их последовательность и сроки. Сколько уже раз он вот так же — минута за минутой, час за часом —

стоял у изголовья своих родных. Он изучил этот процесс так досконально, что мог предсказать, каким будет следующий вздох — когда еле слышный, а когда чересчур громкий. Он с точностью до момента предвидел начало очередного приступа судорог. Смерть так основательно его натренировала, что он мог бы замещать ее саму в качестве надзирателя при умирающих. В этом он походил на дирижера, знающего каждую ноту, каждый такт, каждую смену тональностей исполняемого произведения.

И сейчас, осмотрев дочь, Уильям понял, что конец еще не близок — он должен наступить часов через десять, а то и двенадцать.

— Почему бы вам не поспать хоть немного? — предложила миссис Лейн. — Вы сами с виду еле живы.

Он прошел в свою спальню. На краю постели лежал домашний халат Розы — там она оставила его, сняв в последний раз. Плотная материя до сих пор частично сохраняла очертания ее фигуры. Когда он дотронулся до халата, материя осела — будто испустила последний вздох вслед за своей хозяйкой. Он отвернулся. Спать здесь он не мог. Он вообще не мог спать.

И он отправился в «Красный лев».

Полли поздоровалась — без каких-либо намеков на прошлые дни или на нынешние времена — и поставила перед ним кувшин сидра. Он сидел молча и осушал стакан за стаканом. Пил с тупой методичностью, не рассчитывая забыться. Алкоголь несколько смазывал остроту его горя, но рассеять мрак безысходности он был не в силах.

На определенной стадии опьянения Уильям начал понимать многие вещи, прежде не доходившие до его сознания. Этот мир, вселенная, да и бог, если таковой существовал, ополчились на человечество. С новой точки обзора он видел, что его давняя удачливость являлась не более чем издевательской шуткой: человеку позволили верить в свою счастливую звезду только затем, чтобы ему было больнее падать с высоты. Он осознал собственную ничтожность и тщетность всех попыток самому определять свою судьбу. Он, Уильям Беллмен, хозяин фабрики, был ничем. Все эти годы он верил в свои силы и дарования, не догадываясь о постоянном присутствии где-то поблизости самого могущественного из всех соперников, способного в любой миг раздавить его, как жалкую букашку. Его счастье и его успех, которые он полагал возведенными на прочном фундаменте собственных трудов, знаний и талантов, на деле оказались столь же эфемерными, как белая головка одуванчика, — стоило неведомому сопернику дунуть, и все это разлетелось, исчезло без следа. Как же так вышло, что он доселе даже не подозревал об этом — он, полагавший себя всезнайкой? Что держало его в неведении все эти годы?

Он продолжал пить. При этом мысли его оставались на удивление ясными, вот только голова клонилась все ниже, пока не достигла поверхности стола, и еще чуть погодя он захрапел.

Его растолкала Полли. Она помогла ему подняться и довела до двери.

— Ступай домой, Уильям Беллмен. Сейчас это не лучшее место, но это единственное место, где тебе следует быть. Ступай.

Снаружи было темно. Насчет холода он судить не мог, искусственно подогреваемый изнутри алкоголем. Спотыкаясь и кое-как переставляя ноги, он брел неведомо куда, но не останавливался ни на секунду из страха, что агония мыслей захлестнет его с новой силой. Всю свою сознательную жизнь он к чему-нибудь стремился. Каждая прожитая им минута была шагом к достижению какой-либо цели. И он хотел понять, в чем состоит его нынешняя цель. Возвращаться домой смысла не было. Все, что мог, он уже сделал, и сейчас его присутствие ничего бы не изменило. На фабрике тоже появляться не стоило. Его трагическая фигура производила гнетущее впечатление на рабочих. Они всячески сторонились Беллмена, напуганные тем, что произошло с его семьей. Куда же ему податься?

В мозгу Беллмена существовал некий отдел, автоматически начинавший действовать, когда требовалось решить проблему. Он не знал, было это следствием приобретенной привычки или врожденным качеством, но функционировало оно безупречно, включаясь в тот самый момент, когда возникала потребность, и зачастую выдавая готовое решение даже раньше, чем Уильям успевал осознать само наличие проблемы. Это походило на часы, мерно тикающие где-то в глубине сознания, тогда как прочие отделы мозга занимались мелкими насущными вопросами и повседневной рутиной. И сейчас этот механизм работал на полную мощность, просчитывая варианты борьбы с могущественным соперником.

Первый вариант: делиться. Согласовать условия: столько-то тебе, столько-то мне, и каждый получит то, что ему нужно... Однако он уже это пробовал, и ничего не вышло. Второй вариант: продавать. Но ведь это была Дора, его дочь. Так что если даже соперник будет готов к покупке — а до сих пор он только уничтожал или крал, — Беллмен не будет готов к продаже. Это исключалось. Третий вариант: прятаться. Держись тише воды, ниже травы и надейся, что соперник посчитает тебя слишком незначительным и перестанет замечать. Увы, слишком поздно. Он уже попал в поле зрения соперника и под его прицел. Что оставалось? Четвертый вариант: сотрудничать. Но о каком сотрудничестве может идти речь в этом случае? Нет, это невозможно. Возвращаемся к первому варианту: делиться. Однако он уже это пробовал...

Механизм работал без устали, выдвигая все более отчаянные и нелепые идеи. Он устроит этому сопернику саботаж! Он разрушит его бизнес! Он наймет банду головорезов, которые будут поджигать его склады и цеха! Он переманит к себе его лучших работников, он распустит порочащие слухи о его товарах! Полный абсурд, если учесть, что он столкнулся не с каким-то обычным деловым конкурентом. И чем безумнее становились идеи, тем сильнее он удивлялся самому себе. Он и не подозревал, что способен на такие коварные и жестокие действия. Он оказался не тем человеком, каким считал себя ранее. Уильям не мог сделать усилие, чтобы остановить неугомонный механизм в своем мозгу, — да и не знал, как он отключается. До сих пор такой потребности у него не возникало.

Как же он будет жить дальше с этим в голове — с бесконечно затянувшейся попыткой решить в принципе неразрешимую проблему?

Делиться, продавать, прятаться, сотрудничать.

Это могло свести с ума. Это уже сводило его с ума.

Ну почему его мозг не хочет угомониться и признать, что все потеряно и сделать ничего нельзя?

Внезапно он увидел, где находится: неподалеку от старого коттеджа, в котором родился и вырос. Уже стемнело, но коттедж выделялся на фоне неба прямоугольником более густой тьмы. А по другую сторону от Уильяма в небо врезались черные ветви старого дуба. Он повернулся и пошел к дереву.

Новая задача была сформулирована: отключить свое сознание.

Под дубом он остановился. Место выбрано верно. Он это чувствовал. Мозг работал быстро и четко.

Вот эта ветка достаточно крепка, и высота подходящая. Он может залезть туда, усесться, приготовиться — и просто упасть вниз, к земле, к своему концу. Он еще раз осмотрел дерево и выбранную ветку, проверяя, нет ли каких недочетов в плане, уточнил пару мелких деталей... Порядок!

Теперь дело было только за веревкой — и он знал, где ее найти. Гробы опускали в могильные ямы на прочных веревках, но при нынешней частоте похорон — по два-три покойника ежедневно — веревки перестали запирать в сторожке, а просто вешали на крюк, вбитый в стену над ведущей к подвалу лестницей. Он сам это видел. Воровства не опасались: какой вор покусится на веревки, спустившие в могилы стольких мертвецов?

Беллмен двинулся в сторону кладбища. Наконец-то есть достижимая цель! Он сразу почувствовал себя лучше.

Тонкий серп луны подсветлил небо, и силуэты кладбищенских тисов были заметны издали. Оказавшись в тени этих тисов, он пошел осторожнее, то и дело ступая мимо тропы на кочковатый дерн. Наконец он отыскал веревку и уже направлялся к воротам кладбища, когда прямо перед собой увидел свежую могилу Розы.

Он сбавил шаг, потом остановился.

Здесь он был не один. Чуть поодаль стоял незнакомец в черном, прислонившись спиной к старому надгробию. Он не шевелился и не отрывал взгляда от темных верхушек деревьев.

Если до этого и дул какой-то ветерок, сейчас он стих. Воздух был абсолютно недвижим.

Создавалось впечатление, что незнакомец простоял здесь уже очень долго, но никуда не спешит, имея в запасе уйму времени.

Наконец он повернул голову к Уильяму и взглянул на него с вежливым интересом.

— Я хочу извиниться за то, что было днем, — сказал он ровным, негромким голосом. — Согласен, я мог бы проявить больше такта.

— Да кто вы такой, черт возьми?

— Ваш друг. — И он быстро взглянул на Уильяма, проверяя эффект этих слов.

— Друг? Мы даже не знакомы.

Человек в черном задумчиво склонил голову набок:

— Это верно. Тем не менее намерения у меня самые дружеские. Думаю, нам стоит кое-что обсудить.

Уильям поправил на плече моток веревки и сделал шаг дальше по тропе.

— Может, все-таки поговорим? — спросил человек.

— Вот как, значит, это делается? Я останавливаюсь с вами поболтать, а утром здесь находят мой труп? Все идет к этому, да?

Взгляд незнакомца ненадолго задержался на веревке, которую нес Уильям, а потом — с ироническим прищуром — переместился на его лицо.

«Он все знает», — подумал Уильям.

Но человек в черном сделал решительный жест, как бы отметающий его предположения.

— Нет, нет и нет. Я вижу, вы меня неправильно поняли. Я здесь для того, чтобы вам помочь — или, скорее, получить помощь от вас. Собственно, речь о взаимной пользе. Может, уберете это, — он кивком указал на веревку, — и присядете?

Уильям устало сбросил с плеча моток и опустился на надгробную плиту по другую сторону от могилы Розы, напротив незнакомца.

— Взгляните на это, мистер Беллмен. — Рука в широком свисающем рукаве описала круг, охватывая все кладбище. — И скажите мне, что вы видите.

— Что я вижу?

Перед ними были могилы. Над старыми поднимались памятники — скульптуры, стелы, статуи ангелов, каменные кресты. Недавние представляли собой лишь земляные холмики. На могильном холмике Розы белели цветы. Новые, только что выкопанные могилы зияли пустотой, готовые принять усопших завтра или в ближайшие дни. Одна из них примет в себя Дору.

Гнев, подогретый винными парами, вырвался наружу.

— Что я вижу? — переспросил Уильям. — Я скажу вам, что я вижу! Я вижу свою жену. Я вижу трех моих детей. Я вижу их могилы. И еще я вижу пустую могилу, которая ждет мою последнюю дочь. Я вижу горе, страдания и отчаяние. Я вижу тщетность своих прежних трудов и всего, что бы я ни сделал в будущем. Я вижу массу причин для того, чтобы прямо здесь и сейчас покончить с собой и со всем этим. Навеки!

Уильям рухнул на могильную плиту, корчась и дергая себя за волосы. Черты его лица исказились так сильно, будто кожа пыталась отделиться от костей черепа. Он ждал, что волна боли накроет его, подхватит и унесет неведомо куда, однако этого не произошло. Он оставался здесь, со своей му́кой — неизменной, бесконечной, нестерпимой. Он стремился вырваться из этого замкнутого круга; но что действительно вырвалось, так это вопль из его горла, из самого нутра, гулкий и протяжный, который отозвался долгожданным эхом в его голове, подавляя и притупляя мысли.

Звон в голове постепенно стихал. Вдруг этот тип уже исчез? А вдруг его здесь и не было вовсе? Тогда Беллмен сможет продолжить путь и довести до конца задуманное. Он поднял глаза.

Все еще здесь. Стоит как ни в чем не бывало, выпятив грудь и заложив руки за спину.

Незнакомец взглянул на него сверху вниз и произнес одобрительно:

— Так-так! Хорошо!

Уильям поежился. Неужто он имеет дело с безумцем?

— Понимаю. Ведь вы еще молоды... — Он разомкнул руки, но через секунду, передумав, снова убрал их за спину. — Я, знаете ли, вижу вещи в ином свете.

— Надо полагать. — Голос Уильяма, сорванный недавним воплем, прозвучал еле слышно.

— Да. И сейчас я вижу перед собой... — Он сделал паузу, долго и медленно набирая в легкие воздух, как будто затягивался сигарой чрезвычайно редкого и дорогого сорта, прежде чем с наслаждением выдохнуть: — Перспективу.

Уильям смотрел на него настороженно. Этот тип явно помешался. Но потом в его голове звякнул сигнальный звоночек.

Как там было?

Делиться, продавать, прятаться, сотрудничать.

Сотрудничать.

Он подумал о Доре.

И согласно кивнул:

— Считайте, я в деле.

29

Прохладный утренний воздух вошел в его ноздри. Пауза. Согретый воздух, изрядно приправленный перегаром, вытек из его рта.

Он проснулся? Это походило на пробуждение. Значит, он спал?

Чувства возвращались к нему медленно, как к восставшему из гроба Лазарю. Голова раскалывалась. В груди ныло, словно он всю ночь надрывал криком легкие. Он лежал на чем-то холодном и твердом, и что-то шершавое скребнуло его щеку при попытке пошевелиться. Он приоткрыл один глаз. Вот как, он на кладбище! С надгробной плитой в качестве постели и свернутой веревкой вместо подушки. Рядом свежая могила. Это могила Розы.

Он закрыл глаз и начал вспоминать. Так, он был на похоронах жены. Потом пошел в «Красный лев». Очень много выпил. А потом? Что-то проскользнуло в памяти...

...и вновь исчезло.

А потом в сознание ворвалась тревожная мысль.

Дора!

Он вскочил настолько поспешно, насколько позволило затекшее тело.

Надо вернуться домой.

Даже не взглянув на моток веревки, оставшийся лежать на надгробии, он двинулся прочь с кладбища. Все его мысли были заняты дочерью и тем, что следует сделать для спасения ее жизни. Ибо она будет жить. Теперь он был в этом убежден. Она будет жить! И — хотя об этом он совсем не думал — будет жить и он сам.

Когда Беллмен появился на пороге комнаты, миссис Лейн ни словом не обмолвилась по поводу отпечатка веревочных колец на его щеке и исходящих от него алкогольно-кладбищенских запахов. Она лишь пошире распахнула дверь, впуская его внутрь. Кто упрекнет в нервном срыве мужчину, оказавшегося в таких обстоятельствах?

Казалось, все идет к концу: Дора билась в сильнейших конвульсиях. На сей раз Беллмен не стонал и не рвал на себе волосы. Его взгляд не метался по комнате в отчаянной попытке найти какое-то спасительное средство. Он стоял у кровати, не меняясь в лице, застывший как надгробный камень.

Приступ сменился затишьем при постепенно слабеющем дыхании. Миссис Лейн сложила руки девочки у нее на груди, преклонила колени и начала шепотом читать «Отче наш».

Беллмен произносил молитву с ней вместе — твердым, ни разу не дрогнувшим голосом.

Когда они закончили молиться, девочка все еще подавала признаки жизни. Слегка озадаченная, миссис Лейн приступила к молитве повторно.

Прозвучало последнее «аминь», но Дора продолжала дышать.

Недоумение миссис Лейн усилилось. Она растерянно взглянула на Беллмена и поразилась его необычайному спокойствию.

— Мистер Беллмен, вам не кажется, что ее дыхание стало свободнее? — спросила она.

— Так и есть.

Они склонились над девочкой, всматриваясь в ее бледное лицо. Миссис Лейн большим пальцем осторожно приподняла ее веко и проверила зрачок, а потом разомкнула скрещенные руки девочки и начала согревать их в своих ладонях.

— Боже всемилостивый... — начала она новую молитву, но запнулась уже на первой фразе.

Дыхание Доры оставалось поверхностным, но стало ровнее. Понемногу ее ледяные руки согревались, на щеках пятнами проступал румянец. И миссис Лейн полностью переключилась с забот о душе девочки на помощь ее телу. Прошел примерно час после кризиса, и ресницы Доры чуть заметно дрогнули. Она не очнулась, однако теперь ее состояние больше походило на обычный сон, чем на кому.

Беллмен не шевелился, как будто не замечая действий миссис Лейн и не слыша, что она говорит. Он не отрывал взгляда от дочери, хотя было непонятно, видит он ее или нет.

Лишь после визита Сандерсона, который изумленно покачал головой, столкнувшись с таким чудом, Беллмен позволил себе передохнуть. Он сбросил халат Розы с постели на пол, лег, не раздеваясь, и мгновенно провалился в глубокий сон.

Прошлая ночь: рукопожатие — или иной знак заключения сделки — над могилой, в темноте, с человеком, которого он едва мог разглядеть. Сегодня: его дочь возвращается к жизни.

Ни малейшего лучика не пробилось сквозь мрак его сна, чтобы осветить процесс разрушения прежнего и возникновения нового Уильяма Беллмена.

Что-то завершилось. Что-то вот-вот должно было начаться.

Часть вторая

Сократ. Построим в каждой душе нечто вроде голубятни для всевозможных птиц, где одни будут жить стаями отдельно от других, другие же либо небольшими стайками, либо поодиночке, летая среди остальных как придется.

Теэтет. Считай, что построили. И что же дальше?[1]

Платон. Теэтет

[1] Пер. Т. Васильевой.

1

Без пяти минут одиннадцать Беллмен вошел в комнату дочери, и миссис Лейн поднялась, уступая ему место у постели.

— Гонг? — спросила она.

— На ваш выбор.

Миссис Лейн проследовала на кухню, где ее ждала Мэри.

— Что будет сегодня, мама?

— Нам самим решать.

— Может, пальнуть из пистолета у кухонного окна?

Ее мать нахмурилась:

— Мэри, это делается не для твоего развлечения. Что у нас было на днях? Вчера гремели кастрюлями, во вторник били в гонг... А в понедельник?

— Рояль?

— Мы не обязаны каждый раз выдумывать что-то новое. Я согласна разбить все тарелки, швыряя их с лестницы, если от этого будет хоть какой-то толк, но... Господи, уже пора!

Они помчались в гостиную и подняли крышку рояля. Миссис Лейн села на табурет с грустным и безнадежным видом; ее дочь пристроилась рядом с видом радостного предвкушения. Они подняли четыре руки, посмотрели на стрелки часов — и ровно в одиннадцать два десятка пальцев разом ударили по клавишам.

— Ну и гром! — удовлетворенно воскликнула Мэри. — Если она не услышит это, то не услышит вообще ничего!

Наверху Беллмен с часами в руке стоял над Дорой, глядя на ее лицо, тогда как отзвуки дисгармоничного аккорда разносились по всему дому.

В своем блокноте он сделал очередную пометку: «Реакции нет».

— Терпение, — молвил Сандерсон, когда Беллмен показал ему свои записи.

Дора дышала неглубоко, медленно и ритмично. Пульс у нее также был слабый, медленный и ритмичный. Она не реагировала на звуки и свет, большую часть времени проводила в подобии сна и даже с открытыми глазами была слепа, как новорожденный котенок. Волосы ее не отрастали, а миссис Лейн или Мэри каждый день стряхивали с ее щек все новые выпавшие реснички. Оказавшись меж двух миров, Дора не умирала, но и не жила.

— Она побывала на грани смерти, — сказал Сандерсон. — Сейчас ее состояние стабильно, и мы должны этому радоваться.

Беллмен получил свое чудо — и вряд ли мог рассчитывать еще на одно. Лихорадка выкосила многих жителей города, включая родных Беллмена; смерть вплотную подобралась и к Доре, но отступила за какие-то мгновения до конца. После таких потрясений Беллмен не задавался вопросом, почему ему была дана эта отсрочка. Он просто смотрел и ждал, что будет дальше.

День за днем он проводил у постели дочери и за это время ни разу не посетил фабрику. На седьмой день мальчишка-посыльный принес записку: дела идут обычным порядком, но не должен ли бухгалтер представить отчет мистеру Беллмену?

Тем же вечером Мэри провела в кабинет явившегося с отчетом Неда. С ним пришел мистер Крейс. В комнате стоял холод — Мэри развела огонь в камине, но пустовавшее целый месяц помещение не успело прогреться. Крейс впервые очутился внутри особняка, да и Нед бывал здесь нечасто. Они молча стояли посреди комнаты, разглядывая паркет, лепнину и прочие детали интерьера, исполненные любопытства и сострадания. Оба нервничали и потому сильно вздрогнули, когда вслед за скрипом двери наконец появился Беллмен. Отчасти такая реакция объяснялась происшедшей в нем разительной переменой — и дело было даже не во внешности, а в отсутствии внутреннего содержания. Несколько мгновений гости недоуменно всматривались в хозяина, как это бывает, когда ваш взгляд вдруг обнаруживает пустоту на месте чего-то привычного и хорошо знакомого.

Они выразили соболезнования в стандартных фразах. Нед не видел смысла в словесных излияниях — их лица и так сообщат остальное: что сказанное — это лишь малая часть от испытываемой ими скорби, что каждая семья в городке понесла утраты, но редко кто в такой степени, как Беллмен. Череда смертей в старом особняке уже выходила за все рамки... Но Беллмен, казалось, не видел их лиц и едва ли расслышал слова. Нед покосился на Крейса — тот был так же смущен и озадачен.

— Присаживайтесь, — сказал Беллмен, неопределенно махнув рукой, и гости опустились на стулья.

Сам он выдвинул кресло из-за письменного стола, как будто собираясь в него сесть, но так и остался стоять. Может, он не вполне осознает свои действия? Как им сейчас поступить: ждать его вопросов или начинать самим?

Молчание затягивалось, и наконец Нед прочистил горло:

— Как я понимаю, мы должны отчитаться о состоянии дел на фабрике в этом месяце?

Беллмен поднял руку к небритому подбородку и звучно поскреб щетину. Расценив этот жест как согласие, Нед приступил к докладу. Поразившая городок эпидемия не обошла стороной и фабрику, унеся многих работников. Несмотря на это, более половины заказов было выполнено в срок. Что до остальных, то доверительные отношения с заказчиками позволили почти во всех случаях договориться о переносе сроков поставки. Лишь немногие отказались перезаключать контракты. В целом все обстояло лучше, чем можно было ожидать.

Беллмен наконец-то сел в кресло, но по его виду невозможно было понять, слушает он или нет.

Нед шевельнул бровью, подавая сигнал Крейсу, и тот подхватил эстафету:

— Касательно технических и производственных вопросов...

Он вкратце описал возникшие сложности, рассказал о принятых мерах и объяснил, почему он действовал именно так, а не иначе.

Беллмен безотрывно глядел на свои сложенные на коленях руки.

— Здесь подробный отчет по всем позициям...

Нед протянул пачку листов, а когда Беллмен не выказал намерения их взять, поднялся и положил бумаги на стол. Крейс также поднялся, торопясь завершить эту тягостную встречу.

— А как Дора? — спросил Нед, предпринимая еще одну попытку достучаться до сознания человека, которого он считал не только своим нанимателем, но и другом. — Надеюсь, ей уже лучше?

Он встретил взгляд Беллмена. Заданный вопрос пробудил в глазах того какой-то темный всплеск, но ответа не последовало.

Перед самым уходом Крейс предложил встречаться хотя бы дважды в неделю, чтобы он и Нед держали Беллмена в курсе событий на фабрике. Хозяин дома рассеянно кивнул, и гости отбыли восвояси.

По пути на фабрику оба размышляли об оставленной позади семейной трагедии и о собственных горестях. Они миновали «Красный лев», где пятью месяцами ранее Крейс праздновал свою свадьбу, а затем кладбище, где он недавно схоронил жену. Каждый из мужчин думал о своем, при этом без труда догадываясь о мыслях идущего рядом. Когда впереди показались фабричные ворота, Нед сказал:

— А ведь он даже не выразил тебе соболезнования.

Крейс пожал плечами:

— Много ли толку в соболезнованиях? Да и тебе он никак не посочувствовал.

— Мама была уже старой, ее время пришло. Она это понимала, и я это понимал.

Неду незачем было оправдываться за Беллмена, но он мог сказать, и он сказал:

— Горе его надломило.

Крейс не замедлил шаг и не поднял глаза.

— Все мы надломлены, Нед, — молвил он угрюмо. А затем, пожевав губами как бы в попытке избавиться от ядовитой интонации, добавил: — Чего уж там. Кому-то страдания по карману, а кому-то нет. Нам на хлеб зарабатывать надо.

Все время Беллмена было посвящено заботам о дочери. Помимо бальзамов, масел и разных медикаментов, на столике у ее постели были разложены листы с регулярно обновляемыми данными: частота пульса, длина вдоха и выдоха, температура тела... Он стал настоящим экспертом по всевозможным оттенкам бледности и высматривал признаки румянца на ее щеках с тем же напряжением, с каким моряк после долгого плавания высматривает на горизонте признаки земли. Он был постоянно озабочен состоянием атмосферы в комнате. Не слишком ли здесь душно? Не прохладно ли? Нет ли сквозняка? Он открывал и закрывал окна, требовал дополнительных одеял и вскоре убирал их прочь. В ход шли стеганые ночные кофточки, варежки и меховые муфты — только затем, чтобы вскоре от них отказаться. В течение дня миссис Лейн и Мэри всегда были рядом, и он делил с ними уход за больной. А по ночам он дежурил у постели один.

В полночь он проводил последние измерения температуры и пульса, после чего садился в кресло и через какое-то время начинал клевать носом, а еще чуть погодя впадал в полное беспамятство. Позже ночью чернота в его сознании начинала рассеиваться, и он оказывался в неведомой серой области, в пространстве между сном и явью. Здесь его посещали странные, причудливые идеи, и тогда он, найдя во тьме карандаш и блокнот, открывал чистую страницу и делал торопливые многословные записи. Был ли в этих записях какой-то смысл? Сможет ли он вообще разобрать свои ночные каракули при свете дня? Подобные вопросы не приходили ему в голову; они относились к другому миру — далекому, чужеродному, никак не связанному с этим. Затем прилив сменялся отливом: уже полусонный, он откладывал блокнот и снова погружался в забытье. Проснувшись утром, он сразу приступал к осмотру больной, обращался к своим таблицам и графикам, а недавние сновидения отходили на задний план как нечто несущественное. Еще более слабыми были воспоминания о той ночи на кладбище — настолько слабыми, что их не стоило принимать в расчет.

Неделями Беллмен пытался выявить какую-то динамику в состоянии дочери. Его воодушевлял малейший позитивный сдвиг, однако его педантичная дотошность не позволяла выдать желаемое за действительное: в лучшем случае он мог сказать, что состояние остается стабильным. Но в один прекрасный четверг изменение произошло. Внезапное и реальное изменение. Дотронувшись до руки дочери, Беллмен почувствовал, что ее кожа стала менее восковой на ощупь, уже напоминая обычную человеческую кожу. Мэри с ним согласилась. Миссис Лейн проявила осторожность в оценках, но подтвердила, что цвет лица девочки стал чуточку более живым.

На следующий день, когда Дора открыла глаза, впервые за долгое время взгляд ее был осмысленным: она как будто узнала своего отца.

— Вот, посмотрите, — говорил Беллмен доктору Сандерсону, демонстрируя пометки в своем блокноте. — Ее пульс крепнет, а дыхание углубляется. Она проглатывает больше бульона. Может, пора перейти к более основательному питанию, как по-вашему? И еще: она стала следить за мной взглядом.

Доктор не мог не признать перемены к лучшему. Пациентка выходила из летаргии. Но ее состояние по-прежнему вызывало у него большую тревогу. Малокровие, предельное истощение, мышечная дистрофия, немота, выпадение волос, отсутствие реакции на звук, на прикосновение, на человеческий голос... Она являла собой целую энциклопедию симптомов; ее одной хватило бы для составления учебного пособия по медицине; как уникальный пример ее можно было бы показывать на университетских лекциях. Вот о чем следовало беспокоиться, а между тем ее отец ликующе размахивал своими таблицами, а сиделка огорчалась по поводу каких-то там гладких пятен на черепе девочки, — мол, тут уже совсем нечего расчесывать. Но ее облик — правда, он не решился сказать это вслух — был еще наименьшим поводом для волнений. Лихорадка могла нанести девочке куда более серьезный вред, чем отмирание кожи и облысение. Доктор опасался, что болезнь разрушила ее мозг.

Эпидемия опустошила городок и схлынула.

Все семьи потеряли кого-нибудь, а кое-кто потерял всю семью.

Люди поминали умерших. Они скорбели и плакали. А в промежутках между поминанием, скорбью и плачем радовались тому, что лук-порей и ревень в этом сезоне удались на славу, завидовали модным шляпкам соседских кузин, наслаждались запахом жареной свинины, доносящимся с кухни по воскресеньям. Находились и такие, кто любовался красотой бледной луны над поросшей вязами грядой холмов. Другие получали основное удовольствие от сплетен.

Поскольку Беллмен и трагедия в его семье были известны всему городу, часть сплетен фокусировалась на этой теме. Мэри была общительной девочкой и — без малейшего дурного умысла — охотно рассказывала всем желающим ее слушать о том, что происходит в особняке Беллменов. Соседи, фабричные работники, торговцы и прочие, как водится, дополняли эти рассказы крупицами самостоятельно домысленных подробностей. В общих чертах все выглядело таким образом: Дора Беллмен превратилась в скелет. Она была скорее мертва, чем жива. Она ослепла, оглохла, онемела. В ее теле еще теплилась жизнь, но душа уже покинула это тело. Разум ее угас навеки.

Столяр, которого вызвали в особняк Беллменов, чтобы нарастить высоту кровати и тем самым дать девочке возможность видеть пейзаж за окном, рассказывал:

— Сидит она среди подушек, вместо волос пучки темного пуха. Даже и не скажешь, что это живой ребенок. Скорее уж пугало огородное или большая кукла для устрашения непослушных детей.

— Она и впрямь ни бельмеса не соображает? — спрашивали его.

Нет. Столяр так не думал. Да и девчонка-служанка утверждала обратное.

Сплетничали и о самом Беллмене. Все отмечали его угрюмый облик и отсутствие прежней энергии. Изредка проходя по главной улице городка, он смотрел себе под ноги, никому не кивал и даже не дотрагивался до шляпы, хотя в былые времена щедро раздавал приветствия налево и направо.

За могилами членов его семьи никто не ухаживал, да и церковь он не посещал уже давно.

— Он слишком занят своей дочерью, — говорили люди, до поры прощая ему такое небрежение.

— И на фабрике он не появляется? — интересовались горожане у фабричных.

Нет, он там не появлялся.

Не появлялся он и в «Красном льве».

— Его не интересует ничего, кроме дочки, этого несчастного пугала, — заключили местные жители.

Они сочувствовали его горю. Они восхищались его самозабвенной заботой о дочери. Но при всем том он оставался мистером Беллменом, владельцем фабрики. Где же тогда ему следует быть, как не на своем предприятии? Это не могло продолжаться до бесконечности.

2

Выпавшие волосы Доры не отрастали снова, как и ее ресницы. Но плоть постепенно округляла контуры ее скелета, а на щеках с каждым днем все явственнее проступал румянец. Дыхание становилось более глубоким, а пульс — более четким. Уже не было сомнений в том, что взгляд ее вполне осмысленно следит за движениями людей у постели; и вот настал день, когда Мэри с изумлением услышала в комнате сиплый старческий голос, попросивший медовой воды, — то была Дора. Поцеловав ее, Мэри завопила во весь голос, призывая мистера Беллмена.

— Ну вот ты и вернулась!

Беллмен плакал от счастья.

На протяжении трех месяцев Беллмен не мог думать ни о чем, кроме своей дочери. Ради поддержания ее жизни он напрочь забыл о собственной. Но теперь, когда она была вне опасности и на пути к выздоровлению, пришло время и ему вернуться в этот мир.

Мэри вымыла окно в кабинете и оставила его открытым, дабы проветрить помещение. Она вынесла во двор и хорошенько выбила пропылившийся ковер, натерла воском мебель, почистила каминную решетку, поправила подушки кресла и наполнила чернильницу.

В десять утра Беллмен вошел в кабинет и уселся за письменный стол. Мощным выдохом очистив застоявшиеся легкие, он заполнил их свежим апрельским воздухом. Затем с удовлетворением провел ладонью по поверхности стола. Впереди были дни, которые только и ждали, чтобы он пробудил их к действию. У него вновь появилось будущее, которое ждало лишь его прикосновения, чтобы стать реальностью.

Он достал из кармана блокнот в кожаной обложке и бегло пролистнул страницы, заполненные медицинскими показателями. С этим уже покончено. Он отделил эти страницы закладкой-ленточкой, как привык отделять мертвые вчерашние записи от планов на сегодняшний и последующие дни.

А тут еще что такое? Торопливые каракули вкривь и вкось, строки наползают одна на другую. Ах да, припомнил он. «Побочный продукт» отцовских бдений у постели больной дочери. Ночные игры воспаленного разума...

Но какое-то слово привлекло его внимание, и он прочел всю фразу, затем еще...

При виде того, как Беллмен со все возрастающим интересом просматривает полузабытые записи, посторонний наблюдатель мог бы заключить, что они оказались куда более занимательными, чем ожидал сам автор. Он медленно переворачивал страницу за страницей, разбирая собственные каракули и стараясь не упустить ни единой подробности. Иногда он возвращался на несколько страниц назад, сверяясь с прочитанным ранее, а местами делал пометки или вставлял краткие примечания.

Порой вещи, о которых человек вроде бы совсем не думает, сохраняются и потихоньку вызревают в его подсознании. Именно так идея, не имеющая никакого отношения к первостепенным заботам и тревогам Уильяма, однажды ночью поселилась у него в голове, без ведома хозяина питаясь его энергией и жизненными соками. А к тому времени, когда у него появилась возможность заняться другими делами, идея уже созрела и была готова явиться на свет дня.

Закончив чтение, он с минуту глядел в пространство, собираясь с мыслями, а потом начал писать с чистой страницы — и так писал целый час: быстро, уверенно, почти без остановок. Цели, возможные препятствия, сроки, расценки, расходы, планы, стратегия действий. Покончив со всем этим и отложив ручку, он помахал раскрытым блокнотом в воздухе, чтобы просушить чернила, и на лице его появилась улыбка человека, сунувшего руку в карман за медной монеткой и вдруг нашедшего там целую пригоршню золотых соверенов.

— Чудесная идея! — воскликнул он. — Какая перспектива!

Последнее слово эхом отозвалось в его сознании, вдруг пахнув сырой кладбищенской землей. Необходимо найти того человека в черном и заключить с ним договор по всем правилам. Он был заранее согласен пойти на уступки. Идея представлялась настолько многообещающей, а незнакомец подарил ее Беллмену таким щедрым жестом, что торговаться теперь было бы просто неприлично. Разумеется, узнав его условия, Беллмен хотя бы для проформы выдвинет встречные — так оно принято, бизнес есть бизнес, — но он был готов дать компаньону все, что тот затребует. Он мог себе это позволить: при столь обширном поле деятельности никто не останется внакладе.

Итак, задача: найти человека в черном. Легче сказать, чем сделать... Кажется, в какой-то момент разговора собеседник назвался Блэком, однако Беллмен очень смутно помнил события той ночи. Впрочем, внешность у него весьма своеобразная, не так ли? Как-нибудь в свободную минуту Беллмен сядет, подумает — и лицо этого человека непременно всплывет в памяти. А дальше достаточно будет навести справки. Правда, он и раньше пытался отыскать этого Блэка, но те попытки не в счет: он действовал наугад, бессистемно. Он обращался не к тем людям. Теперь все будет иначе. Взявшись за дело с толком и расстановкой, он своего добьется. Такой подход всегда приводил его к успеху.

Правильный подход и верно выбранный момент.

Беллмен снова взял ручку, чтобы сделать дополнение к своим записям: «Найти Блэка». Но перо только скребнуло бумагу — чернила на нем уже высохли. А на полпути от листа к чернильнице ручка неуверенно зависла. Не упустил ли он что-то важное? Все ли принял в расчет? Он думал десять, пятнадцать секунд. И обнаружил, что мысли его блуждают в каком-то лабиринте. Он сердито поморщился. Не однажды он замечал это в других людях: внезапно возникшие сомнения заводили их в тупик. Ясно видя цель и уже будучи близки к успеху, они вдруг начинали колебаться, раздумывать, отвлекаться на всякие мелочи и, вконец запутавшись, проваливали все дело. Чтобы этого не случилось, необходимо концентрироваться на самом важном, а второстепенные вопросы разрешатся или отсеются сами собой.

Беллмен не стал делать приписку. Просто в этом не было нужды: такое он забудет вряд ли.

Он потер руки, предвкушая новое начинание, и с нежданно разыгравшимся аппетитом принюхался к кухонным ароматам в предвкушении второго завтрака.

— Ты слышала весь этот шум, который мы устраивали? — спросила Мэри у Доры, когда они остались в комнате вдвоем. — Рояль, гонг, кастрюли?

Дора покачала головой:

— Единственное, что я слышала, были крики грачей. Их я слышала постоянно. А потом я проснулась. — Она помедлила, прежде чем продолжить: — Только не говори про грачей моему папе.

3

В первый вторник мая Уильям Беллмен объявился на фабрике. Уже по характеру знакомых фабричных шумов он определил, что работа идет в нормальном ритме. В общении с людьми присутствовала некоторая неловкость: он видел по лицам, что подчиненные находят его сильно изменившимся. Что ж, он и сам находил себя таковым. Он обошел цеха в сопровождении Крейса, кивками приветствуя рабочих и пожимая руки мастерам, узнавая массу новостей и задавая короткие, конкретные вопросы. С фабрики он ушел рано.

В среду он занимался в конторе с Недом. Заказы, счета, ведомости. Все оказалось в порядке. Он ушел рано.

Четверг он провел в своем домашнем кабинете, тщательно и всесторонне оценивая состояние дел на фабрике, и пришел к выводу, что в его отсутствие дела эти шли очень даже неплохо. Он отправил Мэри с запиской, и четверть часа спустя вызванные Нед и Крейс явились в особняк. Для начала Беллмен описал, какими он видит их нынешние обязанности, — в целом это не выходило за рамки того, чем оба занимались в последние несколько недель. Далее он поинтересовался, в каких рабочих вопросах они считают необходимым его, Беллмена, непосредственное вмешательство и руководство. Они назвали пару таких вопросов, от себя он добавил еще пару, и они согласно кивнули. Со всем остальным они могли справиться без него.

— Хорошо, — заключил Беллмен.

«К чему он клонит?» — гадали Нед и Крейс. Только-только после долгого отсутствия Беллмен вернулся к работе — деятельный и энергичный, как в прежние времена, — и вдруг выясняется, что у него есть какие-то новые планы, опять же предполагающие самоустранение от фабричных дел.

— Как долго продлится такой расклад? — спросил Нед. — Если больше месяца или двух, не мешало бы поднатаскать кого-нибудь из младших клерков, чтобы я мог переложить на него часть обязанностей.

— Начинайте прямо сейчас, — согласился Уильям. — Такой расклад отныне будет постоянным.

Его помощникам потребовалась немалая пауза, чтобы в полной мере осознать смысл сказанного.

Когда Крейс наконец обрел дар речи, он задал вопрос:

— Но кто же тогда будет управлять фабрикой?

И он вновь утратил этот дар, услышав ответ:

— Вы двое.

Нед был шокирован. Фабрика без Беллмена? Он и Крейс будут ею управлять? Это немыслимо! Он сделал глубокий вдох, готовясь возразить, но, пока воздух наполнял легкие, ход его мыслей изменился. А так ли уж это немыслимо? Беллмен был незаменим как организатор и генератор идей, но сейчас, когда процесс отлажен до мелочей...

Нед выдохнул.

Это было возможно.

Всю следующую неделю Уильям посвятил фабрике. Он сидел в конторе, куда поочередно вызывали мастеров и клерков для обсуждения их будущего статуса и новых обязанностей. По настоянию Беллмена собеседования проводили Нед и Крейс, а сам он лишь наблюдал за действиями новых управляющих, изредка задавая вопросы или высказывая свое мнение, когда его об этом просили. Поначалу оба робели, ожидая, что он привычно возьмет на себя ведущую роль, но вскоре поняли, что теперь все решения должны принимать они сами. Они беседовали с кандидатами, совещались между собой, делали выбор и только потом смотрели на Уильяма. Его одобрительного кивка было достаточно. «Раз вы решили, пусть так и будет», — означал этот кивок.

В дальнейшем Беллмен постепенно сокращал время своего ежедневного пребывания на фабрике. Одного его присутствия было достаточно для того, чтобы вселить в людей уверенность, и передача управления проходила гладко, без эксцессов. То, что было изначально ясно ему одному, теперь стало ясно всем: Беллмен отнюдь не бросал предприятие на произвол судьбы, ибо здесь в неизменности сохранялась созданная им система со всеми традициями и правилами. Подобно часовщику, подогнавшему, почистившему и сбалансировавшему все шестерни и пружины в механизме, он мог спокойно передать его другим людям, от которых требовалось лишь регулярно заводить часы. В его личном присутствии теперь не было особой нужды, и он постепенно отходил от дел.

Через полгода после того, как эпидемия покинула город, Беллменская фабрика продолжала исправно работать уже без участия ее владельца.

Когда вечером особняк затихал, гасли все свечи, а ступеньки и половицы переставали скрипеть под ногами домочадцев, Дора принимала сидячее положение в постели и размещала вокруг себя подушки, как безмолвных собеседников. Дневная возня завершилась. Мэри и ее мама спали. Наконец-то никто не лез к ней с градусником, не справлялся об аппетите, не донимал взвешиваниями, обмерами и прочими проверками. Только сейчас она могла свободно предаться воспоминаниям.

Устремив взгляд в глубину темной комнаты, она воскрешала в памяти прежние дни: на фоне тьмы возникали краски, звуки и движения — сцены из ее навсегда утраченной жизни. И с каждым разом эти сцены становились все более яркими и живыми. Уход от настоящего и воссоединение с прошлым давались ей легко, без всяких усилий.

Она всегда начинала с одного и того же эпизода: вечер четверга, папа приносит с работы красные фетровые мешки, а ее братья оглашают дом веселыми криками. Она видит и слышит, как деньги со звоном сыплются в чашу, она ощущает тяжесть объемистой бутыли, чувствует запах уксуса, льющегося на монеты. И этот запах останется на руках Фила всю ночь, сколько бы он ни тер их мылом перед отходом ко сну.

За этим могло последовать любое из множества других событий — очень свежо и отчетливо, как в те дни, когда они происходили. Перескакивая со дня на день, с эпизода на эпизод, прошлая жизнь возникала перед ней как наяву, будто она проживала ее заново. Дора видела выражения лиц, встречала любящий мамин взгляд, развлекала своих братьев, вдыхала кисловато-сладкий запах своей маленькой сестренки. Ее ночи воспоминаний были наполнены живой энергией, и пролетали они незаметно. А дни ее были долгими и утомительно скучными.

Когда сквозь шторы просачивался первый утренний свет, она прекращала грезить, перекладывала подушки в изголовье кровати, ложилась и закрывала глаза. Недолгое время спустя появлялась Мэри с чаем на подносе и, склонив голову набок, пытливо вглядывалась в ее лицо.

— Мм-да, — говорила она, не впечатленная увиденным. — Ты не кажешься мне хорошо отдохнувшей.

— Подними шторы, пожалуйста, — просила Дора. — Скоро уже прилетят грачи.

&

Грачи на редкость неприхотливы в еде. Они могут питаться насекомыми, ракообразными, животными покрупнее (чаще в виде падали), желудями, фруктами, яйцами. Если уж говорить о предпочтениях, то больше всего они любят дождевых червей и сочные белые личинки комаров-долгоножек. А вообще грач поедает почти все, что ему удается найти или украсть.

Бедняжка-лазоревка так быстро теряет тепло, что должна практически все время бодрствования посвящать поискам пищи. То же самое кайра, чьи крылья непропорционально малы по сравнению с телом, и ей приходится подолгу кормиться в море, чтобы накопить достаточно энергии для полета. В отличие от них, грач, как существо высшего порядка, затрачивает на пропитание лишь пару часов в сутки, а остальное время волен заниматься чем хочет.

И чем же грач занимается в свое свободное время?

1. Травит байки и сплетничает.
2. Создает простые и удобные инструменты — как правило, одноразового пользования.
3. Осваивает чужие языки — грач способен имитировать человеческий голос, скрип лебедки или звон разбитого стекла; а если ему вздумается пошутить, он может подозвать к себе вашу собаку, в точности скопировав ваш свист.
4. Читает стихи и философствует.
5. Штудирует историю грачиного племени.

6. Рассуждает о геологических процессах — геологию грач знает куда лучше нас с вами, но, поскольку эти знания дошли до него через многие поколения предков, он относится к ним скорее как к семейным преданиям.

7. Прибегает к мифологическим ассоциациям, магии и колдовству — по этой части он большой дока.

8. Участвует во всевозможных ритуалах (его любимое занятие).

По сути дела, именно обладание ключом к мировой кормушке снабдило грача досугом, чтобы спокойно размышлять, а также цепкой памятью, чтобы хранить знания, и мудростью — чтобы смеяться над всем и вся.

По-латыни грач именуется *corvus frugilegus*, что означает «собиратель пищи», — из-за его умения быстро и эффективно удовлетворять свои пищевые потребности.

4

В большом доме на изрядном удалении от Оксфорда мистер Кричлоу, состоятельный торговец галантереей, уселся в кресло с высокой спинкой перед растопленным камином и вскрыл конверт специальным серебряным ножичком. Не будучи с юных лет приобщен к удобным креслам у камина и серебряным ножичкам для вскрытия писем, он получал от того и другого удовольствие несравнимо большее, нежели какой-нибудь высокородный граф или принц.

Автор письма — Уильям Беллмен — был известен ему лишь понаслышке. Само послание было довольно кратким: вежливое обращение — и сразу к делу. Это вполне соответствовало тому, что он слышал о Беллмене. Человек энергичный и напористый, тот всегда бил прямо в цель и не тратил время попусту.

— Что ты знаешь об Уильяме Беллмене? — обратился мистер Кричлоу к своей супруге.

— О фабриканте из Уиттингфорда? — Она задумчиво склонила голову набок. — Кажется, у него умер ребенок от этой ужасной лихорадки. Или то была его жена? А что ему от тебя нужно?

— Деньги.

— А своих у него разве не навалом? И потом, мы с ним даже не знакомы.

— Если человек предпочитает заниматься делом вместо поездок по гостям и пустой болтовни на вечеринках, это еще не повод отказывать ему в кредите. Как раз наоборот.

Кричлоу был заинтригован. Он написал ответ, пригласив Беллмена к себе.

Сутки спустя, перед тем же самым камином, Уильям изложил галантерейщику свой план, включая предварительные расчеты затрат (строительство, материалы, оплата рабочей силы, складирование), сроки, ассортимент, предполагаемый спрос и систему снабжения.

— Я вижу, у вас все продумано, — сказал Кричлоу. — А как насчет прибыли?

Беллмен передал ему бумагу с соответствующей таблицей.

— Это за первые три года.

На самом деле Беллмен ожидал более высокую доходность, чем значилось в проекте, и полагал эти ожидания вполне обоснованными. Однако он был достаточно искушен в таких делах, понимая, что осторожного инвестора скорее отпугнет, чем привлечет обещание чрезвычайно высоких прибылей. Лучше предложить что-то весьма заманчивое, но не экстраординарное. Поэтому он скорректировал цифры в меньшую сторону.

Кричлоу придвинул к себе листок, взглянул на цифры и быстро поднял глаза на Беллмена:

— Вы в этом уверены?

— Трезвомыслящий бизнесмен ни в чем не может быть уверен полностью. Любой подсчет будущих прибылей — это не более чем догадка. Скромный подсчет — это скромная догадка. Но смерть — надежный поставщик, который никогда не подведет.

Кричлоу вытер рукою рот и еще раз просмотрел записи. Догадки такого человека, как Уильям Беллмен, стоили внимательного изучения.

— Сколько денег вам нужно?

Беллмен назвал сумму:

— Я вкладываю в дело четверть этого, а на остальные три четверти ищу компаньонов.

— Кого-нибудь уже нашли?

Уильям назвал имена других инвесторов, с которыми он вел переговоры. Кричлоу кивнул. Он знал их как людей солидных и осмотрительных.

— Идея интересная. Дайте мне время ее обдумать.

— Тогда встретимся завтра?

— Вы, я вижу, не любитель тянуть кота за хвост. Хорошо, до завтра.

Уильям забрал свои бумаги и, попрощавшись, покинул комнату. Кричлоу откинулся на спинку кресла и уставился в пламя камина.

«Смерть никогда не подведет», — повторил он про себя.

Они встречались еще дважды. Уильяму были предложены бренди и виски; он сидел перед горящим камином; он углублялся в детали проекта; он передавал хозяину листки с цифрами. Каждая из этих встреч продлилась не более часа.

К себе домой Уильям отбыл в уверенности, что долго ждать ему не придется. И он оказался прав.

До той поры никто из торговцев галантереей не вкладывал таких крупных сумм в один конкретный проект. И никто из них ранее не заключал сделку так быстро — и с такой верой в успех. Сам Уильям Беллмен дает четверть капитала? Надо думать, дело стоящее...

Три человека у трех разных каминов налили себе еще по порции бренди — или виски — и откинулись на спинки кресел с удовлетворенными улыбками. Все трое были богатыми людьми, и они готовились стать еще богаче в скором будущем.

Наутро Уильям получил три письма. И в каждом согласие.

Отлично.

Он видел будущее. Он мог сделать его реальностью. И он начал действовать.

5

Во-первых, приобретение земельного участка. Задача не из простых, надо сказать. Потом законники, чтобы решить вопросы с выселением прозябающих на этой земле мелких собственников. Параллельно приступили к работе архитекторы и проектировщики.

— Мне нужно здание в пять этажей, — сказал им Беллмен. — И чтобы все было пронизано светом. Посреди крыши будет восьмиугольный световой фонарь, а на всех этажах прямо под ним надо сделать проемы в перекрытиях, чтобы дневной свет попадал в здание не только через окна в стенах, но и по центру.

— Хмм, — промолвил архитектор, поглаживая бороду. — Есть и другие варианты...

— Этот атриум, — прервал его Уильям, — должен быть именно таким, каким я его описал. Мне нужно естественное освещение. Как иначе мои швеи будут видеть, что они шьют? Как иначе покупатель разглядит детали черной отделки на паре черных перчаток в четыре часа пополудни при слабом ноябрьском свете?

Архитектор представил собственный проект здания; атриума в этом проекте не было.

— Но это же непрактично, — упирался он. — Летом из-за него внутри будет слишком жарко. И подумайте о затратах на содержание и текущий ремонт такой конструкции! Да и будет ли это безопасно?

Уильям сделал набросок атриума в своем блокноте, вырвал листок и протянул его архитектору:

— Поезжайте в Бирмингем к братьям Чанс[1] и закажите у них толстое листовое стекло. Для монтажа наймите вот этих людей. — Еще одна запись и вырванный листок. — Они уже освоили гидравлическую систему, которая может приподнимать застекленный потолок, чтобы в жаркие дни дать выход разогретому воздуху. А если вы не уверены, что справитесь, я передам строительство всей крыши в субподряд людям Пэкстона[2].

Архитектор изменил проект в соответствии с пожеланиями Беллмена.

Дошла очередь до человека, которому предстояло непосредственно руководить строительством. Архитектор сказал, что знает такого.

— Я отвезу вас к нему прямо сейчас.

Офис, в который они прибыли, был обставлен не хуже светской гостиной. Хозяин — жовиальный толстяк со сверкающими пуговицами на жилете — важно протянул руку Беллмену. Последний при рукопожатии с трудом подавил гримасу — так его покоробили ухоженные до блеска ногти, мягкость ладони, запах душистого мыла и одеколона. Он провел в офисе десять минут и откланялся.

— Этот человек мне не подходит, — сказал он архитектору. — Да у него и голос не годится для общения с рабочими. Чтобы хорошо сделать дело, надо постоянно находиться на стройке, а не командовать из офиса, развалясь на диванчике.

— При всем уважении, сэр, должен заметить, что у Бенсона есть богатый опыт и множество толковых помощни-

---

[1] *Chance Brothers & Company* — фирма, основанная в 1824 г. братьями Лукасом и Уильямом Чансами и вскоре ставшая ведущим британским производителем стекла. Среди прочего эта фирма занималась остеклением знаменитого Хрустального дворца на Лондонской Всемирной выставке в 1851 г.

[2] *Джозеф Пэкстон* (1803–1865) — британский архитектор, создатель оранжереи в Чатсуорте (1837) — на тот момент самого большого стеклянного здания в мире, а также Хрустального дворца в Лондоне (1851).

ков, — сказал архитектор. — Здесь нужен человек, равный вам по талантам и авторитету, чтобы он снял с ваших плеч все заботы о строительстве и позволил заняться другими делами.

Беллмен покачал головой. Это был не его метод.

«Нужен кто-то помоложе, — думал он. — Кто-то с жесткими руками. Кто-то поближе к людям и к работе».

Он поспрашивал в разных местах, и эти расспросы вывели его на человека по фамилии Фокс.

Они встретились в небольшом парке по соседству с шумной стройкой. Фокс носил тяжелые ботинки, ногти его были грязны, а с рабочими он общался на языке, хорошо им понятном. Глядя на Фокса, Беллмен вспомнил себя в молодости — одаренного, жаждущего больших дел. Напрямик, без недомолвок и экивоков, Беллмен изложил свои условия. Он будет платить Фоксу меньше — гораздо меньше, — чем запрашивал толстяк с мягкими ладонями, но молодой человек должен усвоить, что здесь он получит не только надежный и долгосрочный контракт, но и нечто более ценное: репутацию.

— Буду работать день и ночь, — пообещал он, и Беллмен ему поверил.

Оба понимали, что этот проект может стать отличным трамплином для дальнейшей карьеры Фокса. Они ударили по рукам, равно удовлетворенные соглашением.

Вдвоем они занялись подбором строителей, каменщиков и плотников. Фокс легко вступал с ними в контакт («Мой отец был простым рабочим в Эксетере», — пояснил он), а Беллмен до поры слушал и наблюдал. Потом он сам задавал вопросы, и теперь уже Фокс молча слушал и смотрел, как Беллмен уточняет стоимость материалов и транспортные расходы, как он заносит цифры в блокнот, извлеченный из глубокого кармана, как ищет способы снижения затрат и берет на себя переговоры с лесоторговцами и владельцами каменоломен. Иной раз, пообщавшись с очередным специалистом, они выходили на улицу, качая головами — человек оказался на удивление некомпетентным в своем деле, — но через несколько шагов Фокс говорил:

— Однако у него работает один способный парень. Вы его заметили? Он был бы полезным приобретением...

— Ну так укради его, — давал команду Беллмен, и Фокс переманивал в свою артель подающего надежды ученика.

Строительство здания было лишь одной из составляющих этого предприятия, которое нуждалось не только в возведении каменных стен, но и в юридической защите при помощи бумажной стены из документов, составленных на умопомрачительном крючкотворном жаргоне. Беллмену пришлось много часов проводить в адвокатских конторах, ломая голову над разного рода словесными хитросплетениями. Он являлся на эти встречи с набором внятно сформулированных вопросов и, выслушивая казуистические ответы, каким-то чудом ухитрялся вникнуть в самую суть. Его окончательные инструкции, четкие и недвусмысленные, затем облекались в юридическую форму. Может, он и не до конца улавливал все нюансы земельных прав, долевого участия или распределения обязанностей, но у законников, впечатленных его проницательностью и уверенным тоном, такого ощущения не возникало.

Третьей составляющей были финансы. Парадный вестибюль банка «Вестминстер энд Сити» производил очень внушительное впечатление. Полгоры итальянского мрамора было порезано на колонны и плиты, покрывавшие его пол и стены, — гладко отшлифованные, массивные, подавляющие зрителя. Мало кто, входя сюда, не испытывал почтительный трепет: голоса респектабельных дам начинали постыдно дрожать, как у школьниц, когда они справлялись о состоянии своих счетов, а напускная важность баронетов выглядела откровенно жалкой, когда они после общения с банкирами направлялись к выходу. Даже безгрешный пастор с трудом сдерживал нервное покашливание, оказавшись в этих стенах. Невозможно было отделаться от постоянных мыслей о том, что где-то в недрах громадного здания десятки строго одетых клерков с невозмутимостью архангелов просматривают счета и регистры, каллиграфическим почерком фиксируя свидетельства разумной экономии или финансового безрассудства каждого клиента, ведя учет каждой денежной операции в гинеях, шиллингах и пенсах, — и так вплоть до часа расплаты. Что и говорить, парадный вестибюль банка «Вестминстер энд Сити» не был комфортным местом. Здесь невольно робели даже самые бережливые и благоразумные, сколь бы кристально чистой ни была их кредитная репутация.

Робость была совершенно чужда Уильяму Беллмену. Шагая через две ступеньки, он поднялся к парадному входу и вступил в вестибюль с трепетом не большим, чем испытывает пчела, влетая в окно Вестминстерского аббатства, чтобы устроить себе отдых на алтаре. Так случилось, что мистер Энсон, заместитель управляющего банком, пересекал холл как раз в ту минуту, когда там появился Беллмен, и заметил в этом посетителе нетипичное отсутствие благоговейной реакции на окружающую помпезность. Рослый темноволосый мужчина, наделенный, судя по его движениям, кипучей энергией и немалой физической силой, проигнорировал клерка за стойкой, к которому обычно адресовались входящие, и окинул внимательным взглядом всех людей в холле. Остановив выбор на мистере Энсоне, он двинулся прямиком к нему и, представившись, в нескольких словах изложил цель своего визита.

— Вы можете мне с этим помочь? — спросил он.

Энсон не привык к столь неформальному общению, однако нечто особенное в манерах и поведении Беллмена подсказало ему: этот человек стоит того, чтобы уделить ему минуту-другую; а еще через пару минут он счел возможным продолжить разговор в приватной обстановке.

Беллмен рассказал о своем проекте и его финансировании. В банк он пришел с намерением получить крупный кредит. Строительство торгового центра оплачивалось из уставного капитала, но для наполнения его товарами требовались дополнительные средства. Энсон просмотрел подготовленные им документы.

— Итак, вам нужен кредит. И счет своей фирмы вы предполагаете держать у нас. Возможно, и ваш личный счет тоже?

— Два.

— Два личных счета? Оба на ваше имя?

Беллмен ограничился кивком, ничего не поясняя.

Что ж, это было необычно, но не шло вразрез с административными правилами или юридическими нормами. Энсон еще раз взглянул на цифры прогнозируемого оборота. Слишком оптимистичный прогноз, подумал он, однако, если Беллмен добьется хотя бы половины этого, банк получит свое с лихвой. Сделка обещала быть выгодной, и ничто не мешало Энсону заключить ее сегодня же — тем более что Беллмен, не получив желаемое здесь и сейчас, мог отправиться со своими выкладками в другой банк, к их конкурентам.

— Буду рад помочь, — сказал Энсон, протягивая руку.

Беллмен крепко ее пожал, одновременно поднимаясь со стула, уже готовый отправиться дальше по своим делам.

Энсон вышел с ним в вестибюль. Там они снова обменялись рукопожатием, и банкир проводил взглядом нового клиента, который двигался к дверям по блестящему полу все той же решительной и целеустремленной походкой, ничуть не подавляемый гигантскими размерами купола над головой и мраморным великолепием вокруг. «Редкий экземпляр, — подумал Энсон. — Для него это всего лишь место, куда стекаются деньги. Если приравнять деньги к дождевым каплям, наш банк окажется банальной бочкой под водостоком. Огромной и роскошной, сделанной из дорогого мрамора, но все равно лишь бочкой — и ничем больше».

Он покинул холл и, направляясь по коридору вглубь здания, поздравил себя с успехом. Если Беллмен как следует развернется со своим проектом, можно будет считать сегодняшний день самым продуктивным в его, Энсона, карьере — и все это заняло от силы три четверти часа.

6

Сырым февральским днем Беллмен озирал свой земельный участок, над которым висели тяжелые низкие тучи. Находившиеся здесь прежде ветхие домишки были давно снесены, и сотни лопат уже выгрызли в лондонской земле огромный котлован. Сегодня рабочие не копали — из-за погоды. Дождевая вода дюйм за дюймом собиралась на дне котлована, и это озерцо было сплошь покрыто всплесками от новых капель, без устали сыпавших с небес. Мокрые волосы прилипли к черепу Беллмена, а его пальто потемнело, утратив свой изначальный цвет. Вода из луж просачивалась через швы его ботинок. Все люди и звери попрятались в укрытиях, так что Беллмен был здесь один — не считая грача на крыше соседнего дома, которому дождь был нипочем, и он с любопытством поглядывал на одинокого человека посреди строительной площадки.

Подобные дни, как правило, навевают уныние, но к Беллмену это не относилось. Кто-нибудь более склонный к поэтическим метафорам и фантазерству мог бы сравнить этот котлован с глубокой раной на теле земли, с могилой великана, с местом массового захоронения; однако Беллмен воспринимал мир иначе. Он видел здесь будущее — не огромную яму, а прекрасный дворец. Торговый центр нового типа, крупнейший в Лондоне магазин ритуальных товаров.

Он лучше кого бы то ни было представлял себе это строение, ибо оно являлось его детищем. И сейчас из насыщенного влагой воздуха перед его взором легко материализовался массивный пятиэтажный корпус, длиной вдвое больше своей высоты. Ряды симметричных окон заимствовали мерцание у потоков дождя, а туманная дымка волею Беллмена уплотнялась, образуя пилястры, увенчанные коринфскими капителями. Взгляд его формировал из воздуха карнизы, арки, импосты и архитравы с таким вниманием к каждой детали, словно это было не воображаемое, а самое настоящее здание. Этот взгляд измерил высоту окон первого этажа, протянувшихся от самого пола до потолка, скользнул по серебристо-черным фасциям и задержался на парадном крыльце. Несколько ступеней, двустворчатая дубовая дверь с обитым медью порогом, фигурный дверной молоток. Проем двери будет высотой в два человеческих роста. Широкий навес над крыльцом позволит посетителям в плохую погоду остановиться и стряхнуть капли с зонта, а колеблющимся или слишком взволнованным даст возможность постоять перед дверью, успокаиваясь и собираясь с духом.

Беллмен поднял взгляд к навесу и прищурился. Там, по верхнему краю, разместится надпись большими серебристыми буквами. Это будет название магазина. Он напряг зрение, но это место в двадцати футах над землей, строго по центру фасада, упорно отказывалось принимать четкие очертания, оставаясь размытым пятном в сыром воздухе.

Как же будет называться его фирма?

Этого Беллмен не знал.

Он не упустил из виду этот вопрос, отнюдь. На самом деле он обсуждал его с Кричлоу и другими компаньонами еще в первые встречи, но никто из галантерейщиков не пожелал внести свое имя в название. Выдав дочерей за обедневших провинциальных дворян, они рассчитывали увидеть внучек уже в среде титулованной аристократии, а для успеха этих планов им следовало скрыть происхождение своего богатства. Как известно, чистота золота возрастает по мере его удаления от всяческой трудовой деятельности. Желательно, чтобы состояние человека выглядело проистекающим из его благородных корней столь же естественно и спонтанно, как родниковая вода из недр земли.

— Нет, — заявили торговцы. — Пусть лучше фирма носит имя Беллмена.

Тогда почему он колебался? Его ничуть не смущала перспектива узреть на вывеске собственное имя. Мысль о завидной аристократической партии для Доры даже не приходила ему в голову. Скромность также не являлась сдерживающим фактором. Но было такое чувство, словно он что-то недодумал; и этот день — с туманной дымкой и проливным дождем, прервавшим работы на стройке, — не хуже любого другого дня подходил для окончательного решения вопроса.

И вот, созерцая мираж будущего магазина, Беллмен обратился мыслями к человеку в черном.

Стоит ли удивляться тому, что он так долго не касался этой темы? Уже более года он неустанно трудился над новым проектом. Его усилиями эта идея обрела финансовую поддержку, а потом и юридическое оформление. Последнее требовало долгих и сложных переговоров, растянувшихся на несколько месяцев, да и приобретение участка земли в Лондоне оказалось делом весьма хлопотным, а тут еще архитекторы упорно не желали следовать его указаниям — кончилось тем, что он собственноручно сделал эскизный проект; потом начались поиски подрядчиков, и снова переговоры, снова контракты... А сколько бессонных ночей он провел в раздумьях, находя выход из ситуаций, которые другим казались безвыходными! В этот период он нечасто, да и то лишь мельком, вспоминал о Блэке — и это вполне естественно. Беллмен был до предела загружен работой. Каждый его час с рассвета до заката был расписан на дни и недели вперед. Без передышек и пауз он перемещался от одной деловой встречи к другой, от вопроса к вопросу. Даже пищу он принимал либо в обществе нужных людей, либо с документами и блокнотом на обеденном столе. Второстепенные детали он обдумывал во время чистки зубов или утреннего одевания. Прием ванны был возможностью уединиться с более сложной задачей, чтобы решить ее в клубах пара и под плеск воды.

Когда он сталкивался с проблемой, которую не удавалось разложить по пунктам и четко классифицировать, Беллмен переводил ее в категорию «пустая трата времени». Одним из ключей к успеху он считал понимание разницы между в принципе решаемыми и безнадежно тупиковыми проблемами. Он заметил, что многие люди тратят значительную часть своего времени на беспокойство о таких вещах, которые они в любом случае не смогут изменить. А если бы они направили всю эту энергию на достижимые цели, насколько лучше стала бы их жизнь! Лично он старался концентрировать усилия там, где от них могла быть реальная отдача. Каждая его минута была занята активным преследованием той или иной выгоды, а поскольку по прошествии месяцев оставалось неясным, можно ли извлечь какую-то пользу из размышлений о Блэке, тот перекочевал в категорию «бесполезных» и надолго там застрял.

Но сейчас идея, подсказанная ему Блэком, была уже близка к осуществлению. Как только погода улучшится, здание пойдет в рост. В этой ситуации проблема Блэка начала выдвигаться на передний план. Беллмена особенно тревожило то, что он не мог отчетливо вспомнить обстоятельства их встречи на кладбище, при том что четкость и конкретность являлись необходимыми элементами деловых отношений. Чего ожидал от него этот Блэк? И чего Беллмен мог ожидать от Блэка? Он чувствовал себя обязанным, и это смущало его покой. Как ни крути, а ведь именно Блэк разглядел блестящую перспективу и поделился идеей с Беллменом, а посему имел полное право на вознаграждение. Так о чем же они договорились той ночью?

Беллмен закрыл глаза и постарался вспомнить.

— Процентная доля... — бормотал он. — Совместное владение... Дивиденды...

В этих словах он надеялся уловить отклик из прошлого, какой-то намек на содержание их беседы, на сделку, которую они, возможно, заключили. Однако отклика не было.

Тогда оставалось только одно. Он имел возможность показать Блэку, что о нем не забыли. Одновременно это станет для Блэка приглашением объявиться (не суть важно откуда) и востребовать свою долю. Таким способом Беллмен засвидетельствует — разумеется, не перед судом, в чем не было нужды, — что он не посягает на ту часть бизнеса, которая по праву принадлежит Блэку.

Он назовет фирму «Беллмен и Блэк».

Открыв глаза перед туманным миражом здания, он отыскал то место, где навес выступал над парадным крыльцом, и его воображение поместило туда сдвоенную букву «Б».

То, что надо!

— Эй!

Громкий крик ворвался в размышления Беллмена. Он успел уже основательно удалиться от реальности, и момент возврата порядком затянулся. Когда пять этажей из камня и стекла наконец растаяли в проливном дожде, он с изумлением обнаружил себя стоящим на краю огромного провала в земле. А когда из провала выползло существо, скользкое от воды и грязи, Беллмен попятился и чуть было не вскрикнул от неожиданности.

— Взгляните на это! — громко объявило существо, тем самым продемонстрировав свою принадлежность к человеческому племени.

Человек выпрямился и протянул Беллмену нечто похожее на облепленный грязью булыжник. Произношение его было правильным, как у выпускника частной школы или университета, однако внешность и манеры казались более чем странными. В первую минуту Беллмен принял его за помешанного, но потом усомнился: человек стоял на месте спокойно, а огонек в его глазах был порожден скорее энтузиазмом, нежели безумием. Беллмен взглянул на то, что он держал в руке.

— Камень как камень.

— Тут вы ошибаетесь!

Человек удалил часть грязи со своей находки.

— Видите следы резца? Над ним кто-то потрудился.

Приглядевшись, Уильям действительно заметил на камне следы, которые вряд ли имели естественное происхождение.

— И что с того?

— Он не был высечен из бесформенного куска. Камень изначально имел определенную форму, подсказавшую ваятелю замысел, и он лишь дополнил сходство. Видите эту выбоину, подразумевающую глаз?

И человек пустился в рассуждения. Как выяснилось, он побывал в Египте и называл себя археологом («Я раскапываю прошлое», — пояснил он). Домой, в Лондон, он вернулся несколько месяцев назад, а теперь уже снова собирался в Египет.

— Увидев это место, я подумал, что оно очень похоже на археологические раскопки, и захотел взглянуть. Но тут все время сновали люди, и только сегодня, благодаря дождю, мне представилась такая возможность.

— Рад слышать, что хоть кому-то дождь пошел во благо. А для меня каждый день простоя оборачивается убытками... Он имеет какую-то ценность, ваш камень?

— Ценность?

— Я о деньгах. Сколько за него даст музей? Или частный коллекционер?

— Музей? Да что вы! Это же Лондон, а не Египет! Я не знаю, почему прошлое Египта имеет ценность, а прошлое Лондона — нет, но это так.

— Полагаю, этому есть простое объяснение: Лондон живет не прошлым, а будущим.

— И чем же в будущем станет это место?

— Магазином «Беллмен и Блэк». Ритуальные товары.

— Вы мистер Блэк?

У Беллмена что-то кольнуло в груди.

— Нет, я мистер Беллмен.

— Что ж, мистер Беллмен, ваша торговля наверняка будет процветать. Смерть приходит к нам всем. Это и есть будущее, разве нет? Мое. Ваше. Каждого.

Человек проследил за полетом грача, который, сверкая мокрым оперением, выписывал причудливые пируэты на том самом месте, где вскоре будет стоять магазин Беллмена.

— В старину люди укладывали своих мертвецов на плоские камни, чтобы их кости дочиста обглодали грачи и вороны. Представляете? Это было очень давно, задолго до наших крестов, церковных шпилей и молитвенников. Задолго... — его рука описала круг, охватывая котлован, Риджент-стрит, весь Лондон и невесть что еще, — задолго до всего этого. Далекий предок этой самой птицы... — он указал на грача, который в ту же минуту спикировал, захлопал крыльями и метко приземлился на верхушку глыбы у края котлована, — вполне мог питаться плотью моего далекого предка. Или вашего. — Сквозь пелену дождя он разглядел гримасу отвращения на лице Беллмена. — У каждой эпохи свои нравы. И никто не знает, что будет дальше. Я слышал, в Италии теперь сжигают покойников. — Тряхнув головой, он улыбнулся Беллмену. — Однако мне пора. Мой старик, должно быть, уже гадает, куда я пропал.

И он быстро удалился.

Что это за фрукт — городской сумасшедший? Он и вправду все это наговорил или Беллмену только послышалось? Похоже на какой-то бред. Человек выползает из грязи, плетет невесть что про грачей... В лучшем случае — безобидный чудак.

Мокрая одежда Беллмена тяжело давила на плечи. Дождь слой за слоем пропитал пальто, пиджак, рубашку и нижнее белье. Теперь он ощущал влагу своей кожей.

Он повертел в руках оставленный чудаком камень. О каком глазе он говорил? Вот округлая выемка, а в середине блестящая точка, какое-то вкрапление. А ведь и вправду напоминает глаз, в упор глядящий на Беллмена! Заинтересовавшись, он очистил камень от остатков грязи. Вот здесь идут параллельные насечки... Перья? Да, несомненно, это крыло, и на другой стороне камня такое же. Омываемый дождем, камень начал поблескивать, а когда Беллмен его повернул, черный блеск вдруг заиграл переливами пурпурного, бирюзового и зеленого.

Жуткая штуковина!

Содрогнувшись, он запустил камень подальше, к центру котлована. Прежде чем шлепнуться в грязь, тот описал плавную дугу, вызвавшую в памяти Беллмена что-то очень давнее, смутно знакомое.

Падение камня потревожило птицу. Расправив крылья, она сорвалась с глыбы и бесформенным черным пятном устремилась сквозь мираж Беллмена: первый взмах поднял ее к складским помещениям, второй — к торговому залу, а затем полет продолжился через служебные кабинеты, швейное ателье и прочь из здания через стеклянную крышу атриума.

Беллмен отвернулся, испытывая тягостное чувство. Скорее бы добраться до горящего камина — и снова за работу.

Тем же вечером Беллмен озвучил название фирмы в клубе «Расселл», где он регулярно проводил встречи со своими компаньонами-галантерейщиками.

— В самый раз! — одобрил Кричлоу. — Никогда не вредно упомянуть в названии двух владельцев. Это создает ощущение солидности и надежности. Один ум хорошо, а два лучше, как говорится.

Его поддержал другой компаньон:

— Очень удачно выбрано второе имя — как отсылка к черному цвету. О чем прежде всего думают люди в связи с похоронами? О черном цвете. А подумав о нем, они будут уже на полпути к мысли о нашей компании.

Третий компаньон улыбнулся:

— И хорошо воспринимается на слух, не так ли? Музыкально. Как будто эти два имени созданы для того, чтобы звучать вместе. Поддерживаю целиком и полностью. Джентльмены! — Он поднял свой бокал. — За успех «Беллмена и Блэка»!

Беллмен отхлебнул из своего бокала, но пробыл в клубе не настолько долго, чтобы его допить. У него промокли ноги, да и дел на этот день было еще предостаточно.

7

Открытие магазина должно было состояться через пятнадцать месяцев, из которых двенадцать отводилось на собственно строительство и еще три — на отделку и оснащение. Понаблюдав за работой Фокса, Беллмен убедился, что ему можно доверить руководство на месте, и стал появляться там гораздо реже, иногда пропуская несколько недель кряду. Это позволило ему заниматься множеством других вещей.

Беллменская фабрика наращивала производство, но все равно не могла полностью удовлетворить запросы столь крупного торгового предприятия, как «Беллмен и Блэк». И в поисках новых поставщиков он проделал сотни миль в тряских вагонах поездов, в дилижансах, а то и верхом.

В Шотландии он придирчиво осматривал угольно-черный твид и кашемир. На причалах Портсмута и Саутгемптона открывал ящики с импортными шелками, разворачивал рулоны, теребил пальцами скользящую ткань, оценивал ее вес, плотность и светопроницаемость. Он отправлялся в Спиталфилдс и далее в Норидж, разыскивая самый лучший матовый креп. Он посещал фабрики в Уэльсе, Ланкашире и Йоркшире, пересекал страну вдоль и поперек в поисках бомбазина, параматта, мерино, барежа, гренадина, баратеи.

— Покажите мне ваши черные ткани, — заявлял он тотчас по прибытии в новое место.

Он всегда начинал осмотр с черного. Этот цвет освобождал его взгляд и сознание от наносных впечатлений —

очищал визуальный вкус, если можно так выразиться. Наметанным глазом он улавливал зеленоватый отблеск в одном случае, легкую синеву или багрянец в другом. За всем этим стоял сугубо коммерческий подход — в зависимости от цвета лица, глаз и волос покупателей подбирались и разные варианты черного: свой для блондинок, свой для брюнеток, свой для рыжеволосых... Иногда ему попадались ткани чисто-черного цвета, как он его именовал, но таковые были большой редкостью. Большинство людей не заметило бы разницы, но Беллмен замечал ее сразу же и заказывал такие ткани в максимально возможных количествах.

Если черные ткани данного производителя его устраивали, он просил показать ему другие материалы, подходящие для поздних стадий траура. Таким образом, каждый его визит начинался с черного цвета для самого глубокого траура с дальнейшим переходом к разным тонам серого, соответствующим обычному трауру, и в финале — к оттенкам лилового и пюсового, допустимым при полутрауре.

Постепенно у Беллмена развивалось неприятие ярких цветов. В дороге от одной фабрики до другой он глядел на яркую зелень лугов и находил ее граничащей с неприличием, а голубизна неба летним днем казалась ему вопиюще вульгарной. В то же время его все больше привлекала суровая печаль пасмурных ноябрьских пейзажей; а что до полуночного неба, то по красоте с ним не могла сравниться никакая ткань, хотя он повсюду искал что-то близкое к этому.

Из разных мест Беллмен отправлял миссис Лейн бесконечные посылки с образцами тканей и подробными инструкциями типа: «Эти образцы надлежит разрезать пополам; одну половину подвесить напротив южного окна, а другую поместить в закрытый шкаф; через месяц они будут сопоставлены в порядке теста на светостойкость». Или: «Одна половина должна быть замочена, высушена и проглажена пятьдесят раз подряд для последующего сравнения ее с другой половиной, дабы установить, насколько она выцвела и полиняла». Миссис Лейн ворчала и в ответных письмах жаловалась: разве ему неизвестно, что у нее и без того хлопот полон рот с Дорой и домашним хозяйством? В конце концов Беллмен нанял девчонку из местных, воспринимавшую все это как нелепую забаву: ну не смешно ли получать деньги за то, что трешь какие-то тряпочки о намыленную доску, раз за разом повторяя эту процедуру после их высыхания?

На севере Англии жил один старый красильщик, считавшийся несравненным специалистом по черным тканям. Он уже готовился отойти от дел и не имел сыновей, которым мог бы передать секреты своего мастерства. Беллмен написал ему, предложив круглую сумму, и старик дал согласие встретиться. Но когда Беллмен заявился к нему лично, чтобы узнать те самые секреты, привычная скрытность взяла верх и старый мастер пошел на попятную.

Сколько Беллмен его ни уговаривал, потрясая пухлым кошельком, старик лишь качал головой:

— На что мне сейчас деньги? Я уже близок к могиле и все равно не успею их потратить.

Беллмен был раздосадован: так долго сюда добирался — и все зря! И тут его осенило:

— А как насчет похорон по высшему разряду? Катафалк с шестеркой лошадей, сопровождение с венками и надгробие в виде ангела.

Перед этим предложением старик не устоял.

— Самая суть в кампешевом дереве, — поведал он. — Его еще называют кровавым деревом. Купить его можно в разных местах, но по своему опыту могу сказать, что самое лучшее поступает из Мексики, от человека по имени...

Беллмен спешно пересек страну с севера на юг и в порту нашел капитана корабля, который готовился отплыть к берегам Центральной Америки.

— На Юкатане есть один человек, — объяснил Беллмен. — Я намерен скупить все его запасы кровавого дерева. И он не должен продавать его никому другому. Привезите мне всю партию и ни в коем случае не примешивайте к ней древесину от других торговцев. — Он вывел на листке несколько цифр. — Столько я заплачу вам. А эта сумма предназначена для него.

Капитан взглянул на упомянутую сумму:

— Он станет богатым человеком.

— Мы все будем богатыми людьми.

Его деятельность отнюдь не ограничивалась тканями и экзотическими красителями. На морском берегу близ Уитби он наблюдал за тем, как молодые парни спускаются на веревках с отвесных сланцевых скал к выходам темной породы и, опасно балансируя над волнами, с помощью молотка и зубила добывают гагат — черный янтарь. Оттуда он направился в город, где пообщался с резчиками, выбрал самых лучших (при этом обязав их принять на работу учеников и помощников) и разместил крупные заказы на траурные кольца, броши, кулоны, ожерелья, серьги и другие украшения. Гагатовые бусины он заказывал тысячами: круглые и граненые, резные и полированные, всевозможных размеров и форм, предназначенные для платьев, шляпок, манжет и сумочек, на которых они будут вспыхивать темными искрами в лучах солнца. Беспросветная чернота необходима лишь для первой стадии траура, ну а после того — почему бы черному и не засверкать?

За прошедшие недели и месяцы Беллмен открыл для себя множество профессий, так или иначе связанных с траурным бизнесом, — от шляпных ателье и мастерских кожаных изделий до фабрик по производству зонтов. С лондонскими переплетчиками он согласовал цены на тетради в переплетах из кожи или ткани черных и серых тонов, дабы скорбящим было где сохранить для потомков описания последних дней, благочестивые изречения и пророческие видения покойных. Он поднялся по крутой лестнице в жаркое сухое помещение, где ему показали писчую бумагу разных форматов, качества и толщины — и все листы с черным кантом. Он сделал самый крупный заказ в истории этой фирмы, чтобы бесчисленные вдовы и сироты (пока еще не ставшие таковыми) могли надлежащим образом оповестить всех родных и знакомых о смерти членов семьи (пока еще не почивших). В масляно-чернильном чаду типографии он измазал руки, обследуя печатный станок и донимая работников вопросами насчет производительности и технического обслуживания. Главное, что он хотел знать, — возможно ли в течение четырех часов напечатать нужное количество уведомлений и доставить их адресатам в пределах Лондона? Получив утвердительный ответ, он заказал на заводе печатный станок.

— Только через семь месяцев? Это слишком долго.

Он подкупил заводчика и был передвинут в начало очереди.

И разумеется, гробы. Пальцы Беллмена пытливо скользили по гладкому дереву в дюжине разных столярных мастерских. «Сколько у вас припасено дубовых досок? А как насчет вяза? А красное дерево? Где вы сушите доски? И как долго?» На складах он проверял заготовленную древесину на предмет сучковатости и коробления. Выявив наилучших поставщиков в пределах ста миль от Лондона, он заключил с ними контракты.

— Я плачу самую высокую цену, но вы обязуетесь не продавать свой товар никому другому. Никому, запомните.

После этого Беллмен занялся составлением каталога товаров. Он объявил конкурс среди студентов художественных академий на лучшие эскизы надгробных памятников, и вскоре многие явились в его офис со своими работами. Там были срезанные античные колонны, классические скульптуры с обнаженными торсами и отсутствующими конечностями, малые архитектурные формы на любой вкус. Беллмена прежде всего интересовало умение авторов точно и доходчиво передать зрителю максимум информации, располагая минимумом пространства. Следующим критерием была способность быстро и надежно выполнять заказы.

Он отобрал троицу таких студентов, и те, работая в основном по вечерам и выходным дням, создали более двух сотен различных орнаментов для гробов и погребальных аксессуаров. Гробы предполагалось выпускать как деревянные, так и освинцованные либо покрытые другими металлами; с ручками и замками всевозможных конфигураций, медными или посеребренными; с обивкой из шелка, бархата или атласа, как узорчатой, так и простой; с выгравированными на крышках лилиями, листьями плюща или свернувшейся кольцом змеей — символом бесконечности.

Две седовласые сестры с очень длинными пальцами и загадочными улыбками сочиняли душещипательные эпитафии. В особом разделе каталога некоторые рисунки повторялись с деликатными изменениями, позволяющими использовать их для детских захоронений. Здесь парочка сестер превзошла самих себя, а загадочность их улыбок при вручении этих текстов Беллмену достигла пределов возможного. Все рисунки с подписями были отпечатаны на бумаге высшего качества и снабжены добротным переплетом. Получившийся в результате альбом-каталог сам по себе являлся чудом траурной полиграфической красоты.

Прейскурант, отпечатанный на отдельном листе, был вложен в специальный кармашек на третьей странице обложки — в порядке ненавязчивого дополнения.

Порой Беллмен дивился самому себе.

«Теперь я могу спать когда и где угодно!» — порой думал он среди ночи, переворачиваясь на другой бок и поправляя простыни, прежде чем снова провалиться в сон.

И это было правдой. Путешествуя по стране, он останавливался в захудалых придорожных гостиницах, укладывался на жесткий соломенный тюфяк и спал так же сладко, как спит декоративный шпиц на шелковой подушке. А в лондонской квартире его сон нисколько не тревожил несмолкающий шум за окнами. Даже в карете на ухабистой сельской дороге он мог закрыть глаза и тут же задремать, давая отдых своему переутомленному мозгу.

И только в Уиттингфорде, в собственной постели, его мучила бессонница.

Он имел привычку засыпать на левом боку. В прежние времена это подразумевало наличие Розы у него за спиной.

Ночью он слышал ее дыхание. Иногда она придвигалась ближе к нему, чтобы согреться, и ее прикосновение ненадолго прерывало его сон. И теперь, когда она была мертва, он продолжал ощущать ее присутствие у себя за спиной.

Он пытался уснуть на правом боку и на спине. Он ложился на другую половину кровати. Он убрал старую кровать в другую комнату, а в спальню поставил новую. Он устроил спальню в другой комнате. Ничего не помогало. Ему чудилось прикосновение ее пальцев, простыня обнимала его, будто ее рука, легкое дуновение воздуха казалось ее дыханием.

Вот и в эту ночь заснуть не удалось. Он встал с постели и подошел к окну. Небо было почти черным, но вдали лунный свет серебрил шпиль церкви. В точно такую же ночь он очутился на кладбище и говорил с Блэком, а вокруг виднелись темные контуры тисов и разверстые могилы, ждущие своих покойников. Одна из них могла стать могилой Доры, подумал он.

Разъезжая по стране на поездах и в дилижансах — нынче в Лондоне, завтра за сотню миль от столицы, — он легко держал свои мысли в узде; но один лишь вид Уиттингфорда, с этим пронзающим луну церковным шпилем, выталкивал на передний план то, что было упрятано в самых глубинах его подсознания.

Он заключил сделку с Блэком, и Дора выжила.

Возможность того, что два этих события связаны, очень тревожила Беллмена. Во время болезни Доры он находился в подавленном состоянии и не мог мыслить здраво. Он сам это признавал. Позднее чувство огромного облегчения заполнило все его существо, не оставив места для прочих мыслей. А потом началась эта эпопея с фирмой «Беллмен и Блэк».

Однако в ночи, подобные этой, недодуманные мысли возвращались, чтобы терзать его с новой силой. После сделки с Блэком на кладбище его умиравшая дочь чудесным образом вернулась к жизни. Сейчас, когда отношения Беллмена со смертью перешли на профессиональный уровень, ему нравилось думать, что спасение дочери явилось своего рода привилегией, вытекающей из этих особых отношений. Но достаточно было взглянуть на Дору — как она, худая до прозрачности, в прикрывающем голый череп кружевном чепчике, медленно ковыляет по комнатам, опираясь на трость, — и возникало подозрение, что смерть вовсе не отступила, а всего лишь взяла паузу.

Каковы же были условия сделки? Неоднократно он пытался это вспомнить, но ничего не выходило. Быть может, безуспешность этих попыток объяснялась тем, что никакой сделки и не было? Что, если он получил доходную идею и жизнь дочери в порядке аванса, а сам договор так и остался несогласованным? Тогда эта идея и эта жизнь могли быть отняты в любой момент, без предварительного уведомления. И, не имея на руках контракта, он не знал, что надо сделать во избежание этого.

Беллмен отвернулся от окна и опустил шторы. Он не хотел, чтобы луна заглядывала в его дом, высвечивая то, что было ему дорого, указывая на его главное сокровище. Уж лучше спрятать любовь к своему ребенку под покровом тьмы, чем выставлять ее напоказ. Пожалуй, для всех причастных к этой истории будет лучше, если он сохранит дистанцию. Как птица намеренно привлекает внимание хищников, чтобы увести их от своего гнезда, так и он должен держаться подальше от дома, таким образом предохраняя дочь. И чем больше будет преуспевать фирма «Беллмен и Блэк», тем меньшей опасности будет подвергаться жизнь Доры.

8

За всеми этими делами Беллмен не упускал из виду строительство магазина. В перерывах между поездками на север, юг, восток или запад страны он посещал Лондон, чтобы взглянуть, как продвигается работа.

В Лондоне у него был офис, расположенный неподалеку от строительной площадки, и он из окна кабинета мог наблюдать за ростом здания, камень за камнем поднимавшегося над уровнем земли. В этом кабинете Беллмен проводил совещания со своими помощниками, главным из которых, фактически его правой рукой, был человек по фамилии Верни. Он имел такие же мягкие белые руки, что и толстяк, некогда рекомендованный архитектором и забракованный Беллменом. Когда Верни делал вычисления в уме, его мясистые пальцы исполняли в воздухе подобие стремительных балетных па, напоминая манипуляции фокусника, а когда подсчет был окончен, он потирал ладони и выдавал ответ с безукоризненной точностью. В цифрах он не ошибался никогда, и Беллмен уже сейчас платил ему полный оклад, хотя до открытия магазина работы у Верни было не так уж много.

А в этот день у него была встреча с Фоксом. Когда Беллмен находился в Лондоне, они часто общались по разным рабочим вопросам. На сей раз главной темой были двери.

За минуту до назначенного времени Беллмен из окна увидел, как Фокс покидает строительную площадку. Он двигался в сторону офиса энергичной походкой, которую, сам того не сознавая, перенял у Беллмена.

— Войдите! Ну, как дела на стройке? К пятнадцатому мая закончите?

Беллмен каждую их встречу начинал с этого вопроса.

— Все будет сделано к пятнадцатому мая, — заверил Фокс. — Чертежи дверей главного входа переданы мистеру Дикину. Он обещал привлечь к этой работе своего лучшего мастера. Боковыми и задними входами тоже занимаются его люди.

Беллмен кивнул:

— Сегодня я хотел поговорить о внутренних дверях. Представьте, что это не магазин, а театр. Зрители — то есть покупатели — не должны слышать, что происходит за сценой. Вы не забыли о пробковом покрытии для дверей, ведущих из зала в коридоры?

— Пробковая плитка уже завезена на склад. Мы вот с чем пока не определились: покрывать двери с одной стороны или с обеих?

— Сделайте с обеих, так будет надежнее. Хоть изнутри это и не обязательно, однако пробка приглушает звуки лучше, чем суконная обивка. И вот еще что, помимо звуков: товары должны доставляться в торговый зал как можно незаметнее для покупателей. Надо сделать так, чтобы персонал мог перемещаться между залом и складами, не привлекая к себе внимания. Со стороны зала двери должны смотреться как часть стены. Полагаю, щели можно замаскировать стенными выступами.

— А как же дверные ручки?

Беллмен покачал головой:

— Поставим пружины и шариковые защелки, которые будут открываться при нажатии на дверь со стороны зала, а с обратной стороны ее можно будет потянуть за ручку. Служащие должны появляться в зале и исчезать бесшумно и незаметно.

Фокс кивал, записывая инструкции. Специально для этих целей он купил блокнот в переплете из телячьей кожи — точно такой же, как у Беллмена. Карандаш, которым он писал, был подарен ему Беллменом.

— Считайте это уже сделанным.

— Стало быть, вы гарантируете, что здание будет полностью готово к пятнадцатому мая?

Фокс улыбнулся:

— Я могу управиться и к четырнадцатому, если хотите.

Беллмен взглянул на него в упор:

— В самом деле?

Фокс погорячился. Это была всего лишь шутка. Он забыл, что у Беллмена напрочь отсутствует чувство юмора. Однако, будучи амбициозным молодым человеком, он не привык пасовать перед трудностями и потому сказал:

— Конечно.

Они вместе пообедали, после чего сели в двухместный экипаж и через полчаса оказались во внутреннем дворе старинного здания, а еще чуть погодя — в помещении, пропитанном запахами кедровой и сосновой смолы, с толстым ковром из хрустящих под ногами стружек. На полке вдоль стены были аккуратно разложены инструменты, а над верстаком маячила белоснежная голова мастера, погруженного в работу.

— Это лучший резчик в Лондоне, — шепотом пояснил Фокс и затем повысил голос, чтобы привлечь внимание хозяина. — Мистер Жоффруа, это мистер Беллмен. Он пришел посмотреть, как идут дела.

Мистер Жоффруа отложил стамеску.

— Две большие буквы готовы, — сказал он, жестом предлагая пройти вглубь мастерской, где к стене были прислонены огромные, в рост человека, абсолютно одинаковые буквы «Б».

Беллмен и Фокс провели пальцами по изгибам, восхищаясь гладкой поверхностью, элегантными завитками и превосходно подогнанными соединениями.

— Когда их установят наверху, стыки будут совершенно незаметны, — заверил Беллмена мистер Жоффруа. — Теперь взгляните сюда... — Он указал на резные лилии и листья плюща. — Из этих элементов будет составлен венок.

Беллмен не мог и желать лучшего. Качество было на высоте; буквы — даже без серебрения — выглядели изящно и притом внушительно; траурный венок в собранном виде наверняка будет великолепен.

— Я вижу, все закончено... Что еще осталось доделать?

— Только «и».

— Только и что? — озадачился Беллмен.

— Только букву «и». И больше ничего. Соединительный союз — кажется, так это называется. Идемте, покажу.

Они вернулись к верстаку, в тисках которого был закреплен большой кусок дерева, над которым до их появления трудился мистер Жоффруа. Грубо отесанный по краям и у основания, с едва заметной карандашной разметкой, он только начал принимать заданную форму в своей верхней части. Мастер выбрал нужный резец и приставил его к дереву. Стоя на придвинутом к верстаку помосте, он перенес вес тела на одну ногу, примерился и нажал на резец. Движение задавала не его рука, а все тело — дерево резалось легко, как масло, сворачиваясь длинной тонкой стружкой. Он повторил движение, чуть сместив инструмент, потом еще и еще раз. Буква на глазах обретала очертания.

Соединительный союз. Символ делового сотрудничества. Связка между двумя буквами «Б». Связь. Зависимость.

И тут в душу Беллмена закрались сомнения. Он склонил голову набок, присматриваясь. Неужели он допустил ошибку?

— А вам не кажется, что это будет слишком...

Фокс насторожился:

— Что будет слишком?

Мистер Жоффруа прервал работу. Он и Фокс смотрели на Беллмена, ожидая пояснений.

Что это такое? Грудь Беллмена сдавило, как в тисках, во рту было сухо. Может, у него жар?

Не дождавшись ответа, Фокс нарушил молчание:

— Если тут что-то не так, еще не поздно исправить. Давайте посмотрим...

Чертеж был у него при себе. Он развернул его на столе и сопоставил указанные в нем размеры с теми, что были даны резчику.

— Все правильно, соотношение между инициалами и союзом соблюдено — хотя, конечно, когда видишь это прямо перед собой, пропорции кажутся нарушенными... И потом, буква еще не оформилась и оттого смотрится такой массивной. А после серебрения она будет с виду еще легче. И станет менее... э-э... менее деревянной.

— Да. Станет менее... Да.

Они не знали, как на это реагировать. Мистер Жоффруа взглянул на Фокса, а тот смотрел на Беллмена, который в свою очередь не отрывал взгляда от буквы, только начавшей возникать из куска дуба.

Оформленная станет менее массивной... Посеребренная станет с виду легче...

Беллмен оттянул воротник от горла и судорожно сглотнул.

— Разумеется, если вас что-то не устраивает, это можно переделать. Можно даже использовать что-то из завершенных работ...

— Нет-нет, продолжайте. Все хорошо. — И он повернулся к выходу.

— Вы управитесь до середины следующей недели? — спросил Фокс у мистера Жоффруа.

Тот утвердительно кивнул, а когда посетители уже подошли к двери, произнес несколько слов, которые Беллмен не разобрал.

— В трактир, — приказал Беллмен кучеру.

— Это все из-за древесной пыли, — согласился Фокс. — От нее пересыхает и саднит в горле... Вы, должно быть, не расслышали последнюю фразу Жоффруа?

— Нет. А что он сказал?

— Он сказал: «До свидания, мистер Блэк». Забавно, правда? И представьте, такие осечки с вашим именем случаются сплошь и рядом.

Фокс отметил необычную молчаливость Беллмена за трактирным столом и на обратном пути до Риджент-стрит.

Казалось, он пытается решить какую-то сложную задачу. Непривычно было видеть Беллмена задумчивым и растерянным. Целеустремленность и энергия, столь для него характерные, вдруг куда-то исчезли, а на лице появилось новое выражение, Беллмену никак не присущее. Что это было? Страх? Тоска? Отчаяние?

— Как вы себя чувствуете? — осторожно спросил Фокс.

Беллмен не ответил. Он смотрел в пустоту и казался мысленно находящимся за многие мили отсюда, так что Фокс вздрогнул, вдруг услышав его голос:

— У меня случился разговор с одним субъектом. Пару лет назад. Я его едва знал, даже общих знакомых не было. Он-то и втянул меня в это дело, в ритуальный бизнес. Точнее, показал мне перспективу.

Он встретился взглядом с Фоксом.

— И что? — спросил тот.

Беллмен страдальчески наморщил лоб.

— В этой связи возникают вопросы, — сказал он. — Если он вдруг объявится и потребует...

— Долю в бизнесе?

— Да, к примеру.

Фокс призадумался. Он не был силен в юриспруденции, но по роду своих занятий поучаствовал в составлении нескольких договоров.

— Вы говорите, это была просто беседа? Вы не собирались обсуждать деловые вопросы?

— Нет! Нет! Мы с ним встретились совершенно случайно.

— И он не выдвигал никаких условий? Не просил вас что-нибудь подписать?

Беллмен покачал головой.

— То есть его претензии ничем не подкреплены, я правильно понял?

— По-вашему, ничем?

— Ну конечно же! Высказывать идеи — это одно, а воплощать их на практике — совсем другое. Он впоследствии вам как-то помогал?

— Нет. Я с тех пор его не видел.

— Значит, нет и проблемы. Ваш адвокат в суде поднимет его на смех. Кто докажет, что это не ваша собственная идея? К тому времени вы уже были успешным бизнесменом, заключали контракты, расширяли производство. И в этот проект вы вложили массу времени и сил.

Беллмен скривил лицо:

— Однако идея принадлежала ему...

— Идеи! Да у меня их появляется по сотне штук в день, только все эти идеи гроша ломаного не стоят, пока кто-нибудь в них реально не вложится. — Тут его посетила новая мысль. — Ваш разговор проходил при свидетелях?

— Ни души, кроме нас двоих.

— Раз так, можете о нем забыть. А если он появится с протянутой рукой, угостите его вкусным обедом в ресторане, подарите бутылку доброго бренди или пошлите его ко всем чертям — в зависимости от того, как он себя поведет. Если он пригрозит подать на вас в суд, пусть подает. Что помешает вам отрицать сам факт той давней беседы?

Беллмен казался наполовину убежденным.

— Однако теперь об этой беседе известно и вам.

Фокс подмигнул ему заговорщицки:

— О чем это вы? За последние минут десять я не услышал от вас ни слова.

По возвращении на Риджент-стрит, когда дверь экипажа распахнулась навстречу обычному строительному шуму, Беллмен заметно приободрился. Он спрыгнул на землю со своей обычной живостью и соединил ладони в громком, энергичном хлопке.

— Итак. Сколько столяров сегодня на площадке? Двадцать? Пойдем взглянем, как они управляются с красным деревом.

«Ну вот, — подумал Фокс, — он уже и забыл об этом. Переключился на другое».

9

Той же ночью, в четвертом часу, соединительный союз «и» клещами сомкнулся на горле Беллмена, перекрыв ему дыхание. Он пробудился в спальне своей лондонской квартиры, беспомощно хватая ртом воздух; сердце трепыхалось из последних сил, словно настал его смертный час.

«Пошли его ко всем чертям... Отрицай сам факт той беседы...»

Боже правый, да неужто он и впрямь позволил себе такие мысли? Что, если до Блэка дойдет слух о подобных разговорах? Что, если он узнает о намерении Беллмена положить конец их партнерству?

Но в чем именно заключалось это партнерство? Блэк был с ним заодно, не так ли? Иначе он подкинул бы идею кому-нибудь другому. В ту ночь на кладбище они пришли к обоюдному согласию, в этом Беллмен не сомневался. Ему досталась роль активного партнера — он общался с людьми, писал письма, проводил собрания, находил подрядчиков, вел переговоры, платил по счетам. В дальнейшем ему предстояло еще нанимать продавцов, клерков, кладовщиков и работниц швейного ателье, встречаться с компаньонами, организовывать работу и осуществлять повседневное руководство.

А Блэк был — как бы это назвать? Блэк практически не сделал ничего, в этом Фокс был прав. И деньги в проект он не вкладывал. Его, похоже, вполне устраивало то, что всю работу взял на себя Беллмен. Рассуждая объективно, следовало признать, что Блэк не играл в этом предприятии никакой роли, если не считать поданной им идеи — и чертовски хорошей идеи. Недаром же солидные дельцы без колебаний вошли в долю. Недаром банк без промедлений выделил крупную ссуду.

Он нахмурился. Память упорно отказывалась возвращаться к подробностям той ночи, но даже по обрывкам воспоминаний Беллмен мог заключить, что Блэк не из тех людей, от которых можно отделаться, подарив бутылку виски. При попытке вообразить эту картину — «Ты оказал мне большую услугу, дружище! Вот, прими эту бутылку в знак моей благодарности!» — Беллмену стало нехорошо. Что касается суда, который наверняка отвергнет претензии Блэка... Он представил себе пронзительный взгляд Блэка, устремленный на него во время судебного заседания. Этот взгляд проник сквозь время и пространство, сквозь стены дома, в котором он спал, и безжалостно пригвоздил Беллмена к постели. В ту самую ночь Блэк казался приветливым и благожелательным, однако не преминул исподволь намекнуть на свое могущество. Была ли в том намеке угроза?

Но чего же хотел Блэк?

Беллмен выбрался из постели. Решено: он сей же час составит договор. И когда бы ни появился этот субъект — а появится он непременно, — Беллмен сможет преспокойно извлечь из ящика стола документ со словами: «Куда же ты запропастился, старина Блэк? Ну да лучше поздно, чем никогда, не так ли? Эта бумага давно ждет только твоей подписи. Я сделал тебя богатым человеком». Да, именно так он и поступит.

В ночной рубашке он уселся за стол и начал писать. Это был стандартный договор, и Беллмен за последнее время основательно набил руку на таких документах. Он оставит пропуск в нужном месте, чтобы потом вписать точную сумму процентов, причитающихся Блэку; а сейчас важнее было четко и недвусмысленно изложить основные условия.

Но по какой-то причине после вступительных строк он запнулся, неудовлетворенный написанным. На бумаге слова выглядели какими-то вялыми, не относящимися к делу. Им явно не хватало убедительности.

Наверное, лучше поручить это юристу...

Он подумал о том, как будет излагать обстоятельства этого дела ушлому законнику, и засомневался. Что и говорить, ситуация была необычной. Рассказывая об этом Фоксу, он мог опустить некоторые детали, мог ограничиться общими фразами, без пояснений, если не желал их давать. Но с законниками такие вещи не проходят. Придется рассказать все, и при этом — Беллмен поежился, — при этом у него самого будет глупейший вид.

Он еще раз перечитал написанное, затем порвал бумагу и выбросил ее в корзину. Надо будет найти другие слова, сформулировать это весомее и точнее. Он займется этим завтра, на свежую голову.

10

Уже более года около сотни людей трудилось над созданием этого каменного монстра, чей гигантский скелет все выше поднимался над поверхностью земли. Стекольщики, бережно ворочая прозрачные листы, заделывали зияющие глазницы его окон. А вдоль его хребта и ребер пролегали артерии, по которым будет перемещаться кровь всего предприятия: деньги. К рабочему месту каждого продавца подводилась труба пневмопочты. Деньги, полученные от клиента, продавец будет класть в специальную капсулу, вставляемую в трубу пневматической системы, которая мигом доставит платеж в бухгалтерию — сердце всего организма, — где кассир выпишет квитанцию, и та аналогичным путем вернется к продавцу. А тем временем персонал в торговом зале сможет, не отвлекаясь, выражать свои соболезнования клиентам, каковое занятие, по мнению Беллмена, было бы плохо совместимо с пересчетом монет на виду у скорбящих. Еще одна разветвленная сеть трубопроводов снабжала газом лампы, все это освещавшие. А поверх костей и артерий столяры прилаживали кожу чудовища: стенные панели из красного дерева.

Беллмен наблюдал за процессом. Он был доволен.

И вот настал день, когда за работу взялись оформители, чтобы придать монстру характер и облик, подобающие торговому заведению: ряды прилавков, застекленных витрин, полок, шкафов и вешалок на первых двух этажах, где будут обслуживаться посетители; на третьем этаже — кабинеты клерков с письменными столами и картотеками; на четвертом — швейные мастерские; над ними — спальни для швей; в подвале — склады и служба доставки товаров с соответствующими офисами.

Тем временем оживление наблюдалось и на прилегающей к зданию улице, где собралась небольшая толпа зевак из числа случайных прохожих, заинтересованных происходящим. Все взоры были прикованы к навесу над крыльцом главного входа. Общее настроение было сродни тому, какое бывает перед открытием монумента, пока что задрапированного в ожидании торжественной минуты. При этом собственно магазин никакой загадки для зевак не представлял, ибо над его фасадными окнами уже было размещено название: «Беллмен и Блэк».

На краю навеса, в восемнадцати футах над землей, стояли трое мужчин, один из которых руководил рабочими внизу посредством жестов и криков: «Выше! Выше! Еще! Ровнее! На меня! Ровнее!» В соответствии с его указаниями вверх на тросах поднималось нечто массивное, обернутое мешковиной, так что об истинной форме этого предмета оставалось лишь строить догадки. Он покачивался из стороны в сторону, безразличный к высоте и опасной близости застекленных окон. Люди внизу возились с лебедкой, люди наверху цепляли, тянули и поворачивали груз, устанавливая его над крыльцом. Когда им это удалось, за первым грузом последовал второй, упакованный аналогичным образом, а потом и третий. После этого люди наверху занялись разматыванием веревок и снятием мешковины.

У Беллмена начала болеть шея — он слишком долго держал голову задранной кверху. Чтобы отвлечься и размяться, он принялся стряхивать с пальто приставшие к нему соломинки.

А команды направлялись уже снизу вверх. Их выкрикивал Фокс:

— Левее! Еще левее! Стоп!

Он обернулся к стоявшему рядом Беллмену:

— Что скажете? Так годится?

Беллмен снова задрал голову. Рабочие, казавшиеся карликами по соседству с громадными буквами, расступились в стороны, чтобы не мешать обзору. Вот оно: две буквы «Б», обозначающие его самого и Блэка, а между ними — клещи соединительного союза. Серебряное покрытие засверкало на солнце, и толпа разразилась аплодисментами.

«Менее массивные... с виду легче...» — так ему было сказано.

На сей раз он был готов к этому зрелищу.

— Да, — сказал он Фоксу отрывисто. — Хорошо.

Кто-то в толпе отвел взгляд от магазина и заметил его владельца.

— Вон там мистер Беллмен! — донеслось до его ушей. — Это он самый и есть.

— А мистер Блэк? — раздался другой голос. — Где же мистер Блэк?

Беллмен взмахом руки поблагодарил людей наверху и быстро зашагал ко входу в здание.

— Вы не хотите проследить за установкой венка? — спросил вдогонку ему Фокс.

На навесе, ближе к стене здания, были сложены ящики, дожидавшиеся своей очереди. Беллмен проверил их этим утром и убедился, что ящики наполнены ботанической мешаниной из посеребренных лилий и позолоченных листьев плюща.

— Проследите за этим сами. Я вернусь, когда все будет закончено.

Однако день оказался хлопотным, и свободного времени у него не нашлось. Не разрываться же на части в буквальном смысле. Да и не было особой нужды в его присутствии. Люди знали свое дело, и Фокс все контролировал. Никуда эти буквы не денутся, на них можно будет взглянуть и в другой раз.

11

Рабочие, взобравшись на стремянки, монтировали газовое освещение. Молотки их гремели без всякого снисхождения к своим и чужим барабанным перепонкам. Рабочие заделывали щели и подкрашивали те места, где неплотно пригнанные оконные рамы пропускали дождевую воду. Они тащили матрасы в комнатки под крышей здания, предназначенные для сна и отдыха работниц швейного ателье. Они ползали на четвереньках по лестницам, делая разметку для держателей ковровых дорожек. Повсюду суетились люди, громоздились материалы, валялись инструменты (как назло, не попадавшиеся под руку, когда были нужны). Фокс поспевал везде, проверяя, одобряя, ставя галочки в списке.

До торжественного открытия магазина оставалось всего две недели. Предстояло сделать еще тысячу вещей, и все они делались одновременно.

Этот хаос усугублялся появлением в здании множества девушек. На этот день были назначены собеседования со швеями. Войдя в магазин через боковую дверь, они попадали в торговый зал, где все вокруг стучали молотками, что-то мерили, что-то куда-то несли, перекликались и сыпали проклятиями. Воздух был насыщен запахами красок и лаков. Девушки осторожно приподнимали юбки, стараясь не задеть окрашенные поверхности и не нацеплять опилок на подол. На пути возникала масса неожиданных препятствий — свернутые ковры, штабеля досок, архитравные балки, — но мужчины проявляли неизменную готовность подхватить девиц на руки и перенести через опасный участок. Носильщики с матрасами на спинах подмигивали — «этот вот, самый мягкий, для тебя, моя прелесть», — однако в большинстве своем рабочие были слишком заняты, чтобы отвлекаться на флирт.

Одна из кандидаток, стройностью и миловидностью не уступавшая остальным, замерла и побледнела при виде огромного зала, заполненного шумными и развязными мужчинами. Она уже испуганно пятилась к выходу, когда к ней обратился немолодой столяр.

— Вам туда, мисс, — сказал он с отеческим добродушием. — Вон в ту дверь.

Девушка его поблагодарила, хотя была скорее огорчена, нежели обрадована такой помощью, помешавшей ей тихонько удалиться.

— Они вас не съедят! — ободряюще сказал столяр, и она еще раз поблагодарила его слабой, испуганной улыбкой.

Беллмен находился в самой гуще событий, постоянно перемещаясь по зданию, и где бы ни возникала его фигура в черном, вокруг нее тотчас формировалась особая «зона влияния». Попавшие в эту зону люди начинали трудиться с удвоенной энергией, а разговоры и шуточки, бывшие здесь в порядке вещей, мигом прекращались. Девушки также чувствовали эту внезапную перемену в атмосфере, оказавшись поблизости от него. Не в силах совладать со своим любопытством, они таращили глаза на Беллмена, и в глазах этих были восхищение и страх.

Когда он пересек зал на первом этаже и исчез — как будто прошел сквозь сплошную стену из красного дерева, — бледная девушка обернулась все к тому же столяру:

— Это был мистер Блэк?

— Это мистер Беллмен, детка. А мистера Блэка никто здесь ни разу не видел.

Продолжив путь, девушка наконец добралась до третьего этажа, где проходило собеседование. Роль приемной играла просторная комната, предназначенная для младших клерков, но еще не обставленная как следует, без конторок и письменных столов. Мужчин здесь не было. Немногословная особа весьма сурового вида выясняла имена новоприбывших и заносила их в список. Кандидатки нервничали, но старались овладеть собой. Быстрые пальцы тут и там поправляли выбившиеся из-под шляпок пряди волос. Дело-то было нешуточное: фирма «Беллмен и Блэк» предлагала очень хорошие деньги.

Перешептывания сразу стихли, когда распахнулась дверь в дальнем конце комнаты и появилась женщина средних лет, одетая с подчеркнутой простотой — в черное платье, примечательное разве что своей опрятностью. Под стать наряду была и прическа: простейший пучок на затылке. По одному ее виду швеи тотчас догадались, каким будет характер собеседования.

Немногословная особа передала список вошедшей, и та огласила первое имя. Одна из девушек подняла руку.

— Будьте любезны пройти со мной.

Дверь за ними закрылась, процесс отбора стартовал.

По служебной лестнице Беллмен поднялся на второй этаж. В коридоре пахло свежей краской, и он держался по его центру, чтобы не задеть плечом стену. Его кабинет, как и все в этом здании, еще не был обустроен: письменный стол сюда доставили, однако с постоянным местом для него пока не определились; коробки с канцелярскими принадлежностями были сложены в углу; большая пробковая доска для крепления графиков и таблиц была прислонена к стене; рядом расположились какие-то прямоугольные предметы, завернутые в бумагу, обмотанные бечевкой и помеченные надписью «Хрупкий груз», — должно быть, гравюры для украшения стен.

Жалюзи со вчерашнего вечера оставались открытыми — он забыл о них, уходя в спешке. Беллмен прикрыл их на три четверти. Оказавшись в полутьме, он приблизился к доске у стены и сдвинул ее в сторону примерно на фут. Проведя ладонью по стенной панели, он нащупал крюк для картины и потянул его на себя. Пробка, закрывающая отверстие в панели, извлеклась без большого усилия.

Беллмен приблизил глаз к потайному отверстию. Стол в соседней комнате располагался так, что с позиции Беллмена был виден профиль безупречной мисс Челкрафт, начальницы швейного ателье, тогда как опрашиваемая девушка находилась к нему почти анфас.

— Где вы работали раньше? — спрашивала мисс Челкрафт. — Как долго вы там проработали? Вы можете показать образцы вашей работы?

Собеседование шло своим чередом. Беллмен достал из кармана блокнот, открыл его на заранее расчерченной таблице и вписал в первой графе: «Девушка № 1». Он выслушал ее ответы и, оценив ее облик и манеры, поставил во второй графе — «Общее впечатление» — цифру 7. Третью графу, «Профессиональные навыки», он пропустил, предоставив судить об этом мисс Челкрафт. А следующая графа ввергла его в задумчивость. Данное качество кандидатки не так легко поддавалось оценке. Суть заключалась в том, что его швеи не все рабочее время будут проводить у себя наверху. Периодически им надо будет посещать дома клиентов, чтобы снять мерку для траурных одежд, а иногда там же и работать, если потребуется всего за пару дней переодеть в траур большую семью, да еще и слуг. Чтобы подобающим образом обслуживать людей, которых постигла утрата, девушки должны обладать особыми данными, каковые он уже воспринимал как «фирменный стиль» — ведь они представляют фирму «Беллмен и Блэк». Не всякая девушка сможет ловко и тактично измерить обхват груди, разрывающейся от горя, а подгонка траурного платья по фигуре скорбящей дамы требует от швеи умения быть незаметной и неощутимой. Беллмен затруднялся со словесным определением этого качества, однако надеялся распознать его, когда увидит и послушает кандидатку. С этой целью он подготовил несколько вопросов личного характера, поручив мисс Челкрафт задавать их каждой из девушек. В случае с «девушкой № 1» ответы его не удовлетворили, и он поставил в последней графе ноль.

Беллмен быстро, почти без колебаний, оценивал кандидаток, и по мере их прохождения через опросную комнату росли столбики цифр в его блокноте. Параллельно он успевал думать о других вещах. Стекольщик, уволенный Фоксом за причинение серьезного ущерба, напоследок прихватил инструменты другого рабочего — во всяком случае, так утверждал потерпевший. А человек, взятый на должность руководителя службы доставки, сегодня не вышел на работу по неизвестной причине. Теперь, когда здание было почти завершено, на первый план выдвигались проблемы с персоналом...

Что-то в соседней комнате отвлекло его от этих мыслей. Говорила «девушка № 9»:

— ...Так внезапно. Я этого не ожидала. Все было в порядке, а потом вдруг...

Она подняла руку в умоляющем жесте, словно призывая кого-то вернуться или пытаясь удержать что-то от нее ускользающее. Хотя она не могла знать о потайном глазке, жест оказался направленным в его сторону, и Беллмену показалось, что девушка тянется именно к нему. На лице ее отразились тоска и страстное желание, словно она еще надеялась вернуть умершего человека. Кончики ее пальцев сомкнулись в воздухе. Секунду в комнате стояла тишина. Потом она опустила руки на колени и закрыла глаза, а когда они открылись вновь, во взгляде уже было примирение с утратой.

Безупречная мисс Челкрафт выдержала четко отмеренную паузу, продемонстрировав доброжелательное сочувствие, и задала дежурный вопрос:

— Вы можете показать образцы вашей работы?

И обе женщины склонили головы над предметами, принесенными «девушкой № 9».

Беллмен вернулся к своим мыслям и решил лично побеседовать с рабочим, заявившим о краже инструментов. Если он солгал, эта ложь вскроется: Беллмена он обмануть не сможет. Когда он снова посмотрел в глазок, по ту сторону стены сидела уже «девушка № 10».

После опроса первой дюжины кандидаток объявили перерыв, и Беллмен, как было условлено, прошел в соседнее помещение через межкомнатную дверь. Они с мисс Челкрафт обменялись мнениями о каждой из девушек в порядке их появления, и оказалось, что эти мнения совпадают почти по всем пунктам. Некоторые кандидатки были сразу отвергнуты, и мисс Челкрафт твердой рукой вычеркнула их имена. Другие были так же быстро одобрены. «Подходит?» — спрашивала она, «Да», — говорил он; и большая галочка появлялась в списке напротив данного имени. В ряде случаев потребовалось обсуждение, тем более что мисс Челкрафт, в отличие от Беллмена, видела представленные кандидатками образцы. Они взвешивали, оценивали, сопоставляли, и через полминуты девушка либо вычеркивалась, либо помечалась галочкой.

— Номер девять, — объявила мисс Челкрафт. — Я дала ей пять баллов за общее впечатление. И у нее нет опыта работы в таких крупных фирмах, как «Беллмен и Блэк».

Беллмен в первой графе также дал ей пять баллов из десяти.

— А как ее образцы?

— Сделано очень аккуратно. Но я не уверена, что она сможет работать с необходимой нам скоростью...

Карандаш мисс Челкрафт завис над бумагой, готовый вычеркнуть имя.

Тут Беллмен обнаружил, что в его блокноте не оценена способность этой девушки проявлять такт и сочувствие. Четвертая графа напротив ее имени осталась пустой. Сможет ли она утешить скорбящих родственников или хотя бы не оскорбить их чувства какой-нибудь неловкостью? Он постарался вспомнить ее (кажется, пухленькая? темные кудрявые волосы?), но не смог.

Все, что он запомнил, — это умоляюще поднятая рука, страдальческий взгляд и умение сдерживать свои чувства.

— Полагаю, мы можем ее попробовать, — сказал он.

Безупречная мисс Челкрафт не выразила удивления. Он босс, ему решать. Занесенный карандаш сместился вправо вдоль строки и поставил галочку.

12

Он сердился на Фокса. В его планах открытие магазина было намечено на пятнадцатое мая, а Фокс из бахвальства пообещал сделать все к четырнадцатому. И сделал. Как следствие, у Беллмена появился этот пустой, бесполезный день.

Беллмен был не в духе. Он почувствовал это еще до того, как проснулся. Сейчас он стоял перед зеркалом, взбивал кисточкой мыльную пену и разглядывал черные точки щетины, густо покрывавшие нижнюю часть лица. Нанеся на подбородок и щеки белоснежную пенистую бороду, он потянулся к бритве. Откуда взялось это чувство? Что было не так?

Все приготовления завершены. Завтра персонал магазина приступит к работе. Роль Беллмена как создателя громадного торгового центра была сыграна, а его деятельность в качестве управляющего этим предприятием еще не началась. Его жизнь в этот день балансировала между двумя этапами, и такое промежуточное состояние не нравилось Беллмену. Он хотел, чтобы поскорее наступило завтра, когда в восьмом часу утра служебный вход распахнется перед клерками, продавщицами, начальниками отделов, швеями, техниками, привратниками, кучерами, упаковщиками, грузчиками, посыльными — всеми штатными сотрудниками фирмы. Завтра он окажется в гуще событий, разрешая вопросы, устраняя непредвиденные затруднения, налаживая работу магазина. Он будет целиком поглощен делами. Но это будет завтра.

А сегодняшний день был каким-то недоразумением.

Ничто не требовало его срочного вмешательства. Все было подготовлено и приведено в должный порядок: каждая половица прибита, каждый замок смазан маслом, каждый форменный костюм отглажен.

Самому Фоксу это в радость, надо думать. Чем он займется в этот день? Наверняка будет праздновать окончание работы. С друзьями. Может, с членами семьи. Беллмен не знал, есть ли у Фокса семья, но полагал, что какая-то должна быть.

Беллмен встретил свой взгляд в зеркале и увидел в собственных глазах нечто, его встревожившее. Он поспешил отвернуться.

Вдруг он забыл о чем-то важном? Именно важном, поскольку пустяк не стал бы причиной такой тревоги. Однако забывчивость была ему несвойственна.

Алое пятнышко расплылось на белой пене у края ноздри. Ну вот, теперь он порезал родинку. Проклятье.

Беллмен позавтракал, а потом написал несколько необязательных писем.

Накануне Дора приехала в Лондон проведать отца, но он не хотел будить ее с утра пораньше: девочка наверняка утомилась после вчерашнего путешествия.

Он пролистал свой блокнот, все страницы за последние несколько недель. Напротив каждого пункта стояла галочка. Вроде ничего не упущено. Однако он не мог успокоиться, не мог провести этот день за рабочим столом.

Когда ему сообщили, что Дора встала, он отправился к ней в гостиную.

— Извини, я в последнее время был слишком занят.

— Сколько помню, ты был слишком занят всегда, папа. Я к этому привыкла.

— И у меня будет очень много дел в ближайшие дни. Больше обычного.

— Само собой.

Разговаривая с ним, Дора не отрывалась от своего бинокля, разглядывая верхушки деревьев на противоположной стороне площади. Беллмен был бы рад задержаться здесь подольше и пообщаться с дочерью, да только он не знал, о чем с ней говорить. С головой уйдя в похоронный бизнес, он разучился беседовать о самых обыденных вещах.

Под пасмурным августовским небом он прогулялся до ресторана и не спеша пообедал. Он просмотрел свежую газету. Досуг! И что только люди в нем находят? Беллмена угнетало безделье.

В пять часов пополудни его терпение лопнуло. Он направился к магазину «Беллмен и Блэк», вставил в замочную скважину тяжелый ключ и повернул его. Легкость, с которой сработал замок, доставила ему удовлетворение и несколько успокоила. Массивная дверь бесшумно повернулась на петлях, и Беллмен вошел внутрь, провожаемый любопытными взглядами оказавшихся поблизости прохожих.

Внутри было тихо. Никакого движения. Шторы на окнах первого этажа были опущены, создавая по краям зала полумрак, который слабел в центре — сюда свет проникал через стеклянную крышу высоко вверху. Беллмен сотни раз бывал в здании — наблюдал за ходом работ, проводил совещания, подписывал документы. И всегда здесь стоял шум голосов и инструментов. И всегда у него была какая-нибудь конкретная цель, из-за чего он воспринимал здание по частям, а не в целом. И только сейчас, в одиночестве и в тишине, он по-настоящему вступал во владение своей собственностью.

Он поднялся по лестнице. Ранее он уже проверял гладкость перил и сравнивал цвет ковровых дорожек с образцами, так что сейчас оставалось лишь радоваться тому, насколько точно все детали интерьера соответствуют его замыслам.

Беллмен продолжил обход здания, тут и там удовлетворенно покачивая головой. Вот витрины для ювелирных изделий; вот шкафы для перчаток; вот манекены — пока еще голые, но скоро на них появятся траурные накидки, горжетки, воротники и т. д.; вот прикрепленные к стене вешалки — здесь можно будет сравнить и выбрать разные ткани; вот прилавки — каждый с книгой заказов в выдвижном ящике и ячейкой пневмопочты в стене... Здесь будут выставлены зонтики, а там — обувь... Все было в полной готовности, однако его не отпускало все то же чувство: словно он что-то забыл.

Он поднялся выше, оставив позади торговую зону. Исчезли панели из красного дерева. Потолки стали ниже, а окна меньше. Это было уже закулисье. Царство бумаги, чернил и чистогана. Одна из комнат являлась сердцем пневматической системы платежей. Письменный стол в каждой нише; чернильница, бланки квитанций и книга учета на каждом столе.

Помещение для младших клерков, которое Беллмен видел почти пустым в день собеседования со швеями, теперь заполнилось рядами столов. Он присел за один из них. Взгляд его поискал на стене то место, где находился потайной глазок. С этой стороны ничего не было заметно.

Примерно здесь сидела та девушка. Подражая ей, Беллмен поднял руку в направлении невидимого отверстия, перевел взгляд на свои пальцы, на предплечье. Жест выглядел как попытка что-то ухватить — но что? Пальцы сомкнулись в пустоте. Рука опустилась на колено. Он озадаченно тряхнул головой и повторил движение, как будто имел дело с механизмом, в устройстве которого не до конца разобрался. После еще двух повторов он вновь тряхнул головой, встал и покинул комнату.

Теперь его собственный кабинет. Он был просторнее, чем того требовала необходимость. Дабы впечатлять посетителей — по замыслу архитектора. Беллмен пожал плечами. Он никогда не полагался на размеры помещения, чтобы кого-то впечатлить; и его самого подобные вещи никогда не впечатляли. Впрочем, здесь можно будет сделать перегородку. Из кабинета он прошел в приемную, где будет сидеть его секретарь, выполняя свою работу и контролируя доступ к управляющему. Завершала эту анфиладу комната, в которой не было ничего, кроме сейфа, занимавшего добрую треть пространства. Размеры сейфа — тем более пустого — также не впечатляли Беллмена. Он набрал код, открыл дверцу и запер ее снова.

И опять вверх по лестнице. Все дальше и дальше от покупателей. Все глубже и глубже в рабочую зону предприятия. На четвертом этаже располагались швейные мастерские. Архитектор пытался его отговорить — зачем уступать швеям помещения с таким прекрасным видом на город? — но Беллмен настоял на своем. Этим девушкам для качественной работы требовалось как можно больше дневного света, включая последние лучи заходящего солнца. Высота над уровнем земли стоила хороших денег.

— Меня вполне устроит угловой кабинет на третьем этаже, — сказал он тогда архитектору. — Считать деньги можно и при свечах.

Беллмен остался доволен помещениями мастерских. Он улыбнулся, вспомнив, как полгода назад с помощью мисс Челкрафт вникал в особенности швейного производства. Она привела его в одно ателье и показала швей за работой. Он повертел в руках орудия их труда: нитки, иголки, наперстки, ножницы. Он даже вдел нитку в иголку — что оказалось в сто раз сложнее, чем он ожидал, — и сделал несколько пробных стежков на клочке материи — сначала у окна, а затем в тени. На сей раз безупречная мисс Челкрафт не смогла скрыть удивления.

— А как еще я пойму, что нужно для хорошей работы вашим девушкам, мисс Челкрафт? — сказал он. — Я сделаю в мастерских большие окна, поскольку на черной ткани трудно разглядеть стежки черной нитью, особенно в вечернее время. Комнаты у меня будут просторнее, и я разрешу девушкам время от времени вставать и прогуливаться для разминки, так что у них не будет нужды ссылаться на якобы потерянную иглу или закончившиеся нитки, чтобы хоть ненадолго распрямить затекшую шею. При таком отношении они будут с большей охотой трудиться на фирму, поскольку здесь понимают, что облегчает, а что усложняет их труд. В результате будет потеряно меньше рабочего времени — и меньше иголок.

Беллмен представил себе, как швея — ею оказалась «девушка № 9», хотя сам он этого и не осознал, — завтра утром впервые входит в мастерскую и восхищается тем, как хорошо и разумно все устроено. Дневной свет из окон и от стеклянной крыши атриума равномерно распределяется по длинным столам, разделенным планками на индивидуальные рабочие места. И на каждом месте крючки для ножниц, ячейки для катушек с нитками, иголок и наперстков, выдвижные ящики для лент и тесьмы.

Вот так-то. Он кивнул и улыбнулся.

Приятно было видеть, насколько близкой оказалась реализация его планов к тем образам, которые он месяцами формировал в сознании. Все, что когда-то существовало только в его воображении, теперь воплотилось на практике. Чем не подтверждение того, что он вовсе не был забывчив? Опираясь на эту мысль, он попытался избавиться от тягостного ощущения.

Еще один подъем. Под самой крышей, по окружности светового фонаря, были размещены спальни для швей. Он вошел в первую попавшуюся — они все были одинаковы. Узкая комнатка со скошенным потолком и маленьким окном. У стены кровать с тонким матрасом. За дверью крючок для черного форменного платья. Сундучок для личных вещей. Кувшин и таз для умывания. Не тесновато ли здесь?

Он представил в этой комнате швею — и снова это была «девушка № 9». Она умывалась над тазом. Потом распустила волосы. Какие у нее волосы — темные и кудрявые? Во всяком случае, в его представлении они были такими. Она села на край постели и сняла туфли, а потом прилегла.

Пожалуй, места здесь достаточно, решил он.

А «девушка № 9» не исчезла. Она лежала и как будто ждала, не пожелает ли он увидеть, как она снимает платье и вешает его на крючок за дверью. Она внимательно смотрела ему в лицо. Его воображение снабдило швею весьма привлекательными формами, рельефно обрисованными черным платьем. Взгляд ее, устремленный на Беллмена, сделался нежным. Губы приоткрылись, как будто она собиралась заговорить, хотела предложить ему...

И вдруг все переменилось: она протянула руку в его сторону безнадежным жестом, словно пыталась ухватить нечто потерянное, нечто уже навеки недостижимое. Глаза ее наполнились слезами, а лицо исказилось от горя.

Беллмен шагнул назад и покинул комнату с «девушкой № 9».

За малоприметной дверью на той же лестничной площадке находились самые последние — деревянные, довольно грубо вытесанные — ступени вверх. Они круто поднимались в закуток, содержавший всего две вещи: рычаг гидравлической системы, которая приподнимала стеклянный купол, и люк для выхода на крышу. Беллмен поднялся по лестнице, отомкнул висячий замок на люке и открыл его. Редкие капли дождя упали на его задранное кверху лицо, когда он выбирался на крышу. Центральную часть ее занимал большой стеклянный восьмиугольник. Склонившись над его краем, он убедился, что листы стекла в металлических рамах подогнаны очень аккуратно, без зазоров. Дождь может лить сколь угодно долго — ему не просочиться внутрь. А под стеклом находился вертикальный провал глубиной в добрую сотню футов, но сейчас атриум не был виден — только ртутный блеск дождевых капель да зеркальное отражение вечернего неба.

Беллмен распрямился и посмотрел ввысь, на дождевые тучи и на звездное небо, которое начало появляться в разрывах между ними. Он сделал глубокий, удовлетворенный вдох.

Фокс говорил ему, что в ясный день с крыши открывается вид на восток до Гринвича и на запад до Ричмонда. Но сейчас Беллмен смог разглядеть только Клеркенвелл и Кенсингтон. Он прищурился, безрезультатно всматриваясь в даль, а затем достал из кармана часы. Уже восемь вечера! Что случилось со временем? Тогда нечего и удивляться. Хорошо еще, что виден Примроуз-хилл на севере, а в южной стороне можно разглядеть очертания Вестминстерского дворца. Но он прекрасно знал, что город раскинулся гораздо шире.

Как же громаден Лондон! Как велики его площадь, население и деловой размах! И во всем этом необозримом городе нет ни единой живой души, которой рано или поздно не потребовались бы товары и услуги фирмы «Беллмен и Блэк». Медленно поворачиваясь, он смотрел во все стороны. В темнеющем небе мелькали силуэты птиц, а внизу тянулись улицы и ряды домов, где-то помпезных, где-то поскромнее, а где-то и вовсе жалких развалюх. И прямо сейчас в каком-нибудь из этих домов — скажем, в Ричмонде — заходится в кашле больной человек. А где-то в Мэйфере кого-то скрутила лихорадка. В Спиталфилдсе кто-то проглотил испорченную устрицу, в Блумсбери кто-то наполнил очередной стакан, который превысит допустимую дозу, а в... хотя это перечисление можно продолжать до бесконечности. Все они сослужат ему службу. Сегодня ты болен, завтра ты мертв, а послезавтра двери «Беллмена и Блэка» распахнутся для твоих скорбящих родственников. Предприятие было обречено на успех.

И он, Уильям Беллмен, создал этот великолепный механизм. И он им владел. Уже завтра множество работников послужат углем для его печей, потоком воды для его колеса; а когда повалят валом клиенты, механизм начнет выкачивать из них деньги, отпуская их обратно в мир с облегченными кошельками и облегченными душами, давая им утешение в обмен на их гинеи. И все это сотворил он. Это была его фирма, «Беллмен и...».

Внезапная дрожь в руках. Он забыл нечто важное. Теперь он был в этом совершенно уверен! Что-то пошевелилось в районе солнечного сплетения, какое-то движение происходило в груди: еще чуть-чуть, и он вспомнит...

Капли дождя сильнее забарабанили по его спине. И когда он почувствовал на плечах тяжесть промокшей одежды, в сознании всплыла одна сцена: дождливым днем, около года назад, он стоял вон там внизу, перед огромным котлованом. Стоял и рисовал в воображении будущее здание.

Там был еще какой-то странный камень, верно?

Изображение птицы? Черной с отливом: пурпурным, зеленым и синим?

Погребен! Этот камень был погребен под фундаментом его здания!

И тогда же сквозь призрачное строение, от самого фундамента до крыши, пролетел грач, тяжело взмахивая мокрыми от дождя крыльями. Он видел это, в тот самый день.

Вмиг вся конструкция у Беллмена под ногами показалась ему нематериальной, зыбкой как туман. Как будто он завис высоко над землей, а опорой ему служат лишь воздух и дождь.

Лондон раскачивался и вращался вокруг него. Беллмен инстинктивно вскинул руки к лицу, когда город раскололся, как зеркало, и куски его разлетелись в стороны; затем исчезли подпиравшие крышу стены, а сама крыша вместе с ним ринулась вниз в головокружительном падении. Боясь приблизиться к ее краю, боясь дотронуться до застекленной рамы, Беллмен беспомощно упал на колени. В отчаянной попытке нащупать опору его пальцы заскользили по мокрому свинцу покрытия, и тут все строение резко накренилось. Он крепко сжал веки, но это не спасло от ощущения полета. Теперь уже не было ни верха, ни низа, а только падение. Его стошнило в полете, когда весь мир яростно крутился и переворачивался. Он падал и падал, и не было конца этому падению.

Небо почернело.

Все еще лил дождь.

Беллмен услышал всхлипы и не сразу понял, что это рыдает он сам.

Там была птица, древняя черная птица, погребенная под фундаментом его магазина.

Его пальцы ныли, оттого что он цеплялся ими за все подряд.

В какой-то момент он понял, что так дальше продолжаться не может. Он был болен. Ему придется оставить эту работу — пойти к компаньонам и объявить, что им нужен другой управляющий. Очень осторожно он пошевелил рукой. Потом переместил ногу. Так постепенно он дополз по крыше до открытого люка. Спускаясь по деревянным ступеням, трясясь и захлебываясь слезами, он ощущал попеременные волны тепла и холода. Подумалось об отдыхе на постели в одной из комнат для швей — но нет. Сперва он должен оформить свою отставку. На лестнице его несколько раз настигала тьма, а с ней возвращалось и головокружение. Пару раз он терял равновесие и падал, цепляясь за перила, после чего долго убеждал себя подняться и продолжить путь. Спуск по лестнице на первый этаж оказался для него столь же трудным и опасным, как спуск с крутого горного склона; а когда он наконец открыл дверь и вышел на улицу, никто не узнал бы в нем человека, несколькими часами ранее вошедшего внутрь.

13

Даже в этот, самый глухой час ночи на Риджент-стрит попадались прохожие. Среди них были те, кто шел на раннюю работу, и те, кто возвращался домой после затянувшейся вечеринки, а также те, кто не имел работы и дома, так что для них любое время суток было одинаково неуютным. Встречные явно относили Беллмена к последней из этих категорий. С непокрытой головой, промокший до нитки, источающий кислый запах пота, он шагал так, будто не доверял надежности мостовой под своими ногами, а временами останавливался и, привалившись плечом к стене, закрывал глаза. Люди, минуя его, ускоряли шаг, а то и делали крюк, сходя с тротуара и избегая встречаться с ним взглядом.

Примерно час Беллмен нетвердой походкой перемещался по городу, которого он не узнавал. Он замечал косые взгляды прохожих и понимал, что со своим аритмичным дыханием и в мокрой одежде выглядит по меньшей мере странным, а то и представляющим опасность, но в нынешнем состоянии его это нисколько не трогало. Нисколько! Ибо в жизни его наступил переломный момент. Еще недавно он имел все, что только мог пожелать. И даже более того. А сейчас он собирался от всего этого отказаться.

Откуда же взялось это намерение отказаться от всего, что он с таким трудом создал? Он и сам точно не знал. Но он твердо решил так поступить — и он так поступит. Для того имелись очень веские причины, пусть даже он их и не до конца осознавал.

Свернув за угол, он вдруг заметил знакомую фигуру, вылезающую из кеба.

Блэк!

Беллмен замер на месте.

Он вовсе не был удивлен. Похоже, этот тип взял себе за правило объявляться в самые сложные моменты его жизни. В обычное время он держался на расстоянии, но стоило случиться кризису, и Блэк был тут как тут. Странное свойство, но таков уж этот Блэк.

Почему бы не сказать ему сейчас о своем решении? Этот момент был не хуже любого другого. При мысли о том, что он разом снимет с себя бремя этого предприятия и всего, что с ним связано, Беллмен испытал огромное облегчение.

Блэк нырнул в переулок, и Беллмен последовал за ним. Ему сразу пришлось напрячь все силы, поскольку Блэк передвигался с необычайной быстротой. Не раз Беллмену казалось, что он упустил его в лабиринте улочек и проулков, но в последний миг он замечал его фигуру во фраке и самодовольно сдвинутой на затылок шляпе, исчезающую за очередным поворотом или полускрытую в тени деревьев.

Но как ни старался Беллмен, ему не удавалось приблизиться к Блэку, все время находившемуся на недосягаемой дистанции. После десяти минут такой погони Беллмен начал сомневаться: да был ли то вправду Блэк? Может, он ему привиделся? Иначе он уже нагнал бы этого человека.

Увидев перед собой абсолютно безлюдную улицу, Беллмен достал из кармана платок и вытер лоб. Его била дрожь. Оглядевшись, он понял, что попал в совершенно незнакомый район. Пространства здесь было меньше, грязи больше, освещения почти никакого. По обе стороны темнели двери домов, кое-где приоткрытые, — и совсем не трудно было вообразить, какого сорта личности могут за ними скрываться. Беллмен догадывался, каким он представляется отребью, затаившемуся в ночи. Мужчина средних лет, задыхающийся и трясущийся, явно чужак в этой части города. Он слышал подобные истории: о людях вроде него, заблудившихся либо завлеченных обманом в темные переулки, откуда они впоследствии возникали с огромной шишкой на голове, без часов, кошелька и ботинок. Если не случалось и чего похуже. А как же Блэк? Его нигде не было видно.

Смирившись с неизбежным, Беллмен тяжело вздохнул и заставил себя переставлять ноги, медленно двигаясь в сторону следующего поворота. И там, к своему изумлению, он снова увидел Блэка. Он не мог ни с кем спутать этот профиль! Блэк остановился и беседовал с какой-то молодой женщиной.

— Блэк!

Тот не подал виду, что его слышит.

— Блэк! Эй!

Но в следующий миг Блэк исчез — скорее всего, нырнул в расположенную позади него дверь, — тогда как женщина пошла навстречу Беллмену.

«Она о чем-то его просила и теперь хочет обратиться ко мне!» — подумал он и приготовился с ходу отвергнуть просьбу. Но, приближаясь, она не выказала намерения заговорить и даже не взглянула на него вплоть до последнего мгновения, когда каждый из них должен был сделать шаг в сторону, чтобы разминуться в узком проходе. Тогда их глаза на секунду встретились, и она удивленно вздрогнула.

Это была та самая швея, «девушка № 9».

Беллмен постарался взять себя в руки и подавить застывшую на лице гримасу боли и отчаяния.

— Блэк! — услышал он свой голос. — Я знаю этого человека.

Однако собственный голос достиг его ушей как будто издалека и с некоторой паузой. Он покачнулся, едва держась на ватных ногах.

Девушка еще раз взглянула ему в лицо:

— Мистер Беллмен?

Он не знал, что сказать в ответ. Как объяснить, что у него разладилось что-то внутри, что крохотная, но важная частица его существа пришла в движение и он никогда не сможет вновь стать самим собой, если не вернет эту частицу на прежнее место?

Он попытался заговорить, но не смог и — чувствуя, что вот-вот упадет, — был вынужден тяжело опереться на ее плечо.

Он явственно ощутил контакт — даже через свою кожаную перчатку и ее саржевый жакет. Она приняла на себя его вес, не уклоняясь, и еще несколько мгновений оба сохраняли неустойчивое равновесие; а затем все поплыло и перешло в падение, и с какой-то неизбежностью камни мостовой под его ногами, плечо девушки под его рукой и само его тело — все это исчезло, растворилось, и наступила тьма.

Беллмен очнулся в комнате с низким потолком. Он занимал единственное кресло напротив камина, огня в котором не было, как не было и сложенных рядом с камином дров. Перед ним возникла кружка с жидкостью, и он ее выпил: медовая вода.

— Этот человек. Блэк... — начал он.

— Я вас не понимаю. Вы кого-то разыскиваете?

— Да, Блэка. Это...

Он запнулся, не зная, как пояснить. Деловой партнер? Незнакомец? Друг?

— Блэка? Из фирмы «Беллмен и Блэк»? — Она была озадачена. — И вы думаете, что он может быть где-то здесь?

— Я его видел. Он разговаривал с вами.

Она было качнула головой, но прервала это движение, не желая противоречить своему нанимателю.

— Только что, на улице, — заявил он упрямо.

Кончики белых зубов прихватили нижнюю губу, в глазах ее было недоумение.

Беллмена вновь начала бить дрожь.

— Вы промокли, — сказала она. — И замерзли. Я могу проводить вас до большой улицы, там возьмете кеб.

Он кивнул и поднялся, но комната тотчас поплыла перед глазами, и он рухнул обратно в кресло.

— Ничего не поделаешь, — сказала она. — Придется вам заночевать здесь.

Она стянула с него пропитанное водой пальто и открыла дверцу в стене. За ней обнаружилась кровать в чуланчике, больше похожем на стенной шкаф. С ее помощью Беллмен поднялся; лицо его на секунду коснулось ее груди, а затем подушки, и еще через миг он заснул.

Спустя час он пробудился. За окном начинало светать. Он сел. Кровать под ним казалась устойчивой. Он спустил ноги на пол — пол казался прочным. Он встал и сделал пару шагов. Ни одна из стен не покачнулась.

«Девушка № 9» спала в кресле. Он осторожно прошел мимо нее, затем вернулся, чтобы оставить на столе деньги. Она не пошевелилась. На ее коже остались соленые дорожки, а каштановые кудри у щеки намокли от слез.

Направляясь к выходу, Беллмен обогнул край детской кроватки. Та была пустой.

У себя дома Беллмен стянул сырую одежду и развесил ее на спинках стульев. Сохнуть она будет долго. Отяжелевший, неповоротливый мозг с трудом докопался до факта и предъявил его своему хозяину: у него нет другого черного костюма.

Лицо его исказила гримаса, отдаленно напоминающая ухмылку. Он ведь собирался заказать два новых костюма. Так вот о чем он забыл! Вот что беспокоило его на протяжении всего вчерашнего дня!

Не бог весть какая проблема!

Из его легких вырвался всхлип, отдаленно напоминающий смех.

Никогда еще Беллмен не испытывал такого удовольствия, забираясь в свою постель, после чего мгновенно провалился в сон.

———

Проснувшись во второй раз за это утро, Уильям рывком встал на ноги и тотчас распорядился приготовить ванну.

Он не стал тратить время на размышления о вчерашнем: о странном обмороке на крыше, о безумной погоне за Блэком по лондонским улицам, о решении отказаться от должности управляющего. Лишь мельком он вспомнил о каком-то головокружении, вызванном усталостью, но теперь он снова был бодр и энергичен, так что оставалось лишь порадоваться за свое на редкость крепкое здоровье.

При сотне всевозможных дел, запланированных на сегодня, он уж как-нибудь найдет время заказать новый костюм. Когда у тебя под началом тридцать пять профессиональных швей, это вряд ли составит проблему.

&

Теплым летним днем пары грачей имеют обыкновение ловить восходящий поток нагретого воздуха и без всяких усилий подниматься на огромную высоту, пока не превратятся — для людского глаза на земле — в крошечные точки далеко вверху. Затем, выбрав момент, они соскальзывают с края потока и, подобно Икару с опаленными крыльями, камнем устремляются вниз, быстро вращаясь в полете. И вот, когда даже у зрителей захватывает дух, а до гибельной встречи с землей остается какая-то секунда, они расправляют крылья, ныряют в тот же восходящий поток и снова взмывают в поднебесье — чтобы повторять этот трюк многократно.

Никакого особого смысла в этом нет. Они всего лишь развлекаются, играя с силой тяжести и представляя, какие острые ощущения мог бы испытывать человек, окажись он на их месте.

Судя по веселому хохоту, доносящемуся с небес, в мире найдется мало вещей более забавных, чем грач, который притворяется не умеющим летать.

Когда грачи собираются в превеликом множестве, для этого есть самые разные названия. Кое-где используют выражение «грачиный парламент».

14

На Риджент-стрит кипела жизнь. Нянечки вывозили на свежий воздух своих подопечных в черных детских колясках. Юные девицы семенили рядом с мамашами, вполуха слушая наставления, тогда как взгляды их блуждали по витринам со шляпками, туфлями, перчатками. Мужчины всех возрастов деловито сновали по тротуарам или перебегали на противоположную сторону, лавируя между каретами и кебами. Уличные торговцы расхваливали свой товар, наметанным глазом выделяя в толпе перспективных покупателей. Даже дети, которых тащили за руку взрослые, успевали глазеть снизу вверх, упираясь и тормозя перед лотками со сладостями или перед табачной лавкой, в витрине которой механическая мартышка курила сигару, выпуская из пасти настоящий дым. Люди двигались кто рысью, кто широким шагом, кто с вальяжной степенностью, то и дело уклоняясь от столкновений друг с другом — одни невозмутимо, другие не скрывая раздражения. Кто-то спешил по делам, а кто-то просто прогуливался, имея в запасе уйму времени. Когда пешеход возникал на проезжей части, экипажи нервно виляли, а кучера выкрикивали предупреждения вперемежку с проклятиями...

И только на одном участке улицы движение людей замедлялось, а шум становился приглушенным: это был тротуар перед зданием нового магазина под названием «Беллмен и Блэк». Толпа здесь была плотнее, чем где-либо еще.

Магазин пока не открылся, но витрины были оформлены загодя, и когда в восемь утра шторы были подняты, чудеса «Беллмена и Блэка» предстали на всеобщее обозрение.

Каждая витрина была обрамлена изящными складками серого шелка и содержала тщательно продуманную композицию товаров. В одном случае это были перчатки и веера, в другом — макеты надгробий в виде урн и ангелов, в третьем — письменные принадлежности с дюжиной резных чернильниц из эбенового дерева. В изобилии были представлены шляпы самых разных фасонов с черными шляпными булавками и вуалями. И повсюду были отрезы всевозможных тканей — хлопковых, льняных, шерстяных и шелковых, баратеи, муслина и крепа, — и каждая вносила свою нотку в аккорд оттенков. Особое внимание публики привлекла витрина с надгробными плитами и мемориальными досками, содержавшими заготовки надписей в память о почивших безымянных полковниках, любимых женах, сестрах или детях. Но самым большим успехом у зрителей пользовалась, пожалуй, простейшая из композиций: подобие звездной вспышки с расходящимися лучами из лент — от кремово-белых до угольно-черных с переходом через серебристые, туманные, бисквитные, жемчужно-серые, гридеперлевые, дымчатые, колумбиновые, графитовые, — собственно говоря, тут было куда больше оттенков серого, чем придумано для них названий. Смысл данного послания был ясен всем: любая степень и разновидность скорби найдет свое наиточнейшее воплощение в продукции фирмы «Беллмен и Блэк».

А в самом центре каждой витрины помещалась белая табличка размером шесть на восемь дюймов, с черным кантом и изящной надписью в стиле приглашений на бал:

«Беллмен и Блэк»
Четверг, 15 мая,
с 11 утра до 7 пополудни

Сейчас было только девять утра, но улицу перед витринами уже заполонили зеваки, глазевшие на ритуальные и траурные товары. Никакого унылого однообразия и монотонности — черное и серое в оформлении сочеталось с таким искусством, что производило завораживающий эффект. Новые люди вливались в толпу, дабы узнать, на что все смотрят, и вскоре удивленно замирали, как и пришедшие ранее. Голоса понижались до шепота, а затем вовсе стихали, и благоговейная тишина повисала над зрителями. Смерть, скорбь и память, выставленные на продажу с таким размахом, заставляли сжиматься даже самые суровые сердца и побуждали к размышлениям даже самых легкомысленных.

Невозможно было, глядя на это, не задуматься о времени, когда вам понадобятся услуги подобных заведений. «Как скоро? — невольно гадали зрители. — И для кого из близких?» Некоторые уже предугадывали ответы на эти вопросы, заранее обдумывая выбор товаров.

Витрины «Беллмена и Блэка» напоминали им о том, чего они страшились более всего, одновременно подсказывая, куда можно обратиться в тяжелый час. Печаль и скорбь никого не минуют, однако у вас будет возможность почтить любимых, навеки прощаясь с ними в элегантной шляпке с ажурной вуалью, а это уже хоть какое-то утешение...

В толпе были и такие, кто сильнее прочих опирался на трость либо испытывал очередной приступ давно уже мучившей боли. Эти сознавали, что им вряд ли доведется прийти сюда в качестве покупателей, однако их личный вклад в процветание фирмы «Беллмен и Блэк» был уже не за горами. И, разглядывая надгробия, они мысленно дополняли незавершенные надписи собственными именами.

Раздался цокот копыт — с проезжей части, раздвигая зевак, свернул экипаж и остановился перед главным входом в здание. Это был роскошный экипаж, и потревоженная толпа получила новый повод для любопытства и восхищения. Кучер в ливрее спрыгнул на землю и поспешил открыть дверцу кареты, из которой вышла молодая женщина в аккуратном и строгом сером платье. С помощью кучера она помогла выбраться второму пассажиру — маленькой согбенной фигуре в черной шелковой накидке. Кто это — девочка? Ростом она была с ребенка, однако двигалась медленно и неловко, как пожилая дама. Вуаль ее была настолько густой, что она едва ли что-то видела сквозь материю, но все же она подняла голову, чтобы взглянуть на серебристые буквы над крыльцом, прежде чем ее проведут внутрь магазина.

Толпа расступилась, пропуская странную пару. Обе как будто не замечали устремленных на них взглядов и не произнесли ни слова. Люди по сторонам думали об одном и том же, но никто не решился их предупредить, ожидая, что это сделает кто-нибудь другой.

Сделал это маленький мальчик:

— Они еще не открылись. Смотрите, здесь написано: с одиннадцати. — И он указал на табличку.

Но тут же послышался звук поворачиваемого в замке ключа, дверь приоткрылась, и магазин поглотил обеих дам.

Ключ повернулся вновь.

Люди в толпе недоуменно бормотали и переглядывались.

Все тот же маленький мальчик попытался что-нибудь разглядеть в щель меж дверными створками, но безуспешно.

— Одиннадцать часов, — повторил он. — Так ведь здесь написано...

Внутри магазина происходило лихорадочное движение людей и товаров. Быстрые ноги мчались с поручениями; сильные плечи несли тяжести; скрупулезные умы вели подсчеты; ловкие руки размещали и поправляли. Открывались коробки и ящики, извлекалось их содержимое и в мгновение ока занимало места в аккуратных рядах и стопках, после чего пустая упаковка исчезала, как по волшебству, — и этот фокус повторялся повсеместно.

Среди множества предметов, переносимых во всех направлениях, был один особый груз. Неторопливо и бережно по магазину в портшезе перемещали Дору. Беллмен вознамерился показать ей все огромное здание. Ее знакомили с начальниками отделов, она пожимала руки и, даже не говоря ни слова, своим видом и улыбкой давала понять: «Да, я не такая, как другие. Но постарайтесь не думать об этом».

То и дело отец останавливался, чтобы указать ей на очередную деталь: форменную одежду сотрудников различных служб, распределение новой партии товаров, мебель и отделку помещений. И все это было придумано и воплощено им, и все это он увлеченно демонстрировал дочери: итальянские перчатки и китайские шелка, черный янтарь из Уитби и воротнички из Парижа. Она восхищалась, хвалила и одобряла.

Беллмен вел маленькую процессию — включавшую Дору в кресле, носильщиков и Мэри — с этажа на этаж. Осмотрев торговые залы, они поднялись в офисы клерков и кассиров, посетили кабинет Беллмена. Далее на очереди были швейные мастерские. И вновь Дора ловила на себе взгляды искоса, догадываясь, что швеи переглядываются у нее за спиной. И вновь она восхищалась там, где от нее ожидали восхищения, и хвалила то, что следовало похвалить. «Не обращайте на меня внимания, — говорил ее ответный взгляд любопытствующим работницам. — Радуйтесь своим густым кудрям, своим крепким рукам и ногам, а также приятным округлостям под вашими платьями. Благодарите судьбу за все это».

Лестница на последний этаж оказалась слишком узкой для портшеза. Кто-то предложил, чтобы один из носильщиков на руках доставил Дору наверх. Она испытала облегчение, когда эта идея была отвергнута. Однако отец и не думал ее отпускать. Отнюдь! Ведь она еще не видела подвальную часть магазина. И ей показали склады, служебную столовую и кухню, окна-отдушины которой размещались в узкой яме с задней стороны здания, забранной решеткой на уровне земли; через эту яму запахи приготовляемой пищи выходили наружу, не раздражая обоняние посетителей у парадной двери.

— Ну надо же! — восхитилась Дора.

— И это еще не все! — заверил ее Беллмен.

С той же задней стороны здания находился широкий вход в конюшню. Изящная двухместная коляска — черная с серебряной надписью «Беллмен и Блэк» на дверцах — сама по себе была произведением искусства. Стойла располагались рядом, и кучер был готов в любую минуту запрячь черных лошадей, чтобы доставить работниц куда угодно в пределах восьмидесяти миль от столицы.

Беллмен открыл дверцу, чтобы показать экипаж изнутри, а затем с видом фокусника поднял крышку сиденья, под которой было предусмотрено место для багажа. В полумраке багажный отсек показался Доре пустым, но затем она с изумлением обнаружила, что он заполнен рулонами поглощавших свет тканей — настолько черных, что они казались сотканными из самой темноты.

— А вот еще! — воскликнул ее отец, торжествующе открывая один из саквояжей, приготовленных для швей.

Внутри она увидела бесчисленные кармашки и отделения, все заполненные; там были ножницы, портновские линейки, лекала, мерные ленты, иглы, катушки с нитями и серебряный наперсток.

— Это все та же мастерская, только в миниатюре! — воскликнула Дора.

— Всего за пару дней наши выездные швеи могут одеть в траур целую семью, а за четыре дня к этому добавится и вечерняя траурная одежда. Дайте им неделю, и в черном будут ходить все слуги, вплоть до кухаркиной дочки, растапливающей по утрам камин.

У Доры уже не было слов, и она выразила свое одобрение усталым кивком.

— Что еще важно, эта коляска никогда не затеряется среди других экипажей. Проезжая по лондонским улицам, она будет привлекать к себе все взоры. Люди будут оборачиваться и смотреть ей вслед. И ее сразу заметят, когда она остановится перед входом в какой-нибудь шикарный дом.

Все будут знать, что граф такой-то или маркиз такой-то обратился к услугам фирмы «Беллмен и Блэк». Это известие принесет нам больше новых клиентов, чем сотня — чем тысяча — рекламных объявлений. Ну, что ты на это скажешь?

Последнюю фразу он произнес быстрее и замер, с видимым напряжением дожидаясь ее вердикта. Его глаза блестели, бледное лицо сияло. Она с трудом узнавала в этом человеке своего обычно немногословного, насупленного отца. Здесь, в магазине «Беллмен и Блэк», он становился другим человеком.

Дору действительно потрясло отцовское творение. И в то же время обеспокоило. Все здесь было прекрасно, но это была давящая, неуютная красота. В одной из газетных статей новый магазин был назван «собором», и сейчас она понимала, что имел в виду тот газетчик. Однако за всей этой бурной деятельностью, спешкой и возбуждением она ощущала что-то еще — что-то безмолвное и недвижимое, затаившееся в ожидании своего часа. Чего оно дожидалось? В голову пришло сравнение с мавзолеем, но она тут же его отвергла.

Взгляд ее вновь обратился к саквояжам для швей. Она достала из кармашка серебряный наперсток и поднесла его ближе к свету. На нем тоже был выгравирован знак фирмы: сдвоенная буква «Б».

— Поразительно! Ты ни о чем не забыл, папа. Даже о таких мелочах, как наперстки!

Носильщики подняли ее кресло, и процессия во главе с Беллменом вернулась в торговый зал на первом этаже. Он по-прежнему то и дело поворачивался к дочери, чтобы упомянуть очередную деталь своего грандиозного проекта. Она почти не слушала, думая о своем, пока не додумалась до вопроса — праздного, но в то же время достаточно существенного, чтобы прервать им отцовские рассуждения.

— Папа, ты никогда не говорил мне одну вещь. Кто такой Блэк?

Это имя на ее устах! Он должен был предвидеть, что рано или поздно она об этом спросит.

— Никто! — произнес он, пожалуй, с излишней поспешностью. — Совсем никто.

Без одной минуты одиннадцать.

Привратники замерли, как стражи у входа в рай. Мистер Дент и мистер Хейвуд смахнули несуществующие пылинки с лацканов своих серых сюртуков и заняли места за прилавками. Продавщицы замерли в одинаковых позах — спины прямые, пальцы рук переплетены, — смиренные, как детишки в воскресной школе. На верхних этажах каждый карандаш лежал на столе параллельно краю бумажного листа, каждая швейная игла находилась в правильной ячейке. Улыбки, кашель и всякие неуместные движения были подавлены. Атмосфера обрела нужную серьезность и торжественность.

У перил на втором этаже, полускрытый за колонной, стоял Беллмен, наблюдая оттуда за входной дверью. Когда минутная стрелка часов достигла цифры 12 и Пентворт распахнул дверь, сердце в его груди забилось стократ сильнее прежнего. Ибо теперь это было уже сердце «Беллмена и Блэка».

И они появились. Любопытные, робкие, жаждущие, потрясенные, охваченные благоговением или стяжательским азартом — они хлынули в двери; и самые первые, желая того или нет, были пронесены далеко вглубь магазина натиском идущих позади. Люди беспорядочно кружили по залу, ошеломленные его размерами и красотой, и напрочь забывали о покупках — а ведь почти каждый, не желая выглядеть бездельным ротозеем, успел придумать какую-то мелкую потребность, объясняющую его появление в магазине. Но придумки не помогали, и при виде всего этого великолепия они погружались в подобие транса. Женщины и мужчины, молодые и старые, недавно потерявшие близких или еще не познавшие тяжесть утраты — все они просто ходили туда-сюда, восторгаясь и шепотом комментируя увиденное.

Но вот наконец нашелся человек с нервами покрепче, решившийся сделать первую покупку в истории магазина. Один ярд черной шелковой ленты, чтобы обшить истрепавшиеся рукава зимнего пальто.

Не самая мелкая из всех возможных покупок в «Беллмене и Блэке», но еще более скромную придумать было бы сложно. Впрочем, это не имело значения.

На третьем этаже кассир, в который раз оправлявший свои нарукавники, чуть не подпрыгнул на стуле, когда пневмопочта доставила первый контейнер с брякнувшими внутри пенсами; руки его тряслись от волнения, когда он выписывал первую квитанцию, отсчитывал сдачу и отправлял контейнер обратно в торговую зону. И почти сразу же почта сработала вновь.

Началось!

Теперь контейнеры прилетали один за другим, деньги сыпались в кассовые ящики, товары отмерялись и отсчитывались, заворачивались в упаковочную бумагу и обвязывались бечевкой, заказы изящной скорописью регистрировались в учетных книгах, и — о да! — проливались слезы, выражались и принимались соболезнования.

Магазин «Беллмен и Блэк» был исполнен делового оживления, звона монет и дыхания смерти.

Успех был налицо.

Уильям Беллмен сделал глубокий вдох. Он не улыбался (в торговом зале «Беллмена и Блэка»? Боже упаси!), но глубоко в душе его расцветала улыбка. Каждое движение его рук было уверенным и властным, ноги прочно упирались в пол.

Неприметно покинув свой наблюдательный пост у колонны, он проскользнул через толпу покупателей и исчез за скрытой в панели дверью.

Одну из стен его кабинета занимала пробковая демонстрационная доска, на которой был закреплен большой лист бумаги. В данный момент он был чист, если не считать двух рядов пометок, вертикального и горизонтального, сходившихся в его нижнем левом углу. По горизонтали были вписаны названия месяцев, а по вертикали обозначались суммы в фунтах стерлингов.

Беллмен вспомнил свои ранние наброски в черном блокноте. Возможный объем торгового оборота, предполагаемые прибыли. Все это выглядело многообещающе, хотя расчеты были, конечно, приблизительными. Несколько уменьшенные цифры он представил Кричлоу и другим компаньонам, когда уговаривал их вложиться в проект. Все это было давно. Сегодня он знал о своем бизнесе бесконечно больше. Он знал, сколько ярдов черной шерстяной ткани ежегодно продается по всей стране, сколько — в пределах Лондона и сколько — в конкретном магазинчике на соседней улице. Он знал, почему гробы стоят так дорого и какими путями можно снизить себестоимость их изготовления без ущерба для качества. Теперь, основываясь на знании фактов, он отчетливо представлял, какую прибыль должна получить фирма «Беллмен и Блэк» в первый месяц своей работы. И он мог себя поздравить: позднейшие цифры практически совпадали с теми, которые он спрогнозировал еще два года назад.

В этом графике он собирался синим цветом изображать показатели своего прогноза, а в конце каждого месяца черным цветом указывать действительные объемы продаж. Он взял ручку с синими чернилами и нашел нужную строку. Но в самый последний момент рука его чуть сместилась и поставила синюю точку строкой выше.

Что двигало сейчас его рукой? Шестое чувство? Инстинкт? Называйте это как хотите. А Беллмен просто знал.

15

С каждым годом «ночи воспоминаний» Доры становились все менее продуктивными. Время от времени она еще прибегала к этому способу утешения, но эффект был далек от прежнего. Причина — точнее, одна из причин — ей виделась в том, что воспоминания попросту «износились» от слишком частого употребления. Истерлись, как старые монеты, которые они в детстве очищали уксусом перед днем выплаты.

Были и другие причины. Сама Дора с возрастом менялась. Вещи, которые радовали ее в детстве, ныне уже не доставляли былой радости. Теперь, когда она думала о маме, Доре хотелось поговорить с ней о чем-то другом. Она стала обращаться к миссис Лейн с просьбами рассказать о маме, и эти воспоминания, пускай вторичные, являлись для нее не менее ценными, чем ее собственные, — хотя бы потому, что они были «взрослыми».

Позднее нашлась еще одна причина для того, чтобы меньше времени уделять ночным грезам.

Однажды Мэри, роясь под кроватью в поисках какой-то затерявшейся вещицы, извлекла оттуда большой плоский сверток — судя по всему, картину.

— Это что еще такое?

Дора смахнула пыль со свертка:

— Мой грач!

Сценка рисования в саду вместе с дядей Чарльзом не входила в обычный репертуар воспоминаний Доры, поскольку в ней не участвовали ее мама или братья. Теперь же эта сценка всплыла в памяти очень живо и ярко.

— Он учил меня правильно держать карандаш.

Вдвоем они перерыли все шкафы в доме и наконец отыскали старые альбомы для рисования. И всю оставшуюся часть вечера они провели, рассматривая эти рисунки. На одной из страниц они задержались надолго. За несколько недель до эпидемии лихорадки Дора предприняла свою первую серьезную попытку создать автопортрет.

— Я в самом деле так выглядела? — спросила она.

— Сходство есть, спору нет. Но в жизни ты была куда красивее.

Дора оценивала картину по своим критериям. Портрет в целом не удался. Линии были какие-то неуверенные. Разве что глаза получились неплохо. Только по этим глазам она узнала себя.

— Я здесь выгляжу так, будто сильно о чем-то задумалась.

— Ты и сейчас так выглядишь. Этот вид у тебя был всегда.

Следующую ночь Дора вместо воспоминаний посвятила сидению перед зеркалом. Она сняла с головы кружевной чепчик и при свете свечи внимательно рассмотрела свое лицо. Каким же пугалом она сделалась! Нос, глаза и рот казались смещенными книзу, как у младенцев. Уши торчали в стороны, а верхний изгиб ушных раковин смотрелся как уродливое подражание вьющимся волосам, которых у нее давно уже не было. Низкий лоб отчасти скрашивался — хотя уместно ли здесь это слово? — отсутствием волос, как отсутствие бровей и ресниц делало глаза более выразительными — вот только привлекательными их назвать было нельзя. Тем не менее это лицо могло представлять интерес для художника. Кожа головы была гладкой и туго обтягивала неровности черепа, ранее скрытые прической. Поворачивая голову так и этак, она изучала бороздки, ложбинки, выпуклости — весь этот костный рельеф. Над одним ухом голубой ветвящейся речкой пролегала вена. Свой затылок она исследовала на ощупь.

Сильнейшее волнение охватило Дору в тот момент, когда она взялась за карандаш. Она провела несколько линий, забраковала их и начала новый набросок рядом на том же листе, но вскоре отвергла и его. После очередного разочарования она немедленно переходила к следующей попытке. Поворачивала голову под разными углами и, скосив глаза, набрасывала контуры, затем слегка изменяла позицию и делала следующий набросок. Зажгла новую свечу взамен почти догоревшей и продолжала рисовать до самого рассвета: свой голый череп с выступами и впадинами, линии переносицы, губ и подбородка, хрящевые завитки ушей, вырез ноздрей, скулы, виски, все изгибы и плоскости, свет и тени. Она не привносила в работу ничего личного, словно рисовала не саму себя, а какой-то пейзаж, имеющий к ней не большее отношение, чем хребты и долины планеты, на поверхности которой она жила.

В конечном счете ей удалось создать рисунок, ее удовлетворивший. Он получился таким же гротескно-уродливым, какой она себя знала, и более всего напоминал изображение только что убитой и ощипанной птицы, с тонкой кожей, обтягивающей жалкие кости, почти лишенные плоти.

Последним движением карандаша она удлинила линию своего носа, превратив его в птичий клюв, и осталась довольна работой.

16

Открытие «Беллмена и Блэка» стало для Уильяма новым мощным импульсом. Он работал по восемнадцать часов в день семь дней в неделю и не знал усталости. Его насыщенное расписание включало обходы всего магазина, от подвала внизу до мастерской наверху, трижды в течение дня: в десять утра, в два и в шесть пополудни. При обходе он мог дать ненавязчивый совет кому-нибудь из сотрудников, кого-то подбодрить похвалой, а иногда и собственноручно помочь, если видел, что человек загружен сверх меры. Ежедневно он проводил совещания с участием старших продавцов и мистера Верни (главного финансиста), а дважды в неделю обсуждал дела с мистером Эдмондсом (начальником службы доставки), мистером Стэллибруком (начальником снабжения) и неизменно безупречной мисс Челкрафт. Триста тридцать семь человек работали в фирме «Беллмен и Блэк», и к концу первого месяца он уже знал всех по именам — от письмоводителя Хендерсона до посудомойки Молли. «Девушку № 9» звали Лиззи — он запомнил ее, как и всех прочих. Энергично и неутомимо он заполнял каждый момент своей жизни делами, планами и учетом достигнутого.

Он регулярно встречался и с людьми не из штата фирмы: с Энсоном, управляющим банком «Вестминстер энд Сити», с юристами или с кем-нибудь из своих компаньонов, обычно заявлявшихся ближе к вечеру. Для таких случаев он приобрел пару мягких кожаных кресел с глубокой простежкой и расположил их по краям камина в своем рабочем кабинете. Единственным недостатком кресел оказалось их удобство — оно располагало приходящих задержаться после обсуждения важных дел и выкурить сигару, рассуждая о всякой всячине и глядя, как поднимаются к потолку колечки дыма. Подобные ленивые паузы он вежливо, но твердо прерывал.

По воскресеньям, а также по вечерам после закрытия магазина он занимался бумажной работой. Письма, доклады, отчеты, списки. Он расправлялся с ними быстро и безошибочно, по выполнении каждой задачи вычеркивая ее из перечня в своем блокноте. Теперь он заказывал такие блокноты сразу по полдюжины штук — едва закончив один, прятал его в нижний ящик стола, брал с полки новый и возвращался к работе.

Как ему все это удавалось? Благодаря экономии времени. Утреннее умывание, одевание и завтрак отнимают у обычного человека не менее часа. Беллмен укладывался в тридцать пять минут. Управляющий любого другого лондонского магазина сопоставимых размеров ежедневно тратил целый час на разбор текущих вопросов со своим секретарем, а Беллмену хватало на это четверти часа. Приветствуя секретаря машинальным «Доброе-утро-как-поживаете?», он не позволял даже этим первым секундам пройти без пользы, одновременно что-нибудь обдумывая или планируя.

Когда магазин закрывался и Беллмен мог заняться документами, он начинал с того, что смотрел на часы. Намеченный им объем работы кто-нибудь другой не осилил бы и за полдня, но когда он по ее завершении снова сверялся со временем, оказывалось, что прошел всего какой-то час. Все, кто был в курсе, не переставали удивляться его необычайной работоспособности.

— Никогда не позволяйте времени взять над вами власть, — сказал он Верни, когда тот однажды напрямик спросил его об этом. — Беритесь за дело без промедления, работайте в полную силу, и тогда время будет подчиняться вам, а не вы ему.

Но втайне ему виделась иная разгадка этого феномена: Беллмен верил, что может контролировать течение времени, каким-то образом овладев этим искусством либо получив его как дар свыше. Это сравнимо с тем, как в быту вы открываете корпус настенных часов и, утяжелив маятник, замедляете их ход. А еще Беллмен мог разбить час на мелкие составляющие, извлечь из него заведомо пустые, «бездельные» минуты и использовать их по своему усмотрению.

Много лет назад кто-то из фабричных предположил, что когда-нибудь Беллмен сумеет заставить солнце светить день и ночь напролет. Люди, сейчас работавшие в его магазине, согласились бы с таким предположением: применительно к Беллмену оно не казалось таким уж невероятным.

Верни пытался подражать своему начальнику. Но, увы: в его часах каждая минута была всего лишь минутой, и он не мог выжать из нее ни секунды сверх того.

Если Беллмен терял время — как правило, по вине кого-то другого, — он предпринимал максимум усилий для того, чтобы к концу дня наверстать упущенное. При необходимости он мог засидеться за работой допоздна, отбирая время у своего сна, лишь бы закончить то, что планировалось на этот день. И всякий раз он отправлялся в постель победителем. Усталости он никогда не чувствовал, хотя уставал, конечно же, ибо порой засыпал прямо за рабочим столом. Когда это случилось с ним в третий или четвертый раз, он решил принять меры.

Фокс занимался каким-то проектом в Шотландии, но по получении письма тотчас приехал в Лондон. Здесь он был встречен привычно крепким рукопожатием и традиционно кратким приветствием.

— У вас все в порядке? Хорошо, хорошо, — сказал Беллмен, не дав гостю времени на ответ и не позволив высказаться насчет качеств эдинбургских зданий и удивительных свойств тамошней погоды.

Как всегда, он сразу перешел к сути дела.

— Надо перегородить мой кабинет, чтобы выделить место для спальни, — сказал Беллмен. — Перегородка должна пройти примерно вот здесь.

— Так не годится, — нахмурился Фокс. — Будет слишком тесно. Лучше взять часть пространства отсюда, а часть отобрать у приемной. Конечно, с переносом стены придется повозиться, зато вам будет комфортнее...

Фокс заметил, что сам говорит очень быстро, не делая пауз между предложениями. К нему вмиг вернулись давние привычки. Чему тут удивляться — он ведь почти два года прожил в этом Беллменовском темпе!

После того как Фокс завершил строительство магазина и расстался с Беллменом, он еще полмесяца испытывал дискомфорт из-за медлительности всего остального мира. Такое случалось с ним по двадцать-тридцать раз на дню: он с первой же фразы понимал, что имеет в виду собеседник, но должен был стоять и ждать, когда иссякнет поток лишних слов, а с ним и впустую потраченные на это секунды. Затем Фокс отвечал очень кратко и по существу, а собеседник смотрел на него в изумлении. Получив информацию в столь сжатом виде и с быстротой пули, он был выбит из равновесия и просил повторить или пояснить сказанное. Терпение Фокса было на пределе, он уже начал думать, что никогда к этому не привыкнет, однако же со временем перестроился на замедленный ритм жизни, а еще чуть погодя стал получать от него удовольствие. Он заново открыл для себя паузы между словами, задачами и мыслями, и эти паузы оказались на удивление плодотворными. Недавно он познакомился с одной молодой особой и теперь всерьез подумывал о женитьбе.

— Пространство? — между тем говорил Беллмен. — А для чего мне большое пространство? Мне нужна лишь кровать вон там у стены и шкаф для кое-каких личных вещей.

— Платяной шкаф?

— Нет, для одежды хватит вешалки за дверью.

Фокс невольно вспомнил о помпезной спальне, которую недавно обустроил для одного клиента в роскошном белокаменном особняке, — с огромной кроватью, картинами, мебелью, зеркалами...

— Тут будет сложно развернуться. Собственно говоря... — Фокс измерил шагами закуток, указанный Беллменом. — Ну да, так и есть. По размерам это будет примерно соответствовать спальням, которые мы устроили наверху для швей.

Ему показалось, что на сей раз Беллмен чуть замешкался с ответом — на долю секунды.

— Как быстро это можно сделать? — спросил он.

— Если вас действительно устроят такие скромные размеры, можно будет управиться за один день.

— Или за одну ночь?

— Можно и так.

— Успеете к завтрашнему утру?

«И как это мне прежде удавалось?» — мысленно подивился Фокс. Два года он жил с такой же скоростью, и тогда это казалось ему вполне естественным. Это был путь наверх, возможность сделать себе имя. Впоследствии у него уже не было отбоя от заказчиков; он обеспечил себя работой на годы вперед, на всю оставшуюся жизнь. И все это благодаря Беллмену.

— Я об этом позабочусь, — сказал он, улыбнувшись.

На следующее утро Беллмен нашел свой кабинет несколько уменьшенным в длину, а за перегородкой обнаружилась типичная спальня швеи, с узкой кроватью у стены и шкафом в углу. Впервые войдя туда, он испытал странное чувство, но не стал тратить время на выяснение его природы и источников. У него были дела поважнее.

— Войдите! — сказал он, не отрываясь от черновика делового письма.

— Сэр, меня прислала мисс Челкрафт... — Голос был женским, неуверенным, знакомым.

Он поднял глаза. Это была она.

— ...с вашим костюмом.

— Вас зовут Лиззи, верно?

— Да, сэр. Куда мне его повесить?

Она огляделась по сторонам, но в его кабинете не было ничего подходящего на роль вешалки.

Кровь прилила к ее щекам. Может, она подумала о той ночи в лондонских закоулках? Той ночи, когда они так неожиданно встретились, а потом он занял ее постель и под утро улизнул, не сказав ни слова. Все это произошло лишь три недели назад, но изгладилось из его памяти так основательно, словно относилось к очень далекому прошлому. Теперь воспоминание вернулось.

— За этой дверью есть крючок.

Если она и удивилась тому, что его спальня так похожа на ее собственную комнатушку наверху, то не подала виду. С пылающими щеками, она пробормотала что-то невнятное в порядке прощания и выскользнула из кабинета так же тихо, как в него входила.

Беллмен вернулся к своему документу, но еще секунды две не мог вспомнить, что именно собирался написать. А ведь он так и не прояснил ту загадочную историю с погоней за Блэком. При следующей встрече надо будет ее расспросить... Меж тем вернулась утерянная мысль, и он снова поднес перо к бумаге.

Подошел к концу первый месяц. Беллмен и Верни дважды проверили дневную выручку, рассортировали монеты по номиналу и ссыпали их в красные фетровые мешки. Был учтен каждый пенс. Итог был подведен. Когда Верни ушел, Беллмен отнес деньги в сейф, вернулся в кабинет, где на стене висел график, взял ручку и обмакнул перо в черные чернила. Отмечая реальный уровень продаж, перо коснулось бумаги в строке гораздо выше той, которую он четыре недели назад пометил синими чернилами. Влажная чернильная точка блеснула на листе, как черный птичий глаз, и Беллмен поприветствовал ее удовлетворенной улыбкой.

А что насчет будущего месяца? Как правило, только что запущенное торговое предприятие в первый месяц работы демонстрирует высокие показатели продаж просто в силу своей новизны для покупателей, но уже во втором месяце интерес к нему ослабевает и соответственно снижается оборот. Однако ритуально-траурный бизнес живет по собственным законам и в данном аспекте — как и во многих других — является исключением из общих правил. Вполне естественно, что людям неприятна сама мысль о загодя приобретенной траурной одежде, ждущей в шкафу своего часа. Это будет все равно что отворить дверь перед Смертью, пригласить ее внутрь и, выстроив все семейство, предложить ей кого-нибудь на выбор. Разумеется, в день открытия магазина многие явились сюда из чистого любопытства, но этот наплыв посетителей практически не повлиял на объем продаж — в большинстве своем они либо не покупали ничего, либо ограничивались какой-нибудь мелочью. Зато каждая значительная покупка в течение этого месяца была вызвана объективными причинами. Соответственно, месячный объем продаж был точным отражением количества смертей, случившихся в мире за стенами «Беллмена и Блэка». Вот он, надежнейший показатель, на который следует ориентироваться в дальнейших прогнозах. Так каким же будет второй месяц?

Бусинка черных чернил уже высохла, да и Беллмена она уже не интересовала: он извлек из нее всю нужную информацию. Взяв чистое перо, он окунул его в синие чернила и приготовился обозначить цель предстоящего месяца. Перо приблизилось к бумаге, но в последний миг приподнялось и оставило точку в месте чуть выше того, куда он метил.

Ну вот опять! Он вгляделся в свежую чернильную точку. Та в ответ ему подмигнула. Почему бы и нет?

Теперь, наметив цель, он обязан был ее достигнуть. Беллмен достал из кармана блокнот и открыл его на странице с последними записями. Испанские перчатки продавались слабо — надо сказать Дрюэру, чтобы снизил цену, а следующую партию закупил в Италии; зато дымчатый бархат расходился сверх всяких ожиданий — надо выяснить причину такой популярности; далее...

Взгляд его уперся в пометку, сделанную вчера: «Кисти для рисования».

Дора!

А ведь верно: на завтра у него назначена поездка в Уиттингфорд. Раз в месяц, как он обещал дочери. И на целый день. Перед тем она в письме попросила его купить особые тонкие кисти, которых не нашлось в магазинах Оксфорда.

Беллмен подумал о своих планах. Время было не самое подходящее для загородной поездки, даже на один день. Он ей напишет и все объяснит. Завтра же он отправит кого-нибудь из посыльных на поиски нужных кистей в лондонских магазинах. Возможно, их удастся переслать Доре с коляской «Беллмена и Блэка», если в ближайшие дни поступит заказ из тех краев. А если не получится, он прибегнет к услугам почты. Сам он выберется в Уиттингфорд при первой возможности и на сей раз погостит подольше. «Написать Доре», — сделал он пометку в блокноте.

Когда-то давным-давно он открыл такой же блокнот и обнаружил в нем приписку, сделанную неуклюжим детским почерком: «Поцеловать Дору». Как бы рад он был сейчас ее поцеловать, окажись она здесь!

Но дальняя поездка — это потеря времени. А его ждало множество дел.

Из перечня задач он выбрал с дюжину таких, которые требовали работы за письменным столом. Взглянул на часы: без двадцати минут восемь. Что ж, посмотрим, успеет ли он сделать все это... скажем, к девяти? Нет, это слишком долго. Без четверти девять. Это в самый раз.

И он взялся за дело.

Стеклянный купол атриума одинаково безучастно смотрел вверх, в черное ночное небо, и вниз, в глубокий колодец посреди здания. И у швей в равной мере кружилась голова при взгляде как вверх, так и вниз, когда они по огибавшей атриум галерее направлялись в особую комнату, выделенную им для вечерних собраний и чаепитий, — там имелась небольшая печка, на которой можно было вскипятить воду или подогреть молоко.

— Кто такой мистер Блэк? — спросила Лили. — Правда, что его никто никогда не видел?

Девица тощая и мосластая, она выделялась среди прочих не только и не столько этим, сколько своим статусом новенькой. Конечно, все они работали здесь недавно, однако Лили появилась позже остальных, заменив уволенную швею. Ее приход стал для других девушек значимым явлением: посвящая новенькую в здешние детали и тонкости, они чувствовали себя уже опытными старожилами.

— Никто никогда? О чем ты? Разве ты ни разу не встречала мистера Блэка? — вздумала подшутить Салли.

— Ни разу.

Салли рассмеялась.

— Конечно же, ты его встречала. И не далее чем сегодня!

Лили наморщила лоб:

— Ничего подобного.

— Ты с ним даже разговаривала!

— Но это был мистер Беллмен.

— А вот и нет: это был мистер Блэк!

Кто-то из девушек, не выдержав, сдавленно хихикнул, но другие закивали с самым серьезным видом, подтверждая слова Салли. Лили переводила взгляд с одного лица на другое, пытаясь понять, правда это или розыгрыш.

Одна из девушек наклонилась вперед и сообщила доверительным тоном:

— Мистер Беллмен и мистер Блэк походят один на другого, как две булавки, приколотые у тебя за манжетой.

— Так они близнецы? — поразилась Лили.

Сьюзен — она была постарше других и пользовалась репутацией благоразумной особы, во всем знающей меру, — покачала головой:

— Хватит ее дразнить. Подумай сама, Лили. Разве так бывает, чтобы два мужчины были близнецами и притом имели разные фамилии? Близнецами могут быть только братья. Нет, мистер Блэк — это теневой партнер.

Девушки озадаченно переглянулись. Теневой партнер? Это что еще за птица?

Выждав паузу и вдосталь насладившись своим превосходством, Сьюзен снизошла до пояснения:

— Это значит, что он вложил деньги в компанию, чтобы она заработала, но оставил все руководство мистеру Беллмену, а сам только получает свою долю прибылей.

— Да уж, — промолвила Лили. — Воистину, век живи — век учись.

Привалившись плечом к косяку, Лиззи полусонно слушала их разговоры, глядя сквозь дверной проем вверх, на стеклянный потолок здания.

Теневой партнер. Какое странное название. В ее голове возник образ: мистер Беллмен и мистер Блэк спят рядышком на узкой, совсем как у нее, кровати в одинаковых ночных колпаках — ни дать ни взять пара булавок в наборе. Эта мысль вызвала у нее улыбку.

Помнится, в первый раз увидев мистера Беллмена, она посчитала его мистером Блэком.

Потом она вспомнила, что мистер Беллмен говорил о мистере Блэке в ту ночь, когда они встретились в переулке. Ему взбрело в голову, будто она, Лиззи, знакома с этим Блэком! Впрочем, он тогда был нездоров, а больные люди какой только бред не несут...

По ту сторону стеклянного колпака, высоко в небе, на миг погасла и затем вновь появилась звезда. Должно быть, это птица пролетела в темноте над зданием.

17

Первым делом Дора вскрыла посылку, отложив в сторону письмо, содержание которого было ей известно заранее: наверняка папа снова не сможет приехать домой, он слишком занят.

Кисти оказались точь-в-точь такими, какие она хотела. В магазине художественных товаров на Брод-стрит в Оксфорде нашлось почти все ей нужное, кроме этих тончайших кисточек — в каждой всего полдюжины козьих волосков. Для детальной прорисовки птичьих перьев кисти потолще не годились. Ранее, уже отчаявшись их найти, она попыталась сделать кисточку самостоятельно. Наиболее подходящие для этой цели волосы, прямые и крепкие, были у Роба Армстронга, сына Фреда из пекарни. Роб заглядывал к ним регулярно, приезжая за пустой тарой после фабричных завтраков. Просьба Доры привела его в замешательство, однако он согласился пожертвовать свою прядь для эксперимента. Дора приклеила несколько волосков к ручке от старой кисти, дополнительно стянула их ниткой, ровно подрезала и попробовала рисовать. Результат получился смехотворным. Человеческие волосы плохо держали краску, имели не ту упругость и вдобавок расползались в стороны, так что удержать их вместе не помогали никакие клеи и нитки. Один за другим они выпадали, оставаясь на палитре, в баночке с водой или на самом рисунке. Дора подарила эту картину Робу в благодарность за его вклад в эксперимент — изображенный на ней дрозд, по мнению художницы, получился в целом неплохо, за исключением перьев. Роб провел пальцем по крылу, нащупал влипший в краску собственный волос и засмеялся.

Но теперь, с новыми кистями, дело должно было наладиться. Она встала, чтобы направиться в комнату за красками, и только тут вспомнила о письме.

Дора его прочла. Все было именно так, как она подумала изначально: папа сообщал, что не сможет приехать.

Если честно, ее это не очень расстроило: отказ она предвидела, да и как-то оживить ее будни отец смог бы вряд ли. В прежние дни, при жизни мамы, братьев и маленькой сестры, голоса в их доме не умолкали весь день напролет, но сейчас, когда из всей семьи остались лишь они двое, Дора мало что могла сказать отцу, а он еще меньше мог сказать ей. В его присутствии нельзя было говорить ни о прошлом — отца эти напоминания угнетали, — ни о нынешних увлечениях Доры. На время его визитов приходилось отказываться от бинокля и красок вместе с доставляемым ими удовольствием. Так что — и Дора нехотя призналась в этом самой себе — приезд отца был бы ей только в тягость.

Она приготовила краски, предвкушая несколько часов счастливого погружения в творчество. Это позволяло ей отвлечься от прочих мыслей. Воспроизводя на бумаге какой-нибудь зрительный образ, она забывала обо всех своих горестях и печалях. Прежде в этом ей помогала память, но с некоторых пор, напротив, лучшим средством стало забвение. Забыть прошлое с его горькими утратами... Для этого требовалось нечто по-настоящему увлекательное, полностью завладевающее вниманием, и живопись подходила для этого как нельзя лучше.

Она подумала об отце: интересно, отдыхает ли он хоть изредка — и если да, то что делает в эти часы? Она ни разу не замечала его за чтением литературы, не важно какой: бульварных книжонок, серьезных романов или поэзии. Он не особо интересовался музыкой, хотя обладал прекрасным голосом. Неужели ему никогда не случалось просто витать в облаках, давать волю фантазии, отпускать свои мысли на самотек и потом удивляться тому, куда их занесло?

Она предположила, что отец искал в работе возможность укрыться от самого себя. Но поскольку он был погружен в работу все время, не означало ли это, что он никогда в полной мере не был самим собой?

Страшная мысль. Большинство юных женщин поспешили бы от нее избавиться, но Дора давно уже свыклась со страшными мыслями. Когда твоя мама мертва, когда умерли твои братья и сестры, когда сама ты лишилась некогда прекрасных волос и заодно всяких надежд на семейное счастье, страх теряет над тобой власть. Дора думала об ужасных вещах постоянно, и они ее нисколько не пугали. Вот и эту мысль она не отбросила, а стала тщательно, под разными углами, рассматривать. Понятно, что человек, с головой уйдя в графики, таблицы и расчеты, может заплутать в этих дебрях. Если посвящать все время какому-то одному делу в ущерб дружескому общению и спокойным размышлениям о жизни, немудрено потерять самого себя. В этой связи возник новый вопрос: насколько велика вероятность того, что человек, слишком долго пребывающий в таком состоянии, окончательно подвинется рассудком? Как скоро он потеряет себя уже бесповоротно? И не это ли сейчас грозило ее отцу?

А может, это с ним уже произошло и отца теперь не вернуть? Впрочем, если принять во внимание длинный список ее утрат, добавление еще и этой вряд ли существенно утяжелит общее бремя.

Она предвидела неизбежную перемену в отношениях с отцом: при всех ее добрых чувствах к нему, она будет все меньше нуждаться в отцовском участии. Эти отношения станут более простыми и поверхностными. И в них уже не будет места для разочарований.

Все было готово. Прихватив бинокль, Дора спустилась в сад и села на складной стульчик. Лесная завирушка неустанно курсировала между веткой дерева и пятачком травы, где Мэри недавно разбросала крошки черствого хлеба. Рука Доры металась над листом бумаги, спеша уловить посадку головы и пропорции тела птицы. Девушка работала быстро, увлеченно, с радостью.

Когда рисунок был завершен, дело уже шло к вечеру. Вскоре должны были появиться грачи.

И они появились. В который раз Дора наблюдала за перемещением этой огромной, растянувшейся на все небо стаи, хрипло хохочущей на свой обычный манер. Она разглядывала их в бинокль и удивлялась тому, как легко и слаженно летят птицы в таком плотном строю. Поворачиваясь всем телом, она следила за грачами, пока те не превратились в размытые серые пятнышки, вскоре исчезнувшие в бледной небесной дали. Но и после того она еще какое-то время смотрела им вслед.

— И куда же вы все летите? — пробормотала она.

Собрав рисовальные принадлежности, она уложила их в сумку вместе с биноклем. И с этой сумкой на плече, складным стулом в одной руке и тросточкой в другой заковыляла обратно к дому.

18

— По словам моей жены, она куда как чаще видит мистера Блэка, чем мистера Беллмена. И она уже начала сомневаться, существует ли мистер Беллмен вообще, подозревая, что я его выдумал.

Беллмен уставился на своего компаньона-галантерейщика — это был мистер Кричлоу, — развалившегося в мягком кресле с сигарой в одной руке и стаканом виски в другой.

— Это ее излюбленная шутка, — объяснил Кричлоу, заметив его изумление.

Беллмен действительно всячески избегал светских мероприятий, притом что поводов было хоть отбавляй: чуть ли не каждый день в его почте обнаруживалось очередное приглашение на какой-нибудь бал, прием или званый обед, от которых он уклонялся, привычно ссылаясь на занятость. Его тяготило любое общение, выходящее за сугубо деловые рамки, и даже во время ежедневных обходов магазина он старался избегать лишней болтовни. С видом вполне приветливым и в должной степени скорбным, он осматривал то, что хотел осмотреть, и проверял то, что нуждалось в проверке, при этом стараясь не смотреть в глаза людям. Проходя через торговый зал, он — опять же с достоинством, соответствующим его должности, — выражал соболезнования посетителям налево и направо, обращаясь ко всем сразу и ни к кому конкретно.

Однако он не мог совершенно отказаться от появлений в обществе. Иногда это был единственный — пусть и наименее эффективный — способ достижения цели. Ему случалось заключать сделки даже в театральной ложе, для чего требовалось как минимум высидеть первый акт, в ходе которого он почти не смотрел на сцену (обычно шла всякая сентиментальщина со всплесками ненатуральных эмоций), предпочитая разглядывать завзятых театралов в партере. А в антракте он обговаривал с нужным человеком условия сделки, скреплял ее рукопожатием и перед началом второго акта откланивался, ссылаясь на срочное дело.

Раз в месяц Беллмен встречался со своими компаньонами в клубе «Расселл» на Пиккадилли. Он приезжал туда последним, когда другие уже прикладывались ко второму бокалу виски или бренди, и сообщал о состоянии дел, после чего выслушивал их комментарии и отвечал на вопросы. А когда повестка была исчерпана и разговор переходил на другие темы, он поднимался из-за стола.

— Может, еще по бокалу? — спрашивал кто-нибудь из галантерейщиков, хотя Беллмен оставил недопитой и свою первую порцию.

— Много работы, — говорил он и удалялся, не слишком их этим огорчив.

И то сказать: пусть уж лучше твоими капиталами распоряжается нелюдимый тип вроде Беллмена, чем какой-нибудь любитель виски и уютных кресел. В конце концов, доходы фирмы говорили сами за себя.

Таким образом, если Беллмен изредка и предпринимал «вылазки в свет», то исключительно с деловыми целями. В то же время он был состоятельным вдовцом приятной наружности и в самом расцвете сил — неудивительно, что многие женщины проявляли к нему повышенный интерес. Тот факт, что он чуждался светских развлечений, только повышал его ценность в глазах незамужних дочерей и младших сестер всех его знакомых. По их единодушному мнению,

Беллмена надо было срочно брать в оборот, пока это не сделала какая-нибудь смазливая вдовушка на последней стадии траура.

Наилучшие шансы повлиять на Беллмена в этом вопросе были, конечно, у его компаньонов.

— Вы же знаете этих женщин, — говорил Кричлоу, корча соответствующую гримасу. — Иногда они просто не понимают слова «нет».

Он сидел в кресле перед камином в кабинете Беллмена и — как уже понял последний — не собирался завершать этот тягостный для них обоих разговор, пока приглашение не будет принято.

— Это не какой-то там большой прием. Просто ужин в кругу семьи и нескольких близких друзей. Вы вернетесь к себе домой еще до одиннадцати.

Беллмен попытался увести собеседника от этой темы, спросив его насчет Уокинга — в этом городке близ Лондона личный врач королевы недавно приобрел участок земли с намерением построить крематорий. Он же при поддержке нескольких богачей основал общество поборников кремации как перспективного способа погребения.

— Этому не бывать, — твердо заявил галантерейщик. — Можете мне поверить. Как же Всевышний поднимет нас из могил в Судный день, если мы будем превращены в горсточки пепла? Вот что думают люди на сей счет. При этом никому и в голову не приходит спросить, как его призовут на суд, если он будет съеден червями, а его кости истлеют в пыль. Так уж мы устроены, поверьте мне, Беллмен. Потребуется нечто большее, чем несколько переполненных кладбищ, чтобы заставить наш английский ум обратиться к идее сожжения мертвых. Мы ведь не какие-то там язычники.

Однако отвлекающая стратегия Беллмена не сработала. Уже приблизившись к выходу и взявшись за ручку двери, галантерейщик обернулся.

— Я передам Эмили, что вы придете, — сказал он так, будто согласие Беллмена было получено, и быстро удалился, не дожидаясь ответной реакции. Возражать и протестовать было уже поздно.

На приеме — ибо это оказался большой прием, вопреки обещанию ужина в узком кругу, — Беллмена прежде всего потрясло обилие ярких красок. Желтые стены холла, изумрудно-зеленые шторы в гостиной, сапфирово-синее платье хозяйки, рубиново-красное вино в бокале — все это резало глаз. А минут через десять начались и головные боли. Однако же он был приветлив и любезен, еще не утратив это умение, прежде бывшее для него естественным, — только теперь оно требовало определенных усилий. Стол был изобилен и изящно сервирован, но при одном взгляде на все эти вычурно красивые блюда у него пропал аппетит. Не подавая виду, он учтиво улыбался и слушал разговоры гостей. Сам он говорил мало, тщательно подбирая слова. Он старался не противоречить собеседникам, но делал это с достоинством — так, чтобы не показаться угодливым.

— Моей дочери без малого двадцать лет, — сообщил он в ответ на вопрос и, выдержав град приглашений для Доры на танцы, чаепития, вечеринки с играми (дамы были озабочены партией для своих сыновей не меньше, чем для дочерей), вежливо покачал головой. — Она не создана для столичной суеты и предпочитает тихую жизнь в провинции.

— Скажите, мистер Беллмен, — всех нас давно интересует эта тема, и в Лондоне ходит множество слухов, — кто этот загадочный мистер Блэк?

Вопрос был задан молодой женщиной, сидевшей на дальнем от него конце стола. Задавая его, она улыбнулась — розовый рот, белые зубы, голубые глаза с дразнящим блеском. При всем внешнем несходстве, она вдруг напомнила ему Дору, какой та была в детстве; и он потрясенно подумал, что его дочь сейчас примерно одних лет с этой женщиной, смеющейся и счастливой оттого, что удачно обзавелась мужем и теперь может ходить на званые обеды в васильково-синих шелках и позволять себе некоторые веселые вольности в разговоре.

— Да, да! — подхватили другие голоса. — Кто такой Блэк? Это всех так интригует!

Множество лиц повернулось к нему в ожидании.

— Блэк? Это просто слово, которое хорошо звучит в сочетании с именем Беллмен.

Дамы пришли в восторг, как будто он произнес нечто чрезвычайно остроумное.

— Всего лишь слово! — встрепенулась миссис Кричлоу. — Как я рада наконец-то это выяснить!

— Для звучности! — воскликнул кто-то на другом конце стола.

— Для солидности!

— Для поэтичности!

Все рассмеялись. И Беллмен тоже. Застольная беседа перешла на другой предмет.

Вечером, когда гости разъехались, миссис Кричлоу, причесываясь перед зеркалом, так и не смогла убедить себя в том, что прием полностью удался. Она планировала его как начало дружеских отношений. Она хотела, чтобы Беллмен стал частым гостем в их доме. Она рассчитывала сыграть ведущую роль в подборе ему жены — желательно, из числа своих родственниц... или по крайней мере найти такую женщину, которая впоследствии сможет быть полезной... Этот вечер должен был стать прелюдией к чему-то важному, однако перед самым уходом Беллмена, когда она уже приготовила фразу: «Полагаю, мы скоро увидимся вновь, мистер Беллмен?», эти слова вдруг застряли у нее в горле. Он все понял и взглядом поблагодарил ее за молчание.

— Неужели Беллмен все еще в трауре? — обратилась она к супругу. — Я не решилась его об этом спросить.

— Понятия не имею.

— Со смерти его жены прошло, кажется, года четыре?

— Примерно так.

— Или он в трауре по другому родственнику?

— Сколько помню, он всегда в черном, дорогая. Правда, я видел его только в магазине или по приезде в клуб прямиком оттуда. До нынешнего вечера мы не встречались в другой обстановке.

Она стянула волосы на затылке.

— А ведь ему не понравились наши шутки насчет названия фирмы, верно?

Вместо ответа до нее донесся храп.

Миссис Кричлоу принимала поздравления от конкуренток: ей наконец-то удалось залучить к себе в гости Беллмена, однако победа, увы, оказалась бесплодной. Сотню раз ей пришлось в подробностях описывать этот вечер знакомым, которые на нем не присутствовали: что говорил Беллмен, что он делал, что он ел.

— Он был само очарование, — всякий раз утверждала она.

Но чем больше она об этом говорила, тем сильнее было чувство, что она описывает привидение, химеру, какой-то образ сновидения. Да, с виду он был обычным мужчиной, довольно крупным и солидным, но при всем том было в нем что-то раздражающе нематериальное. И она не могла избавиться от мысли, что истинная сущность Беллмена заключена в чем-то ином.

— Как полагаете, у него есть женщина? — отважилась поднять щекотливую тему одна из ее подруг.

Может, в этом все дело? Может, ключ к сердцу Беллмена находится в руках какой-то тайной возлюбленной? Может, он состоит в связи с замужней дамой и оба вынуждены это скрывать? Или он в кого-то влюблен, но эта любовь безответна? Она продолжала гадать наряду со всеми прочими людьми своего круга. Что, если покойная миссис Беллмен по сей день живет в сердце супруга, тем самым пресекая поползновения новоявленных претенденток?

Жена галантерейщика обстоятельно рассмотрела все эти теории, попутно ожидая, что интуиция вдруг высветит какой-то ранее пропущенный ею жест Беллмена, проскользнувшую незамеченной фразу или мимолетное выражение лица и это даст ключ к разгадке. Но интуиция на помощь не приходила.

Подчиненные Беллмена также активно строили предположения. За работой швеи шепотом (не дай бог, услышит мисс Челкрафт) пересказывали все более невероятные истории о своем нанимателе и его возлюбленных. В столовой продавщицы обсуждали его внешность, склоняясь над тарелками с тушеной бараниной. Ходили слухи о некой вдове, которая часто посещала магазин и подолгу изучала товары, при этом бросая выразительные взгляды в сторону управляющего. Говорили, что Беллмен перед началом своих ежедневных инспекций отправлял посыльного разведать обстановку в торговых залах, и если там обнаруживалась эта женщина, он сидел в своем кабинете вплоть до ее ухода. Были и другие истории — как правило, глупейшие выдумки. Работницы находили его весьма привлекательным и мужественным, а кое-кому импонировали даже его нахмуренный лоб и сумрачный взгляд. Но большинство хотело бы видеть его более жизнерадостным; и практически все сходились во мнении, что хотя бы тень улыбки или намек на смех нисколько бы ему не повредили. Но какими бы ни были их романтические фантазии, при встрече с Беллменом во плоти среди бела дня мысли о флирте мигом улетучивались из девичьих голов.

А что же «девушка № 9»? Когда Лиззи по вечерам вешала платье на крючок за дверью своей спальни, она вспоминала о таком же точно крючке за дверью мистера Беллмена; а когда она забиралась в постель, ей представлялся мистер Беллмен, отходящий ко сну у себя за кабинетной перегородкой. У нее были свои причины желать, чтобы история с его внезапным появлением в ее старом жилище канула в забвение. Да и Беллмен ни единым намеком не показал, что он помнит о том случае. Не будь оставленных им на столе денег — увы, слишком поздно, чтобы оплатить услуги врача для ее ребенка, что, впрочем, лишь немного отдалило бы неизбежное, — она могла бы поверить, что все это ей приснилось. Ныне Беллмен вел себя так, словно ничего такого не было, и ее это вполне устраивало. Здешним девицам дай только повод — засмеют и задразнят; так что она старалась не привлекать к себе лишнее внимание. А в другое время, кроме как при отходе ко сну, она и не вспоминала о Беллмене. Ее ночные мысли касались уже иных предметов: молодого человека, который ее бросил, и дочурки, которую она потеряла. Порой моменты, которые ей вспоминались, были счастливыми, порой нет. В обоих случаях она плакала, но недолго: усталость быстро погружала ее в сон.

19

Конец рабочего дня в магазине всегда следовал заведенному сценарию. Если швеи наверху трудились, пока было достаточно дневного света (летом дольше, зимой меньше), то торговые залы неизменно закрывались ровно в семь. Учитывая, что продажам обильно сопутствовали печаль и скорбь — каковые чувства не ведут счет времени, — выполнение этого правила было делом нелегким и требующим четкой организации. В половине седьмого «утешительницы» (девушки, получившие эту работу из-за особо сострадательных лиц и умения деликатно утешить скорбящих) потихоньку покидали торговую зону, где оставались только «сочувствующие» (эти специализировались на ускоренном обслуживании покупателей). Без четверти семь они ненавязчиво — не сбиваясь с сочувственных интонаций — ставили клиентов перед необходимостью решительного выбора. Если те продолжали колебаться, за пять минут до закрытия в дело вступал сам мистер Хейвуд.

— Не спешите, мадам, — говорил он, — мудрое решение всегда лучше поспешного.

Эта сентенция сопровождалась скупым, но хорошо отрепетированным и недвусмысленно понимаемым жестом: мол, что значит лишний час размышлений в сравнении с вечностью, которая ждет нас всех? Разумеется, мистер Диксон и не подумает вас торопить, он будет стоять за прилавком и ждать — если потребуется, до скончания времен...

И всегда как-то так получалось, что без одной минуты семь выбор был уже сделан — как правило, в пользу более дорогого товара.

Ровно в семь Пентворт закрывал дверь за последним покупателем, всем своим видом выражая ему наиглубочайшие из всех возможных соболезнований, и поворачивал в замке ключ.

Тут наступал момент, когда утешительницы и сочувствующие испускали единодушный вздох облегчения. Они растирали затекшие ноги, прикрывали слезящиеся от усталости глаза, упирали руки в бока и с наслаждением потягивались. При этом рты их оставались на замке. Правило «ни болтовни, ни смеха» продолжало действовать и после закрытия магазина, сохраняя силу в радиусе пятисот шагов от него, так что все замечания личного характера можно было делать только посредством обмена взглядами или же шепотом вдали от ушей начальства. В любом случае этот период расслабления был недолгим, ибо за ним следовал, пожалуй, самый напряженный час рабочего дня.

Из замаскированных стенных шкафов извлекались на свет щетки, тряпки, мастика для пола, и поднималась суета уже иного рода: уборка. Полировались прилавки, разглаживались отрезы тканей, сворачивались тугие рулоны лент, подметались лестницы, натирались полы, чистились зеркала и оконные стекла... День считался законченным лишь после того, как сами девушки выстраивались у бокового выхода для последней инспекции. «И чтобы каждый волосок в прическе был на месте!» — слышали они каждый раз. Приходилось по очереди осматривать себя в зеркалах или поправлять прически друг другу. Только когда и магазин, и его сотрудницы были в идеальном порядке, открывалась боковая дверь, выпуская их наружу.

Отсчет шагов: один, два, три... Пятисотый шаг в одну сторону по Риджент-стрит завершался в аккурат перед табачной лавкой, а в другую — у небольшого ресторанчика, тогда как на Оксфорд-стрит это были «Марчемз» или «Гринуэйз», в зависимости от направления. Все было давно подсчитано, и, только достигнув заветных рубежей, они вновь обретали право на личную жизнь. Только теперь они могли дать выход накопившимся за день эмоциям, только теперь смех мог свободно срываться с их уст, а руки, с восьми утра скованные правилами фирменного этикета, наконец-то могли вволю жестикулировать. И если бы покупатель, недавно обслуженный ангельски сострадательной Сусанной, увидел ее в эту самую минуту — сложившейся пополам от хохота над вульгарной байкой, поведанной складским грузчиком, — он ни за что не поверил бы, что это одна и та же девушка. Даже невозмутимый мистер Пентворт (ему бы стоять архангелом при райских вратах) выказывал изрядную долю веселости при виде своих сыновей, встречающих его на перекрестке. Возвращение домой с работы — что за славный момент!

Уильям Беллмен домой не возвращался. В первый год существования фирмы «Беллмен и Блэк» он так мало времени проводил в своем лондонском доме, что в конечном счете решил сдать его внаем. А когда был выставлен на продажу соседний дом, он приобрел его и также сдал внаем. Сейчас он владел в Лондоне уже четырьмя домами, но предпочитал ночевать в магазине, на узкой кровати за перегородкой своего кабинета, обходясь при утреннем умывании кувшином и жестяным тазом. Так было проще, чем каждый вечер ехать домой. Да, собственно, здесь и был его дом.

Этим вечером Беллмен собирался еще раз просмотреть контракт с Рейнольдсом из Глостера: у него возникло подозрение, что тот исподтишка экономит на качестве сырья. Также не помешало бы взглянуть на последние сводки продаж черного янтаря — эти минуты будут потрачены с пользой. На следующей неделе он вновь пошлет своего представителя в Уитби, и совсем не лишним будет предварительно выяснить, какие гагатовые изделия пользуются наилучшим спросом. Он провел полчаса, с удовольствием занимаясь этими и им подобными вопросами; затем вспомнил о небольшом деле, которое не было смысла откладывать на завтра, а оно в свою очередь напомнило еще об одном...

Взглянув на часы, он уже привычно удивился: время перевалило за девять.

Ночной «Беллмен и Блэк» сильно разнился с дневным. Теперь это был огромный спящий зверь. Откинувшись на спинку кресла и ощутив ритмичную пульсацию, он представил себе, что это бьется пульс «Беллмена и Блэка», хотя прекрасно знал, что это его собственная кровь пульсирует в венах. Впрочем, он воспринимал «Беллмена и Блэка» как естественное продолжение своего тела. Его рука подписывала заказ — и его склады наполнялись товарами; его голос отдавал распоряжения — и его сотрудники их выполняли; он приводил в действие мастерские, отделы и службы точно так же, как действовал собственными руками и ногами. Он был сердцем и мозгом этого предприятия. Оно принадлежало ему. И сам он был его составной частью.

Он поддался искушению, зажег фонарь и вышел из кабинета. Его детище было погружено в сон, а Беллмен сейчас играл роль сновидения. Он перемещался от прилавка к прилавку, выдвигал ящики, перелистывал книги заказов. Осмотрел витрины, в одном месте слегка подвинул манекен, в другом поправил товар на полке. В кромешной тьме отдела доставки его фонарь высветил длинные пустые столы. Он одобрительно провел рукой по стопке упаковочной бумаги, приготовленной к завтрашнему дню наряду с мотками бечевы и бирками. Заметил одну неотправленную посылку. Нахмурился и переписал адрес в свой блокнот. Завтра кому-то не поздоровится.

Оттуда он по лестницам проследовал в бухгалтерию, где склонился над дневными расчетами, как школьный учитель над домашними заданиями, попутно фиксируя чернильные кляксы и качество почерка. Еще выше, в швейном ателье, он проверил, на месте ли все ножницы, осветил фонарем готовую к отправке одежду, придирчиво осмотрел работу недавно поступившей девушки, не поленившись сосчитать количество стежков на дюйм.

Его ночной поход по магазину был прерван шумом наверху.

Голоса. Швеи пели хором у себя на последнем этаже.

Беллмен улыбнулся и посветил фонарем на часы: стрелка уже приблизилась к одиннадцати. Небось ходили после работы на какой-то кафешантанный концерт.

Он прислушался к песне. Нежные девичьи голоса выводили красивую мелодию, но разобрать слова не удавалось. Песня из далекого прошлого, вроде бы смутно знакомая...

Как же там пелось? Он ловил обрывки: «вторит эхо...» как будто? Та-да, ти-ди... «птичьи трели...» и что-то там еще... «навсегда из этих стен...».

По мелодии это была сугубо женская песня. Мужчины предпочитают нечто погрубее, чтобы можно было в такт пению стучать по столам кулаками и чтобы грянуть хором припев до дрожи оконных стекол. Он помнил давние вечера в трактире, которые обычно начинались со старых добрых баллад, постепенно переходя ко все менее пристойным песнопениям. Но случалось и так, что затянувшаяся попойка преодолевала стадию похабщины и вся компания, старики и молодежь, вдруг впадала в сентиментальность. Вот тогда, уже далеко за полночь, охрипшими и нетвердыми голосами они пели песни наподобие этой: нежные и печальные. Когда-то он знал эту песню, но сейчас было бесполезно напрягать память: слова напрочь вылетели из головы. Однако, продолжая осмотр, он начал непроизвольно мурлыкать мелодию, а когда девушки допели до конца и начали ту же песню снова, задержался в помещении мастерской. Их спальни находились всего в нескольких футах над его головой. Только сейчас — и с некоторым удивлением — он вспомнил, что когда-то и сам был весьма недурным певцом.

Песня закончилась. Сверху донеслись слабые и невнятные звуки разговора, а потом все стихло.

Что ж, мастерская в порядке, ни к чему не придерешься. Беллмен оставил записку мисс Челкрафт с благодарностью за безупречность, и на этом его обход был завершен.

Похоже, исполнять песню в третий раз подряд они не собирались.

А жаль...

Чего он, собственно, хотел?

Он и сам не знал. Разве что спать.

Умываясь и раздеваясь перед сном, Беллмен вновь замурлыкал эту песню. Он лег в постель, задул свечу и повернулся спиной к перегородке. В последний миг между явью и сном ему вдруг мучительно захотелось почувствовать женское дыхание на своей шее и объятия ласковых рук. Потом в сознании промелькнуло лицо Лиззи — и его накрыла чернота.

Ночная мелодия отыскала удобное местечко в мозгу Беллмена и накрепко там засела. В моменты глубокой концентрации, удовлетворения или усталости несколько тактов песни сами собой слетали с его губ, заполняемые импровизированными «ти-да», «та-дум» и т. п. В последующие месяцы эта песенка сделалась его неизменной и безотказной спутницей в часы одиночества. Пару раз ему даже вообразилась другая жизнь, в которой он был известным певцом. Среди ночи, стоя на галерее второго этажа, словно на сцене, он исполнял свой музыкальный номер, и голос его эхом разносился над безлюдным партером его магазина. Безголовые манекены и полуодетые бюсты, казалось, внимали его пению, замерев от восторга, но после финальной ноты никто из них не аплодировал.

В наступавшей затем тишине он гадал, как далеко был слышен его голос. Не разбудил ли он девушек двумя этажами выше? Однажды он позволил себе вообразить полуночный хор — он и певицы-швеи красиво и слаженно выводят все ту же мелодию, — но быстро опомнился и прогнал прочь эту бредовую мысль.

20

Однажды утром в узком проулке за Холборном[1], в холодной и замусоренной спальне, проснулся трактирщик и, повернувшись в постели, обнаружил, что его жена тихо скончалась этой ночью. Соседи услышали его вопль и, прибежав, застали беднягу с мертвенно-бледным лицом в окружении восьмерых детей, глядящих на своего отца.

— И что теперь? — растерянно обратился он к соседской жене.

— Ступайте в «Беллмен и Блэк», — посоветовала она. — Уж там-то знают, что делать.

Мать и отец в Ричмонде получили известие о несчастном случае во время верховой прогулки, а спустя несколько минут в дом привезли тело их сына. Позже они станут вместе рыдать и молиться, но в первый момент их реакция была различной. Шокированный отец впал в ступор, ничего не видя и не слыша. И все печальные, но неотложные заботы легли на плечи его жены. «Надо отменить званый обед», — подумала она первым делом. Также надо было послать кого-то на поиски злополучной лошади. Но прежде чем она что-либо предприняла и прежде чем горе запоздало обрушилось на нее всей своей тяжестью, она взяла чернильницу и лист бумаги.

— Пожалуй, лучше пригласить людей из «Беллмена и Блэка», — пробормотала она.

---

[1] *Холборн* — улица и прилегающий к ней район в центральной части Лондона.

Молодая вдова открыла шкаф и провела ладонью по висящим там платьям из черного крепа. Исполнилось два года со дня смерти ее мужа. Хороший был человек. И к тому же красавец. Два года... хотя иной раз бессонной ночью ей казалось, что это произошло только вчера. При всем том она не собиралась продлевать глубокий траур. В сером она будет смотреться вполне прилично и достойно. Кажется, есть такой особый оттенок серого, который подчеркнет голубизну ее глаз и будет прекрасно гармонировать с ее светлыми волосами. Наверняка материал такого цвета найдется в «Беллмене и Блэке».

Знать и простолюдины, богачи и бедняки — все они были равны пред ликом смерти, и все они в тяжкий миг, промокая глаза платочками, вспоминали о фирме «Беллмен и Блэк». В сейфе для хранения дневной выручки оставалось все меньше свободного места, а счета в банке «Вестминстер энд Сити» уверенно росли. Галантерейщики выдавали замуж своих внучек, закатывая роскошные свадебные пиры, — и все это благодаря безутешной расточительности скорбящих. Дела шли в гору.

Беллмен был доволен. С каждым месяцем увеличивалось число сотрудников, едва поспевая за стремительно растущим спросом. Кухарки трудились не покладая рук, чтобы накормить обедами многочисленный персонал. К задним дверям потоком прибывали товары взамен тех, что покидали магазин через главный вход. Успех можно измерять множеством способов — в том числе по затратам на упаковочные материалы или по счетам на починку обуви для носильщиков, которые немилосердно стирали подошвы, бегая вверх и вниз по лестницам между подвальными складами и торговой зоной. Все эти данные в конце каждого месяца сводились в отчет, по изучении которого Беллмен продлевал кривую на своем графике. За прошедшие годы кривая ни разу не прервала свой подъем. Предварительные расчеты, сделанные им в самом начале этой эпопеи, и уменьшенные цифры, которые он предъявил галантерейщикам, дабы не отпугнуть их слишком радужными прогнозами, — где это все? Взгляните на факты! Прибыль в семь раз превышала ту, на которую он изначально рассчитывал. В семь раз!

Беллмен хмыкнул: ну как тут не быть довольным?

При всем том он не забывал о Блэке. Было время, когда эта неопределенность его сильно беспокоила. Но то время ушло. Каким бы странным ни казалось их соглашение, оно действовало. Деньги исправно поступали на второй банковский счет, специально открытый Беллменом для Блэка, и тот мог забрать их в любой момент, когда пожелает. А сумма-то, сумма какая! Интересно, знает ли Блэк о компании «Беллмен и Блэк»? Может статься, он внимательно следит со стороны, выжидая удобный момент, чтобы наложить руку на свой кругленький капиталец. Что, если он порой прогуливается мимо здания, поглядывая на выставленные в окнах товары? Или даже время от времени заходит внутрь и прицenивается, выдавая себя за обыкновенного покупателя?

Беллмен с удовольствием вообразил, как одна из его вышколенных сотрудниц обслуживает Блэка, и без того уже, понятно, одетого во все черное.

Хотя все это казалось маловероятным. Скорее всего, этот человек находился вдали от Лондона. Возможно, путешествовал на континенте или в Америке. Неизвестно, какой образ жизни он ведет. Рискованные приключения, исследование самых дальних уголков планеты... Беллмен не удивился бы, окажись это так. Блэк явно принадлежал к разряду людей, чуждых всяких ограничений и условностей. В таком случае его ждет большой сюрприз, когда, вернувшись в Лондон после долгого отсутствия, он во время поездки или прогулки по городу вдруг обнаружит, что из зернышка идеи, посеянного им несколько лет назад, вырос этот огромный торговый центр. Можно себе представить, с каким удивлением он войдет в здание и попросит провести его к мистеру Беллмену.

Какой это будет прекрасный день! Беллмен предвкушал его с нетерпением. Раздастся стук в дверь, а затем голос Верни: «Тут один джентльмен хочет вас видеть, сэр». И появится Блэк, собственной персоной.

Они обнимутся, как старые друзья, и Блэк похлопает его по спине — без церемоний, по-братски. Беллмен отложит все текущие дела, независимо от их срочности, и скажет Верни (то-то он поразится!): «Меня нет ни для кого! Даже если придет Кричлоу». Потом они с Блэком усядутся в кресла перед камином с бокалами первосортного коньяка, и Блэк поведает о том, где он был и чем занимался все это время. И сразу прояснится множество вещей, над которыми тщетно ломал голову Беллмен. «Представляю, какие ты строил догадки!» — скажет Блэк. А Беллмен, раскурив сигару, ответит: «Я знал, что рано или поздно ты объявишься, старина. Никогда в этом не сомневался!»

Далее Беллмен расскажет своему другу обо всем, что сделал за эти годы, как создал компанию и добился ее процветания, и Блэк наверняка его похвалит: «Надо признать, ты оказался на высоте, дружище Беллмен». Что тут еще скажешь... Беллмен продемонстрирует ему график на стене, бухгалтерский регистр и выписку из банковского счета, который он открыл для Блэка. То-то он возликует!

Двое мужчин, преуспевших в этой жизни, будут беседовать о делах у камина, а потом — да, так и должно быть! — их разговор перейдет от коммерции к более высоким, философским материям... В жизни есть вещи, которым Беллмен до сих пор не мог подобрать название, которые остаются за пределами словарей и справочников, но для Блэка эти вещи не составляют тайны. Беллмен ни секунды не сомневался в том, что Блэк располагает возможностями, выходящими далеко за рамки обычных. Сотрудничество с ним серьезнейшим образом повлияло (не только и не столько финансово) на жизнь Беллмена и его дочери. Беллмен задаст ему сотни вопросов, и Блэк ответит на них — терпеливо, обстоятельно, простыми и понятными словами. Слушая его,

Беллмен узнает массу изумительных и невероятно важных вещей, о которых прежде не мог и помыслить.

Что за чудесная беседа у них будет! К моменту ее завершения за окнами высоко поднимется луна, своим сиянием затмевая и делая невидимыми звезды. Весь Лондон будет спать, не ведая о том, что два незаурядных человека обсуждают в этой комнате великие тайны вселенной... Дружба. Понимание. Взаимное доверие. Как же он мечтал поскорее встретиться с Блэком!

Этот день обязательно придет. Но все зависело от Блэка, а Беллмен, как бы сильно он того ни желал, не мог эту встречу приблизить.

Между тем фирма «Беллмен и Блэк» никуда не делась. И он должен был выполнять свою работу управляющего. Приятные мечтания не приносят прибыли.

И Беллмен вернулся от фантазий к реальным вещам. Но, даже заняв мозг сухими цифрами, операциями сложения, вычитания и умножения, он не переставал думать о том, насколько полезно и важно иметь на своей стороне такого человека, как Блэк.

&

У грачей мало врагов. Эти птицы слишком крупны и сильны, слишком хорошо организованы и, главное, слишком умны, чтобы стать легкой добычей для сов и ястребов. Впрочем, иногда угрозу им представляют люди — и не только мальчишки с рогатками.

Вспомним песенку, которую с давних времен напевают английские матери своим малышам, качая их на коленях. Начинается она так:

Черных птиц две дюжины
В тесто запекли —
Хорошо поужинать
Любят короли.

В пироге весенние
Птицы запоют —
Только до веселья ли
Будет королю?

Упоминаемые здесь черные птицы — это грачи. Вы можете подумать, что пирог с двумя дюжинами грачей должен быть воистину огромным, но это далеко не так. Дело в том, что мясо взрослых грачей отдает горечью. Вам оно не понравится. Приемлемым вкусом (если вы не очень привередливы) обладают только птенцы грачей на той стадии развития, когда они еще не умеют летать, но уже выбираются из гнезда и сидят на соседних ветках, взирая на окружающий мир, который вскоре будет принадлежать им. Эти молодые июньские грачи — единственные представители их племени, годные в пищу людям. Правда, мяса в них наберется немного — только грудка размером с ваш большой палец, что следует признать очень скромным вознаграждением за все усилия по их поимке, ощипыванию и приготовлению. Вот откуда в стишке взялся король: только он и ему подобные могут себе позволить такое блюдо, располагая целой армией птицеловов и поваров.

Но, как говорится, голод не тетка, и когда у наших предков бывали голодные времена, находились такие, кто запасался терпением — а также луком со стрелами — и шел в дубовую рощу сбивать с веток молодых грачей.

Вы можете сколь угодно воротить нос от грачей как пищи, но будьте уверены: грач не станет воротить нос, если ему представится возможность перекусить вами. Где-нибудь в придорожной канаве, на поле битвы или на морском берегу во время отлива он с удовольствием окрасит свой клюв вашей кровью. Когда-то, задолго до появления первых церквей, крестов и гробов, существовал такой обычай: люди укладывали мертвецов на каменное ложе под открытым небом, чтобы их кости были дочиста обглоданы именно таким образом.

Я, собственно, вот к чему клоню: были времена, когда грачи ели ваших предков, и были времена, когда ваши предки ели пироги с грачами. Человек питался грачом; грач питался человеком. Они обменивались плотью. И в результате этого взаимного поедания протеин из человеческого мяса превращался в иссиня-черные грачиные перья, а протеин из мяса грачей становился человеческой кожей.

Между грачами и людьми существует родственная близость. Люди, с их феноменальной способностью забывать, удивляются, когда узнают этот факт. А грачи, с их феноменальной памятью, прекрасно знают, что являются вашей пернатой родней.

Когда грачи собираются в превеликом множестве, для этого есть самые разные названия. Кое-где используют выражение «грачиная обитель».

21

«Беллмен и Блэк» был главной, но не единственной составляющей торгово-промышленной империи Беллмена. Во-первых, он по-прежнему владел Беллменской фабрикой. Еженедельно он получал от Неда отчет о состоянии дел в Уиттингфорде и отправлял ему ответное письмо — иногда на десять-пятнадцать страниц — с указаниями, советами и вопросами. Во-вторых, у него теперь имелась еще одна ткацкая фабрика, приобретенная по сходной цене полгода назад, когда разорился ее предыдущий владелец. Последний действовал неразумно, чересчур полагаясь на одного-единственного крупного заказчика, а тот однажды взял и прекратил платежи. Элементарная ошибка, и Беллмен — который был в курсе ситуации, поскольку много лет назад предвидел такую возможность и дал фабриканту долгосрочную ссуду на выгодных условиях, — воспользовался удобным моментом. После покупки он направил туда одного из ближайших помощников Неда, чтобы реорганизовать фабрику по типу Беллменской. После начального периода неурядиц — никто не любит перемен — дело пошло на лад, и теперь новое предприятие уже приносило прибыль.

Беллмен также владел дюжиной домов в лучших районах Лондона и получал с них изрядный доход в виде арендной платы; да и как вложение капитала они себя оправдывали — земля там будет только дорожать. Дома эти также требовали к себе внимания: надо было привлекать жильцов, регулярно взимать с них плату, выполнять текущий ремонт...

У него на местах имелись люди, непосредственно занимавшиеся этими делами, однако Беллмен, по своему обыкновению, предпочитал лично вникать во все детали.

Помимо всего прочего, Беллмен постоянно и очень внимательно следил за своими инвестициями в другие предприятия. Многие молодые предприниматели со свежими идеями, имеющими касательство к производству ритуальных товаров, обращались за финансовой поддержкой к Беллмену и получали эту поддержку. Но перед тем их идеи подвергались тщательной проверке, и если в них был какой-то изъян, Беллмен его находил. Он изучил сферы деятельности, далекие от его собственной, а знание ключевых, универсальных факторов, влияющих на успех или неудачу, помогало ему в оценке каждого конкретного проекта. Вложение денег всегда обусловливалось его участием в управлении данным предприятием. И хотя участие это было ненавязчивым и малозаметным, оно существенно влияло на весь процесс. Энсон из банка «Вестминстер энд Сити» ориентировался по Беллмену, как по барометру: если тот инвестировал в какое-то дело, значит, дело это было надежным, тем более что за деньгами Беллмена неизменно следовали его контроль и дельные советы. И банкир при возможности перемещал свои личные средства вслед за Беллменом, приобретал долю в тех же компаниях и всегда оказывался в выигрыше.

Однажды вечером Беллмен пригласил своего банкира и компаньонов-галантерейщиков в клуб «Расселл», чтобы обсудить задуманное им расширение предприятия. Ранее были составлены и в общих чертах согласованы планы открытия новых магазинов «Беллмена и Блэка» в Бате, Йорке и Манчестере. Для них уже подобрали участки, а банк и компаньоны согласились выделить средства на покупку земли и наем архитекторов. Но Беллмен этим не ограничился — его посетила новая идея, которую он и представил на встрече остальным четверым. Суть идеи была в следующем: передавать престижную торговую марку «Беллмен и Блэк» в пользование независимым торговцам ритуальными товарами, одновременно подключая их к системе снабжения «Беллмена и Блэка», а взамен получать определенный процент от их прибылей. Собеседникам это предложение показалось, мягко говоря, экстравагантным.

— Но с какой стати торговец, который привык быть сам по себе, вдруг согласится на такие условия? — озадачился один из галантерейщиков.

— И как мы будем регулировать снабжение, если, к примеру, в манчестерском магазине закончатся итальянские кожаные перчатки? — поинтересовался другой.

У Беллмена на все были готовы ответы. Он знал, как решить любую проблему. Всякому сомнению он противопоставлял уверенность. Он заполнял пробелы в знаниях компаньонов проверенными фактами и цифрами. Он досконально изучил все детали, а его пояснения были столь убедительными, что понемногу странная идея начала казаться всем разумной и самоочевидной, — оставалось лишь удивляться тому, что они сами до этого не додумались еще раньше Беллмена.

— Где же вы находите время на все это? — спросил его Энсон во время паузы, когда официант принес новые порции напитков. — В чем ваш секрет?

Беллмен пожал плечами:

— Время проходит быстрее для бездельников, чем для активных людей. Чем больше вещей мне нужно сделать, тем больше времени оказывается в моем распоряжении. Я заметил это еще очень давно.

Они сделали по глотку бренди и вернулись к главной теме. Компаньоны уже были готовы поддержать Беллмена. Энсон права голоса не имел, поскольку не входил в долю, но мнение его представляло интерес и было выслушано с должным вниманием.

— А как быть с Томпсоном и его пропагандой крематориев? — спросил он. — Томпсон прав насчет кладбищ в том смысле, что они создают угрозу эпидемий, и с этим надо что-то делать. При таких новых веяниях разумно ли затевать расширение бизнеса именно сейчас?

На это последовала бурная реакция галантерейщиков.

— Богопротивная затея!

— Вот именно! Никогда англичане не согласятся на такое безобразие!

— Люди не посылают его ко всем чертям только потому, что он придворный врач. А его идея — чистой воды бред!

Беллмен был единственным, кто напрямую связал этот вопрос с их бизнесом.

— На мой взгляд, погребение есть погребение, независимо от способа. Для нас главное — это ритуал, а он всегда будет востребован. Гроб — гораздо более крупный товар, чем урна для праха, но гробы обычно делаются из дерева, материала сравнительно дешевого. Есть, конечно, и дорогие гробы, но многие люди просто морально не готовы выкладывать крупную сумму за вещь, которая сразу после церемонии будет закопана в землю. А урна с прахом, которую многие пожелают хранить у себя дома на видном месте, может быть сделана из самых дорогих материалов, вплоть до серебра или золота, и вдобавок украшена гравировками, инкрустациями и тому подобным. Если Томпсон преуспеет в своем начинании, я не вижу причин, по которым это могло бы негативно отразиться на нашем бизнесе. Лично я счел бы это не угрозой, а скорее новой перспективой.

— И вы не считаете нужным подождать с расширением хотя бы до исхода этого дела в Уэльсе? Оно может стать дурным примером.

— Вы имеете в виду того друидического доктора, который сжег труп ребенка на склоне холма?

Последовало всеобщее качание головами и брезгливое поджимание губ.

— Кошмарная история!

— Этот тип — язычник!

— Он создал больше проблем самому себе, чем кому-либо другому. Сказать по правде, он достоин жалости.

— Вы думаете, он сумасшедший?

И галантерейщики начали обсуждать этот случай, так сильно взволновавший общественность.

— Я вижу в этом деле только один позитивный момент, — заявил Кричлоу. — Христианский суд вынесет приговор, создаст прецедент и тем самым положит конец Томпсоновскому обществу.

Остальные закивали с умудренным видом.

— Надеюсь, вы окажетесь правы, — сказал Энсон.

— Значит, начинаем действовать? — Беллмен задал вопрос, но в его устах он прозвучал скорее как утверждение.

Компаньоны кивнули. Получив их согласие, Беллмен поднялся и тотчас покинул собрание.

— Снова за дело, — сказал Энсону один из галантерейщиков. — Трудится, не щадя себя. Этим человеком нельзя не восхищаться.

Возвращаясь из клуба домой, Энсон размышлял о только что состоявшейся встрече. Нельзя не восхищаться? И да и нет. Он испытывал глубочайшее уважение к деловым способностям и финансовой прозорливости Беллмена, но эта его безоглядная напористость оставляла много места для сомнений: во благо она была или во вред?

Энсон считал себя усердным работником. Пять дней в неделю с десяти утра до четырех пополудни он находился в банке; по вечерам приватно общался с клиентами и потом еще решал кое-какие деловые вопросы в своем клубе, а при обилии бумажной работы брал ее домой на выходные. Но почти каждый день он имел несколько свободных часов, посвящая их личным делам и семье.

Энсон получал огромное удовольствие от общения со своими детьми — как взрослыми, от первого брака, так и маленькими, от второго. Прогулка по саду субботним утром была для него чем-то вроде сакрального ритуала. Кроме того, он чувствовал себя ущемленным, если в течение дня ему не удавалось хотя бы полчаса провести за чтением хорошей книги. И еще были женщины: в первую очередь, разумеется, его жена, которую он искренне любил и берег, а также парочка других — веселых, ласковых и благоразумных. Что поделаешь, он всегда питал слабость к женскому полу. И все это составляло основу его жизни. Ради этого он трудился. Когда он тратил заработанные деньги — на цветы для жены, пианино для дочерей, серьги для любовницы, — это воспринималось как закономерный итог его трудов, как естественное завершение цикла, началом которого была работа в банке. И в этом плане его жизнь разительно отличалась от жизни Беллмена.

Да, у Беллмена была дочь — во всяком случае, так говорили, — но не похоже, что он уделял ей много внимания. Она жила вдали от Лондона, а Беллмен никогда не отлучался из столицы более чем на сутки. И ничто не намекало на наличие у него любимой женщины. Верхний этаж магазина был занят целым гаремом молоденьких работниц в количестве, способном удовлетворить любого султана, однако инстинкт — развитый у него лучше, чем у той же миссис Кричлоу, — подсказывал Энсону, что Беллмен ни к одной из них даже не притронулся. Не питал он и пристрастия к еде или алкоголю. Он держал в своем кабинете бутылки с дорогими напитками, но, насколько мог судить Энсон, предназначались они в первую очередь для посетителей. Пару раз Беллмен по срочным делам заезжал к нему домой и во время этих кратких визитов, с одинаковым безразличием принимая предложенную чашку чая или бокал бренди, оставлял и то и другое недопитым. У него не было никакого хобби. У него даже не было жилища, достойного так именоваться. Человек просто работал, как заводной, не нуждаясь в отдыхе, покое и дружеской компании. Это впечатляло. Но было ли это нормально?

«Он сделан из другого теста, — размышлял Энсон. — Он отличается от нас, и все же он обычный человек. Как долго может человек выдерживать такой стиль жизни?»

22

Жилетный кармашек, в котором Беллмен носил часы, растянулся под их весом, и в нем наметилась пока еще небольшая прореха.

— Пришлите одну из девушек, чтобы сняла с меня мерку для нового жилета, — сказал он мисс Челкрафт, и та прислала Лиззи.

Он снял пиджак и повесил его на спинку стула.

— Кажется, он из английской шерсти? — заметила Лиззи. — Ткань мягкая, но не такая прочная, как из испанской.

— Тут дело не в шерсти, а в способах выделки, — пояснил Беллмен. — Эти способы различаются от места к месту.

Он снял жилет и остался в одной рубашке. Лиззи достала из поясного кармана портновскую мерную ленту, и он ощутил ее легкие быстрые прикосновения — к шейному позвонку и талии, к плечу и ключице, затем обхват груди, обхват талии. Между измерениями она делала шаг назад и записывала результаты. Так она то приближалась, то отдалялась один, два, три раза... На него — то есть ему в лицо — она не взглянула ни разу, и он также не поворачивал головы в ее сторону, однако следил краем глаза.

Еще секунду-другую спустя он вдруг услышал собственный голос, очень тихо, но все же различимо выводящий мелодию. Вероятно, его грудная клетка начала непроизвольно вибрировать, потому что Лиззи слегка надавила пальцами ему на плечи, побуждая его к неподвижности, а затем послышался ее голос:

— Девушки наверху говорят, что мистер Беллмен — это ночной призрак магазина.

Голос звучал совсем близко, так что он мог бы почувствовать ее дыхание на своей шее, однако же не почувствовал.

— И почему они так говорят?

— По ночам они слышат пение мистера Беллмена.

— А-а...

— Но мистер Беллмен плохо знает слова этой песни.

— Вот как?

— Плечи еще не затекли? Нет? Тогда я прикину выкройку. Это та, что мы использовали в прошлый раз, с тех пор ваши размеры не изменились.

Она разложила на столе несколько кусков материи, быстро скрепила их булавками и, вновь приблизившись, приложила к его спине. Одновременно у самого уха Беллмена чуть слышно зазвучало пение:

Так же звезды светят долу,
Так же дождь стучит в окно,
Но молчит небесный голос —
И молчит уже давно.
Эхо слышится одно,
Только эху все равно...

«Какая печальная песня!» — подумал Беллмен. Прежде, по отдельным словам, он не мог судить о ее содержании. И он вряд ли стал бы ее петь по ночам, если бы знал об этом. Однако тихий голос Лиззи звучал чарующе, и он был рад, когда она продолжила:

Ветер так же лес качает,
И вода бежит струею,
Но куда, куда умчалось
Все прекрасное былое?
Только вторит эхо злое:
Нет покоя, нет покоя!

Странное ощущение возникло у него в груди: словно вот-вот должно было высвободиться нечто, с давних пор находившееся в постоянном напряжении. Как будто некие тиски, туго сжимавшие что-то внутри его, наконец должны были разомкнуться... Что такое с ним происходит?

А Лиззи уже стояла перед им. Видимо, испытывая неловкость, она не решалась смотреть ему в лицо. Пение стихло. Она прикладывала к его груди выкройку передней части, на плечах скрепляя ее со второй половиной.

— Пойте дальше, прошу вас, — сказал он внезапно охрипшим голосом.

Краска на ее щеках стала гуще. Она находилась так близко, что он видел влажную внутреннюю поверхность ее губ, когда рот открывался в пении.

Так же слышно птичьи трели
(Где тоска — любви взамен).
Неужель ушло веселье
Навсегда из этих стен?
Эхом отдает рефрен:
Прах и тлен! Все прах и тлен!

Она поплотнее прижала выкройку к его груди, а когда ее голос дрогнул и пропустил одно или два слова, Беллмен с удивлением обнаружил, что он и сам помнит текст. Песня, которой его давным-давно научили пьянчуги в «Красном льве» и которая с тех пор забылась на девять десятых, вдруг начала возвращаться к нему из прошлого. Слова, ранее ускользавшие, теперь одно за другим приходили в голову в тот самый момент, когда они были нужны. Помня о присутствии Верни в соседней комнате, он старался петь как можно тише, себе под нос:

Сгинь, мучительное эхо!
Прежде радость ты несло,
Но теперь мне не до смеха:
Все, что было, то прошло!
Жизнь — досадная помеха,
Я живу себе назло...

Лиззи закончила с выкройкой и теперь, сложив руки, следила за пением Беллмена, как ранее он следил за ней. Сейчас он мог бы запросто взять ее руки в свои...

«Надо спросить ее о Блэке», — подумал Беллмен. Он собирался это сделать уже... уже ох как давно.

— Когда мы встретились в ночь перед открытием магазина... — начал он и, запнувшись, неожиданно сбился с мысли о Блэке и произнес совсем не то: — У вас в комнате стояла детская кроватка.

Она заметно вздрогнула:

— У меня была маленькая дочь. Ее звали Сара. Она...

Лиззи замолчала, судорожно сглотнув. Глаза ее наполнились слезами, которые блестели, чуть подрагивая; потом по щеке скатилась первая слезинка, за ней последовала вторая, потом еще, но сквозь горькие слезы Беллмен, изумившись, разглядел улыбку. Ей не было нужды что-то объяснять; лицо ее, осветившись воспоминаниями о минутах счастья и боли, говорило само за себя. Взгляд, которым она одарила Беллмена, был прекрасным и пугающим, и он принял этот дар с радостью.

Беллмен чувствовал, как в нем самом что-то зреет, наполняется до краев. Вот уже дрогнули губы. Каким сладким облегчением стали бы сейчас слезы — когда есть песня, могущая говорить за него, и есть женщина, с которой можно эти слезы разделить... В глазах появилась резь, давление изнутри усиливалось, и вот, когда все окружающее уже начало расплываться в бриллиантовой дымке, он заметил — или ему так показалось — какое-то движение по ту сторону оконного стекла.

— Что это было? — спросил он.

— О чем вы?

— Там, за окном. Кажется, птица?

— Я ничего не видела.

В момент чудесного удивления он естественным, почти машинальным движением взял ее руки в свои.

Было время, когда Уильям Беллмен умел целовать женщин. Он знал, как доставить им удовольствие и как получить его от них. Он мог сочетать силу с нежностью, когда прижимал их к себе, чувствуя, как другое сердце бьется совсем близко в унисон с его собственным.

«Однако теперь я намертво связан с Блэком», — вдруг подумал он, оглядывая небо за окном в попытке обнаружить то, что нарушило хрупкую гармонию. Утешительный, сладостно-печальный момент единения был упущен.

Он отпустил руки Лиззи. Отстранившись, она вновь занялась выкройками.

— Карманы сделать на том же месте, мистер Беллмен?

— Да, пожалуй.

— Теперь не двигайтесь, а то можете уколоться. Сейчас я сниму это с вас.

Он стоял смирно, пока она снимала с него сколотые булавками куски материи, которые затем сложила вдвое и перекинула через руку.

— Все будет готово завтра. К середине дня не слишком поздно?

— Можете не спешить.

И Лиззи отправилась обратно в мастерскую, а Беллмен вернулся к своей работе.

23

— Уилл!

Уже очень давно никто не называл его уменьшительным именем — да и по имени вообще, — так что Беллмен не сразу сообразил, что этот возглас адресован ему. Он почти миновал встречную женщину, однако замедлил движение, почувствовав на себе ее выжидающий взгляд. Лишь затем до него дошло, что обращаются именно к нему, и Беллмен остановился.

Лицо было знакомым и в то же время неузнаваемым. В своем магазине он знал всех и каждого, но эта встреча произошла на главной улице Уиттингфорда. Судя по фамильярному приветствию, женщина была с ним в дружеских отношениях, однако он, хоть убейте, не мог ее распознать.

— Как поживаешь? — спросила она, улыбаясь, и тут заметила его растерянность. — Я Джинни Армстронг. Когда-то звалась Джинни Олдридж... Давно это было. Неудивительно, что ты меня не узнал. Я сильно изменилась.

Было и впрямь нелегко разглядеть в этой женщине прежнюю Джинни. Она постарела, растолстела, поседела. Но не только время внесло свой вклад в эти перемены. Что-то еще наложило мрачную тень на ее черты.

Беллмен рассеянно слушал ее рассказ о детях. Старший, Роб, теперь самостоятельно занимался поставками хлеба на фабрику и в особняк Беллменов.

— Хвала Господу, что у нас есть Роб, вот что я тебе скажу. Хоть он еще молод, но взял на себя все заботы о пекарне, заказах и прочем. Даже не представляю, что бы мы без него делали. И твоя Дора была как ниспослана свыше: растолковала ему азы учета. Вообще-то, сказать по правде, она сама этот учет и ведет вместо Роба. Вот закончит школу наш второй сын, тогда станет полегче. А мне совсем не до пекарни, уход за Фредом отнимает все больше времени, кто-то должен быть при нем постоянно. Сейчас с ним осталась наша дочь, пока я хожу за...

Из этого потока слов он выудил следующее: Фред был тяжело болен; его сын Роб вел все дела в пекарне, уже в юном возрасте взвалив на плечи отцовскую ношу; его собственная дочь оказывала помощь семье Армстронгов. Он смутно припомнил фразу в одном из отчетов Неда: мол, пекарь нездоров, однако поставки из пекарни осуществляются без перебоев. Еще ранее Нед вроде бы упоминал о том, что Дора обучилась у него основам бухгалтерского учета и по утрам несколько раз в неделю выполняет кое-какую работу в фабричной конторе. Да, его обо всем информировали, вот только реальность оказалась для него неожиданной.

Болтовня Джинни внезапно прервалась — ее посетила мысль.

— Слушай, а почему бы тебе не заглянуть к нам хоть ненадолго? Фред частенько говаривал: «Я знал, что он далеко пойдет, этот Уилл Беллмен». По его словам, он заметил это в тебе еще с детства. И ты здорово помог ему с заказами для фабрики. В ту пору ты нас поднял и крепко поставил на ноги, так оно и было. И Фред никогда об этом не забывал.

Голубизна ее глаз утратила тот чистый оттенок безоблачного летнего неба, каким отличалась в юности.

Из ниоткуда в его сознании возникла картина: речной берег, заросли осоки и ноги Джинни, белые в черных ботинках, раскинутые на зеленом мху.

Он заметил, что и Джинни сейчас вспоминает то же самое. А она заметила, что вспоминает он.

— Навести его, Уилл, — попросила она. — Для него это очень важно.

— Хорошо, — сказал он. — Я приду.

— Стало быть, ты работаешь в конторе вместе с Недом? — спросил он Дору за завтраком.

— Да, уже полтора года.

Он кивнул, отмечая про себя этот факт.

— И тебе это нравится?

— Да.

— Как и работа для пекарни?

Она помедлила с ответом.

— Армстронги хотели забрать из школы Фреда-младшего и Билли, чтобы они помогали в пекарне. Их можно понять, но я подумала, что это неправильно. Еще хотя бы год или два обучения, и тогда от них будет куда больше толку. Роб освоил практическую сторону дела и вполне с этим справляется, но кому-то нужно было заниматься счетами, вот я и вызвалась.

— Выходит, ты у них за счетовода. И тебе за это платят?

Дора улыбнулась:

— Мы бесплатно получаем свежий хлеб. И можем пользоваться их фургоном для воскресных поездок. И еще: когда Роб засыпает во время пикника или в твоем старом кресле после того, как принесет счета, я могу использовать его как модель и рисовать хоть целый час, а он не сдвигается ни на дюйм. По-моему, это справедливый обмен.

Он кивнул:

— В любом случае, будет намного дороже и хлопотнее искать нового поставщика для фабрики, если Армстронги с этим не справятся.

— Ты вроде собирался проведать мистера Армстронга до своего отъезда в Лондон? — спросила Дора, глядя на него поверх бутерброда с джемом. — Роб сказал об этом Мэри, когда утром привозил хлеб.

Беллмен нахмурился. А ведь верно. Он обещал.

— Я обязательно к ним загляну. Но сейчас... — Он сделал жест в сторону письма, лежавшего на краю стола.

Письмо было от Верни, который сообщал о множестве самых разных вопросов, возникших за период недолгого отсутствия Беллмена, — с тем чтобы он все заранее обдумал и по возвращении был готов принять меры. И тотчас же его охватил позыв к действию: в Лондоне ждали дела, не терпящие отлагательства.

— Мне срочно нужно в Лондон, — сказал он.

Он уже не мог усидеть на месте и поднялся из-за стола, не дожевав последний кусок и на ходу вытирая губы салфеткой.

— А что такое с мистером Армстронгом?

— Он умирает, — сказала Дора ровным голосом.

— Передай, что я загляну к ним в следующий приезд, — сказал он, как будто не расслышав ее слов, по пути к двери бросил салфетку прямо на пол и через секунду был таков.

— В следующий раз будет уже поздно, — сказала Дора, обращаясь к захлопнувшейся двери.

И откусила еще кусочек от своего бутерброда.

Чтобы ничего не забыть, Беллмен делал пометки в блокноте. И при следующем обмене письмами с Недом он сообщил, что похороны владельца уиттингфордской пекарни, много лет снабжавшего завтраками Беллменскую фабрику, будут организованы и проведены компанией «Беллмен и Блэк» за его, Беллмена, счет. По такому случаю не мог бы Нед в подходящий момент уведомить об этом миссис Джинни Армстронг, а также выступить посредником между ней и мистером Латимером, распорядителем от компании «Беллмен и Блэк», дабы все было устроено согласно пожеланиям семьи покойного? Записку соответствующего содержания он направил мистеру Латимеру, отвечавшему в его фирме за организацию похорон.

Несколько недель спустя Беллмен в своей обычной манере — быстро и уверенно — разбирался с документами, внушительная стопка которых скопилась на его столе. И вдруг замер, глядя на очередной листок.

Что это такое? Счет за похороны, организованные компанией «Беллмен и Блэк» без взимания платы с клиента? Фамилия: Армстронг...

Фред!

Кровь мгновенно прилила к лицу, сердцебиение резко участилось. Одновременно что-то сдавило ему горло.

Одним росчерком — торопливым и менее разборчивым, чем его обычная подпись, — Беллмен подмахнул счет и сразу перешел к следующему документу.

Он работал сосредоточенно, даже очень сосредоточенно. Он работал очень быстро и еще быстрее. Каждая его минута, каждая секунда, каждая доля секунды были посвящены только работе. Когда стопка документов на столе иссякла, он занялся сложным анализом, на днях подготовленным по его просьбе бухгалтером и теперь дожидавшимся своего часа. Делая пометки и составляя список запросов, он просидел до рассвета и напоследок разродился многостраничным комментарием. Потом нашлись еще кое-какие давно отложенные дела. И к тому утреннему моменту, когда в дверь кабинета постучал явившийся на работу Верни, он уже напрочь забыл о приливах крови, сердцебиении и сдавленном горле, а похороны Фреда стали для него чем-то относящимся к далекому прошлому.

24

Верни положил на его стол сводный отчет и еще несколько сопутствующих документов. На сей раз в движениях его сквозила какая-то неуверенность.

— Думаю, вам стоит взглянуть и на это, — сказал он, кладя поверх деловых бумаг свежую газету.

Беллмен взглянул: газета была свернута таким образом, чтобы на виду оказалась статья, подписанная одним маститым литератором. Судя по заголовку, в статье критиковались неумеренные траты британцев на похоронные ритуалы.

— И этот туда же? — Беллмен пробежал глазами текст. — Не вижу проблемы. Такие статьи настраивают людей против шарлатанов от ритуального бизнеса и тем самым направляют их к нашим дверям. Это все к лучшему.

Верни кивнул.

— У меня на сегодня все, если я вам больше не нужен.

Они распрощались.

Это был последний день октября, и, хотя за окном лил хмурый дождь, настроение у Беллмена было самое радужное. В последнюю пятницу каждого месяца начальники отделов сдавали ему отчеты по результатам своей деятельности за прошедшие четыре недели, фиксируя колебания продаж по разным группам товаров и факторы, на это влияющие. Большая часть информации уже была ему известна — недаром он трижды в день совершал обходы, — и все же Беллмен с удовольствием предвкушал этот час после закрытия магазина, когда он останется наедине с отчетами. Рост либо снижение спроса на шляпы и причины этого; неожиданный всплеск интереса к гагатовым украшениям со змеиными мотивами; затоваренность канцелярскими наборами и перебои с поставками итальянских перчаток, — Беллмен питал неослабевающий интерес ко всем нюансам своего бизнеса. Грандиозные похоронные церемонии — как, например, похороны графа Стэнфорда двумя месяцами ранее — могли вызвать скачок прибылей почти во всех подразделениях «Беллмена и Блэка». По мере чтения отчетов у него то и дело возникали вопросы и замечания, и тогда на полях появлялись вопросительные знаки, стрелочки или пара-другая слов. Он не упускал из виду ничего.

От текстов к цифрам: на очереди была сводка от главного бухгалтера. В данном случае Беллмену достаточно было лишь окинуть взглядом страницу, и ошибка, окажись она там, сразу бросалась ему в глаза, как статуя, вдруг очутившаяся среди танцоров в бальном зале. Он просмотрел ряды и столбцы цифр, не найдя никаких погрешностей. Но самая нижняя строка вызвала у него крайнее недоумение. Он поднес бумагу ближе к глазам, потом отодвинул и посмотрел издали. Затем бросил листок на стол и задумчиво вперил взор в произвольную точку на стыке потолка и стены. Что бы это значило?

Это был еще один удачный месяц, не так ли? Нескончаемым потоком в магазин шли скорбящие, прицениваясь, выбирая, оставляя здесь свои деньги и уходя успокоенными. И на замену каждому клиенту, у которого истекал срок траура, находился кто-то новый, только что в траур вступивший. Да и первая из этих категорий клиентов вовсе не была гарантирована от повторных визитов в «Беллмен и Блэк» в связи с кончиной еще кого-нибудь из близких: согласно широко распространенному предрассудку — к чему его развенчивать? — однажды приобретенная траурная экипировка впоследствии не хранилась дома «на всякий случай», ибо это могло накликать беду. А если клиент сам отправлялся к праотцам и уже не мог лично потратить в магазине ни пенни, он и посмертно вносил еще один, и немалый, вклад в процветание фирмы... И пусть себе поэты и писатели публикуют в прессе десятки статей с призывами сократить разорительные траты на похороны, это не имеет значения. Пока люди продолжают умирать, их родственники будут приходить в «Беллмен и Блэк» за погребальным реквизитом и новыми черными нарядами...

Ничего не изменилось и в этом месяце. Упаковщики израсходовали тысячи ярдов бумаги и бечевки, заворачивая посылки, которые отправлялись во все концы страны. Швеи истратили тысячи ярдов черных ниток, стежок за стежком прошивая черный креп или кашемир. Он видел последние счета за нитки и упаковочную бечевку — с этим все было в порядке.

Он взял листок и еще раз посмотрел на итоговые цифры. Объем продаж за октябрь остался на уровне предыдущего месяца. Никакого увеличения.

Беллмен нахмурился. Означало ли это, что рынок достиг естественных пределов расширения? Если так, это еще не великая катастрофа: на том же уровне они смогут работать дальше до бесконечности. Или это был — сердце его тревожно сжалось — признак чего-то иного? Может, остановка роста являлась предвестием нисходящей тенденции?

Беллмен обмакнул перо в черные чернила и подошел к настенному графику. Рука его поднялась, но в последний момент замерла. Нет, этого не могло быть! Не иначе, Верни с его пляшущими в воздухе пальцами допустил ошибку в расчетах. Не там поставил точку, отделяющую дробь от целого числа. Спутал тройку с восьмеркой. Завтра он заставит его это исправить.

Так и не притронувшись к графику, он убрал черную ручку на место.

Оставался еще прогноз на ближайший месяц. Надо подумать. Что сейчас происходило в Лондоне? Температура падала. Скоро станет еще холоднее, и люди озаботятся проблемой отопления. А для кого-то встанет выбор между дровами в камине и едой в котелке. Снег завалит сельские дороги и затруднит сообщение. В отдаленных местечках возникнут проблемы с доставкой продовольствия. Но и к богачам зима отнюдь не благосклонна. Даже закутавшись в меха, они будут мерзнуть во время воскресных служб в церкви. На обледенелых тротуарах немудрено поскользнуться и упасть; будут переломы, а с ними и инфекции. Болезни воспользуются зимним ослаблением организма и будут чаще доводить свое дело до трагического конца.

Беллмен взял ручку с синими чернилами и приготовился наметить цель на предстоящий месяц. Перо зависло над графиком. Впервые ему вдруг представилась кривая продаж, идущая вниз. Он попытался вытравить эту пугающую картину из сознания, а потом решил, что лучше будет отложив прогнозирование до утра, дождаться Верни и еще раз все перепроверить.

В глухой час ночи кривая с графика прорезала тьму и впилась в мозг Беллмена, который вновь занялся вычислениями — а может, и не переставал их делать с момента отхода ко сну. Галантерея, плюс шляпы, плюс канцтовары, плюс погребальная атрибутика, плюс... Март, плюс апрель, плюс май, плюс июнь... Апоплексические удары, плюс сердечные приступы, плюс инфлюэнца, плюс чахотка, плюс истощение... Перечень продолжался и продолжался, он сбился, запутался в цифрах, был вынужден вернуться и начать сначала...

Что еще он забыл?

Кривая шла вверх, и даже круче прежнего — июль, август, сентябрь, — с каждым месяцем все выше, превосходя самые амбициозные ожидания Беллмена. Он приблизился к графику, чтобы обозначить синими чернилами планируемый рост продаж, но в последний миг незримая рука заставила его перо опуститься и ткнуться в бумагу гораздо ниже того места, на которое он нацелился.

«Так низко? Это невозможно!» — подумал он. Но темная, мрачная уверенность уже проникла в его сознание: продажи будут падать.

И снова подсчеты, и оборот снижается из месяца в месяц — пол-ярда черной тесьмы, детский надгробный камень, гагатовая шляпная булавка, дюжина ярдов шерстяной ткани, траурные костюмы для четырех слуг, восемь сопровождающих на похороны графа и... что еще он забыл?

Все ниже и ниже катится кривая, наискось пересекая бездонное небо над Уиттингфордом, все ниже и ниже, к старому дубу на самой окраине...

Беллмен проснулся.

Сердце бешено колотилось, смутное ощущение опасности медленно покидало его сознание вместе с остатками сна.

Он зажег спичку, а от нее свечу и почувствовал себя немного спокойнее в компании крохотного огонька. Выпил глоток воды. Надо бы подняться с постели и посидеть в кабинете, пока не полегчает. Должно быть, в этом закутке слишком душно.

В ночной рубашке и колпаке он подошел к окну. Снаружи было темно и тихо. За внушительными фасадами Ридджент-стрит были другие улицы, поуже и поскромнее, где в комнатах над своими лавками спали мясники, книготорговцы и табачники, их жены и дети. Еще дальше начинался нищий и густонаселенный район — там зачастую вся семья ютилась в одной комнате, а в одном доме могло помещаться до сотни человек. Люди. Живые и умирающие — все они были потенциальными клиентами фирмы «Беллмен и Блэк».

У Беллмена затекла спина и начали ныть ступни. Ему нужно отдохнуть, но сна ни в одном глазу. Все из-за этих отчетов. Как-то не верится, что Верни допустил промах. Его сотрудники отличались прилежностью и педантичностью, а введенные Беллменом правила предполагали обязательную проверку и перепроверку всех финансовых документов. Но ошибка все же каким-то образом вкралась в отчетность. Как иначе объяснить такой результат?

Надо взять исходные данные и самому все пересчитать.

Так он и сделал.

Результат получился тот же.

С мрачным видом Беллмен поднес свечу к графику на стене. Затем провел огоньком вдоль всей линии на графике, от самого первого месяца работы магазина до настоящего дня.

И поразился.

«Десять лет! — подумал он. — Вот уже десять лет, как я рисую этот график на этой стене!»

Как такое возможно? Как могло пройти десять зим, а он этого не заметил? Но тогда получается, что ему сейчас... сорок девять лет! Он сделал вычисления в уме — так и есть, сорок девять! Он посмотрел на свое отражение в оконном стекле. На фоне тьмы он в своем белом облачении казался призраком. Из-под ночного колпака выбивались седые волосы. Он выглядел очень утомленным. И он действительно очень устал.

В изумлении он покачал головой — и нелепая белая фигура в колпаке ответила ему синхронным покачиванием. Как он мог не заметить десяток прошедших лет? И это он, который замечает все! Который никогда ничего не забывает!

Что-то екнуло у него в животе, и пол начал уплывать из-под ног.

«Ну вот, опять», — подумал он.

Сначала тошнота, потом дрожь и головокружение.

Он сделал глоток бренди — слегка отпустило.

«Не раскисай, — сказал он себе. — Сосредоточься на цифрах. Они складываются и дают итоговую сумму, не так ли?»

Именно так. Однако сейчас они не желали складываться.

Фасоны шляпок. Гробы в Ланкашире. Граф Стэнфорд.

Или он что-то еще упустил?

Только одна вещь реально влияла на доходы «Беллмена и Блэка» — смерть.

Так чья же незримая рука столько раз накладывалась на руку Беллмена перед настенным графиком, понуждая его завышать ежемесячные прогнозы? Не та ли самая рука, что накрывала рты и ноздри больных, понуждая их покинуть этот мир? Что нажимала на курок самоубийц, разочаровавшихся в жизни? Что вкладывала пузырек с настойкой опия в руки страдающих от безнадежной любви?

Кто все это проделывал?

Блэк.

Его начало так сильно трясти, что пришлось опереться о край стола, дабы сохранить равновесие. Только сейчас он вдруг вспомнил, что тот самый договор с Блэком так и остался недописанным.

Где-то должен быть черновой набросок. В лихорадочной спешке он выдвигал ящики стола и перебирал бумаги, которые выскальзывали из дрожащих рук и разлетались по полу кабинета. Он опустился на четвереньки и при слабом свете свечи стал просматривать один листок за другим, подслеповато щурясь и, как рыба, хватая ртом воздух.

«Сколько же я ему должен?» — думал Уильям.

Черновика нигде не было.

Ничего страшного. Он может составить договор заново. Главное — разобраться с суммами.

Он занялся вычислениями, испещряя цифрами странички блокнота, пересчитывая все заново и складывая числа в разном порядке, а потом оторопело уставился на результат.

Получалось очень много. Даже слишком много.

И он наверняка что-то еще упустил...

На следующее утро потрясенный Верни обнаружил своего босса спящим за рабочим столом. Повсюду на полу валялись бумаги. Беллмен был в ночной рубашке и колпаке с чернильными пятнами в тех местах, где голова его касалась страниц, покрытых какими-то невообразимыми вычислениями. Верни не стал его будить, а только собрал с пола бумаги и на цыпочках вышел в приемную. Там он принялся громко шуметь — топал, бряцал ключами, щелкал замком — и через несколько минут снова появился в кабинете. К тому времени Беллмен успел исчезнуть за перегородкой вместе со своими фантастическими расчетами.

25

Мистер Энсон, управляющий банком «Вестминстер энд Сити», согласно кивнул.

— Это несколько неожиданно, надо признать, но я загляну к мистеру Беллмену сегодня после обеда, раз дело такое срочное.

Молодой посыльный переминался с ноги на ногу.

— Видите ли, сэр, мистер Беллмен надеется... очень рассчитывает... что вы придете пораньше... — Он кашлянул. — Если это возможно, сэр.

Джордж Энсон вытянул ноги под столом и поверх очков взглянул на курьера:

— То есть, насколько я понял, мистер Беллмен просит меня прибыть к нему в офис прямо сейчас, так?

— Да, сэр.

У мистера Энсона в планах на сегодня было множество дел, но эта просьба его заинтриговала и одновременно обеспокоила. В конце концов, что ты за управляющий банком, если не можешь по своему усмотрению менять планы на день?

Он встал из-за стола, игнорируя встревоженный взгляд секретаря, и обратился к посыльному:

— Подайте мое пальто, пожалуйста. Оно на вешалке у двери. Мы отправимся туда немедленно.

Посыльный с облегчением перевел дух.

———

Войдя в кабинет Беллмена, мистер Энсон тотчас заметил, что великий предприниматель пребывает не в лучшей кондиции. Об этом свидетельствовали покрасневшие, воспаленные глаза и необычная скованность в движениях, словно каждое из них он выполнял, превозмогая боль.

— Вопрос касается «спящего счета», — заявил он.

Энсон сразу понял, о чем речь, хотя прежде не слышал такой термин из уст Беллмена или кого-либо еще. Имелся в виду второй счет на имя Беллмена, открытый в банке «Вестминстер энд Сити». На протяжении десяти лет Беллмен переводил на него треть своих личных доходов. И не взял оттуда ни пенни. К этому дню на счете накопилась солидная — более чем солидная — сумма. Периодически Энсон предлагал своему клиенту пустить эти деньги в оборот, но Беллмен решительно отказывался их трогать, притом что средствами с другого своего счета он оперировал активно, часто даже рискуя, но в финале всегда добиваясь успеха.

— Рад это слышать, — сказал Энсон. — И куда мы вложим эти деньги?

— Никуда.

— Никуда?

— Я хочу перевести на этот счет дополнительную сумму.

— И какую?

Беллмен назвал цифру.

Энсон постарался сохранить невозмутимый вид, что ему не удалось.

— Но ведь это составит... примерно три четверти от всего вашего ликвида. Разумеется, вы вправе... Если таково ваше желание... В наличных деньгах или в бондах?

— В наличных.

Энсон задумался, поглаживая кончиками пальцев уголки рта. Работа управляющего банком требовала определенной деликатности. Вкладчик имел право распоряжаться своим вкладом, как ему заблагорассудится, — управляющего это не касалось. Но если клиент на его глазах принимал неразумные и неосторожные финансовые решения, Энсон почитал своим долгом выступить в роли посредника между этим клиентом и его деньгами, чтобы «примирить» их друг с другом. И сейчас он позволил паузе тянуться минута за минутой, обдумывая ситуацию.

Логично было предположить, что Беллмен держал средства на отдельном счете для какой-то особой цели, но до сих пор он и словом не обмолвился, что это за цель.

— Мне не по душе видеть деньги, лежащие втуне, вместо того чтобы работать и приносить прибыль, мистер Беллмен, — произнес он, сокрушенно покачивая головой.

На Беллмена эти слова не произвели никакого впечатления. Он даже не счел нужным ответить, а просто сидел и смотрел в окно — не на здания напротив, а, как подумалось Энсону, на что-то иное, пугающее, в очень далекой перспективе.

Версию с долгами Энсон отмел сразу. Он хорошо знал Беллмена. Не то чтобы как близкий друг — за все эти годы они ни разу не поговорили, что называется, по душам, — но как человек, хорошо изучивший привычки и склонности другого человека. Беллмен всегда был занят делом. Он не увлекался азартными играми и не посещал бордели. С его именем не ассоциировались никакие скандалы, и не было даже намека на нарушение им каких-либо финансовых или этических норм. Он жил только ради своей работы, и эта работа была очень даже успешной. Компаньоны-галантерейщики обладали полной информацией по всем аспектам деятельности фирмы, и достаточно было взглянуть на их самодовольно улыбающиеся физиономии в баре клуба «Расселл», чтобы увериться: с «Беллменом и Блэком» все в порядке. А о финансовой стороне Энсон мог судить и без их улыбок — это уже было в его компетенции. Все операции по счетам свидетельствовали о том, что Беллмен отнюдь не транжира. Какое там: его личные расходы были сопоставимы с расходами самого скромного и аскетичного сельского священника.

Может, его кто-то шантажирует? Может, какой-то негодяй нащупал у Беллмена слабое место и немилосердно вытягивает из него деньги?

— Надо думать, в ближайшее время вам понадобятся крупные суммы наличными? — поинтересовался Энсон.

Беллмен поднес ладонь к глазам, как будто его раздражал яркий свет.

— Возможно. Я пока не знаю.

— Беллмен, я ваш банкир, мы знакомы уже десять лет, и мне небезразличны ваши интересы. И сейчас, видя вас в таком состоянии, я должен задать не вполне корректный вопрос: скажите, вы действуете по своей воле, принимая эти решения?

Беллмен посмотрел на него с недоумением:

— По своей воле?

— Если кто-то вымогает у вас деньги, есть способы с этим покончить... Толковые юристы... Полная конфиденциальность... Все будет сделано даже без упоминания вашего имени.

Далее случилось то, чего Энсон никак не ожидал. Беллмен зажмурил глаза, и по щекам его покатились слезы.

— Никакой юрист не сможет избавить меня от этого. Я связан по рукам и ногам.

Когда глаза Беллмена вновь открылись, Энсон увидел в них тоску — бездонно-черную, чернее некуда.

Беллмен сделал глубокий вдох и продолжил уже спокойным тоном, как будто и не было никаких слез:

— И вот еще что: перевод денег на этот счет впредь должен осуществляться ежемесячно, а не раз в три месяца, как было до сих пор. И переводиться будут не тридцать три, а пятьдесят процентов. Вы меня поняли?

Энсон вернулся в свой банковский офис глубоко озабоченным.

26

— Тик-так!

Что за мерзкие часы! Почему они так болезненно отсчитывают время?

— Тик-так!

Целая вечность между «тик» и «так». И каждый «тик» может стать последним.

— Тик-так!

Нельзя допустить, чтобы часы остановились.

— Тик-так!

Нужно их завести. Он лезет за часами в кармашек жилета... Но что такое? Часов там нет! Это тиканье исходит у него из груди!

— Тик-так!

И каждый «тик» может стать последним...

— Тик-так!

Беллмен пробудился со свинцовой тяжестью на сердце. Во сне что-то гадкое и леденящее обволакивало его, плотно прилегая к телу вместе с простынями. Спасти от этого могли только немедленный подъем и привычные занятия. Он побрился торопливо и небрежно, при этом порезав подбородок. Его подташнивало — какой уж тут завтрак, — но он все же заставил себя разжевать и проглотить кусочек хлеба. До первого намеченного на этот день совещания оставалось еще два часа, и он занял их написанием писем. Он мог одновременно делать два дела, а то и три. Он нагромождал одну задачу на другую, заполняя ими каждую минуту. В последнее время рабочие дни Беллмена чрезмерно затягивались даже по его меркам, а после девятнадцати или двадцати часов непрерывной деятельности тоска и отчаяние, отражавшиеся в зеркале ванной комнаты, уже не мешали ему провалиться в сон. Впрочем, и сон не приносил отдохновения: недремлющий разум всю ночь продолжал борьбу с неясным, но зловещим и безжалостным врагом, а пробуждение заставало его все в тех же гадостных леденящих объятиях.

Бывали ночи, когда он, перед тем себя вымотав, сразу засыпал, но пробуждался уже через час. И наяву мысли его были ничем не лучше кошмарных снов: постоянно чудились попавшие в ловушку птицы, паническое биение крыльев, скользящие у самого лица перья... Он лежал, тяжело дыша и обливаясь потом, а сердце стучало так громко, что могло бы этим стуком разбудить и мертвеца.

Усталость и бессонница брали свое.

Он очнулся от забытья — день был в самом разгаре, а напротив него сидела мисс Челкрафт.

— Да, — говорила она, — новые девушки, которые перешли к нам от Поупа, работают быстро и качественно.

Он сидел за столом в своем кабинете и не мог вспомнить момент прихода начальницы ателье, как и то, о чем говорил с ней до этой минуты. Держалась она вполне естественно. Стало быть, не заметила ничего необычного в его поведении.

А он, похоже, запамятовал не только ее приход, но и их предыдущую встречу — он что, действительно согласился взять на работу швей Поупа, когда его конкурент объявил о своем закрытии? Разумно ли это, учитывая неопределенность его собственных перспектив?

Чуть позже мистер Диксон радостно сообщил, что с начала дня продал уже три дорогих ридикюля — и все благодаря новому оформлению витрины, накануне предложенному Беллменом. Последний одобрительно кивнул — а что еще он мог сделать? — хотя и не помнил ни о каких своих предложениях. Для него это явилось новостью.

Горько было осознавать, что три четверти рабочего дня он проводил в сомнамбулическом состоянии, потом не помня свои слова и действия, тогда как по ночам сознание его чутко и болезненно реагировало на призрачные ужасы, таящиеся в темноте. У него даже возникло подозрение: а не заменял ли его в дневное время какой-то двойник-самозванец, дававший на редкость дельные советы насчет оформления витрин или принимавший на работу сотрудниц своего разорившегося конкурента, тогда как сам он, настоящий Беллмен, пребывал в некоем темном промежуточном состоянии между сном и явью, между жизнью и смертью.

— Щелк!

— Щелк!

— Щелк!

Неумолимо щелкают костяшки счетов.

Тридцать восемь.

Тридцать девять.

Сорок.

Сколько же он должен? Сколько десятков, сотен и тысяч?

— Щелк!

— Щелк!

— Щелк!

Но не было никаких счетов — было только его сердце, которое безостановочно подсчитывало задолженность, с каждым ударом добавляя к ней новые суммы, а он мог лишь беспомощно наблюдать за тем, как нарастает итог.

27

— Не желаете взглянуть?

Доктор Сандерсон шагнул в сторону и передал Беллмену лупу. Отец склонился над своей дочерью. Ее глаз — огромный, дюймов пять в ширину — уставился на него сквозь увеличительное стекло. Ее палец — розовая кожа с витым рисунком и белая роговица ногтя — придерживал веко, по краю которого темнел ряд бусинок, под увеличением похожих на черные икринки.

— Не теребите веко, — сказал ей врач. — Хорошая новость: у вас начинают отрастать ресницы.

Она моргнула, потом палец поймал веко, и глаз опять заполнил собой линзу. Беллмен смотрел как зачарованный. Радужная оболочка ее глаза, голубая как летнее небо, была испещрена мелкими черными точками. Это напоминало летящую в вышине стаю птиц.

— Мои волосы тоже отрастут? — спросила Дора.

— Подождем еще несколько месяцев, и я ничуть не удивлюсь, если так оно и случится.

Беллмен проводил доктора до двери.

— Почему это произошло сейчас? — спросил он. — После стольких лет?

— Насколько я могу судить, мисс Беллмен сейчас более счастлива, чем была прежде. Люди науки подвергнут осмеянию саму идею, будто счастье влияет на рост волос, однако практика показывает, что сердце человека может творить чудеса с его телом. Я лично наблюдал это множество раз. Как и обратное: когда горе навлекает на человека болезни.

Сандерсон окинул Беллмена испытующим взглядом:

— Полагаю, вы консультируетесь у лондонских врачей?

— С какой стати? Я никогда не болею, вы же знаете.

Доктора эти слова явно не убедили. Чуть помедлив, он задал еще вопрос:

— Однако вы сбавили в весе, не так ли?

— Верно, я собираюсь немного ушить свои костюмы, да все не хватает времени. Есть более важные дела.

— А как у вас с аппетитом? Вы хорошо спите?

Описать весь ужас его ночей не представлялось возможным. Беллмен даже врачу не хотел признаваться, что его мучают кошмары. Язык не повернется рассказывать такое: «По ночам птицы стучат в мое окно черными клювами, они копошатся у меня в легких, они пожирают мое сердце, а по утрам, когда я бреюсь перед зеркалом, я встречаю птичий взгляд, устремленный из глубины моих собственных глаз».

— Временами дыхание бывает нестабильным. Иногда — то есть довольно часто — я просыпаюсь по ночам. И мое сердце...

— Что с вашим сердцем?

— Это нормально, когда оно бьется так быстро? И так сильно?

Спокойным и безмятежным тоном, к какому обычно прибегают врачи, когда серьезность заболевания еще не установлена, Сандерсон задал ему ряд вопросов. Беллмен отвечал, а доктор внимательно слушал, попутно отмечая покраснение глаз пациента и сероватый оттенок его кожи, хрипоту в голосе и мелкое дрожание рук. Он также отметил чересчур высокий темп речи, перемежаемой секундными остановками, когда Беллмен как будто забывался, глядя в пустоту перед собой, а потом вздрагивал и возвращался к жизни.

— Могу я проверить ваш пульс?

Они сели, и Сандерсон взял Беллмена за запястье.

Когда пульс был измерен и доктор заговорил, в голосе его послышалось удивленное облегчение.

— Похоже, у вас нет ничего серьезного. Основательный отдых поможет вам восстановиться. Вы перегрузили себя работой. Такой образ жизни годится для молодого человека; сколько помню, вы всегда отличались неуемной энергией, но и вам следует принять во внимание возраст. Возьмите отпуск, и после него вы вернетесь к работе в добром здравии, свежим как огурчик. И если вы будете устраивать себе выходной раз в неделю, не предвижу у вас никаких проблем со здоровьем в ближайшие двадцать лет.

— Отдых? Выходной каждую неделю? — растерялся Беллмен.

— А продолжая жить в нынешнем темпе, вы загоните себя в гроб. Для начала я дам вам снотворное, но если вы перейдете на более щадящий режим, вскоре оно вам уже не понадобится. Нормальный сон наладится сам собой, когда вы научитесь отвлекаться от насущных забот и давать отдых своему мозгу.

Беллмен не очень-то верил в действенность снотворного, но вечером принял настойку опия и был удивлен результатом. Он положил голову на подушку и открыл глаза уже утром. За семь часов, прошедших между этими двумя моментами, не было ничего: ни страхов, ни пробуждений в холодном поту, ни мыслей, ни снов. Ничего, кроме черноты глубокого забытья. На протяжении следующей недели он крепко спал по ночам и не мог нарадоваться этому обстоятельству. Он убедил себя, что бессонница была лишь мимолетным досадным явлением. Теперь с ней покончено, и снотворное больше не потребуется.

Однако в первую же ночь без опия кошмары обрушились на него с прежней силой и яростью.

Он вернулся к вечерней дозе, но теперь для достижения желаемого эффекта ее приходилось понемногу увеличивать.

Еще какое-то время спустя Беллмен начал понимать, что сон под воздействием препаратов не был настоящим, полноценным сном. Он не освежал и не восстанавливал силы. Как будто закрываешь глаза и в следующую секунду просыпаешься, — а за окном уже утро. Куда делись те отливы и приливы, переходы от глубокого к легкому сну и обратно, как это с ним бывало в прежние годы? А ведь когда-то сны его были еще и продуктивными: он засыпал, размышляя над какой-нибудь проблемой, и утром пробуждался с уже готовым решением. Теперь все это исчезло. Как только голова соприкасалась с подушкой, его поглощала пустая, мертвая тьма, из которой он поутру выныривал не отдохнувшим, вялым и апатичным. Да и само по себе ночное беспамятство не казалось надежным пристанищем. При мысли об этом ему представлялись черные крылатые твари, которые нависали над постелью и высасывали из него живительные соки, пока он лежал без чувств, не ведая об опасности, беспомощный как младенец. Он медлил с отходом ко сну, все дольше засиживаясь за рабочим столом, одинаково боясь забытья под воздействием снотворного и бессонницы в отсутствие оного. Принимать опий или нет? Каждый вечер возникал этот вопрос. Иногда он принимал его, а иногда нет — и, соответственно, либо спал как убитый, либо всю ночь маялся без сна. Когда закончилась настойка, полученная от доктора Сандерсона, он обратился к лондонскому врачу. С приобретением новой порции проблем не возникло; кроме того, он выяснил, что опий можно применять вместе с другими успокоительными средствами, и вскоре научился сочетать разные препараты и точно их дозировать для погружения в сон на нужное количество часов.

Однако сложности были не только со сном. Он перестал испытывать чувство голода, кроме тех случаев, когда уже очень давно не ел. Он принимал пищу иногда на рассвете, иногда в полночь, а то и не принимал вовсе. Время текло произвольно — порой стрелки его часов вращались с ненормальной быстротой, а порой еле-еле ползли. Он отнес их к часовщику, но тот сказал, что часы в полном порядке. Он не был уверен и насчет дат, всякий раз забывая, перевернул он утром листок календаря или нет. Сейчас все еще сегодня или уже завтра? А может, он застрял во вчерашнем дне? Воскресенья заставали его врасплох, объявляясь с нерегулярными интервалами. Даже времена года, казалось, сорвались с якорей и ушли в свободное плавание: не раз ему случалось, увидев за окном бесцветное лондонское небо, мучительно гадать, какой сейчас месяц, апрель или сентябрь.

Хронически недосыпая, Беллмен привык жить в состоянии, близком к лунатизму. Внутри его зияла пустота, но внешне он был все так же деловит и приветлив, пожимал руки, отдавал распоряжения, складывал, умножал, делил. И никто из окружающих не догадывался, чего ему это стоило.

28

Возможно, у этой проблемы все-таки было решение.

Беллмен не привык обращаться за помощью к кому бы то ни было, поскольку в большинстве случаев сам все знал и умел лучше других. Но сейчас, зайдя в тупик, он изменил этому правилу.

— Верни, что вы предпримете, если надо будет найти конкретного человека?

— Найти человека?..

Верни задумался. Он знал сотню способов разыскать затерявшийся шиллинг; его не могли обмануть все коварные ухищрения десятичных разделителей, норовивших ускользнуть с правильной позиции в многозначном числе; ему много раз случалось находить пропущенные цифры и восстанавливать их на законном месте в бухгалтерских книгах. Но что касается человека...

Он покачал головой:

— Даже не представляю, с какой стороны за это взяться.

Беллмен сделал еще одну попытку, беседуя со своим компаньоном в клубе «Расселл»:

— Я хочу отыскать одного человека. Как по-вашему, с чего следует начать поиски?

— Наведите справки в его клубе. Оставьте там письмо для него. — В понимании галантерейщика это было проще простого.

— Он большой оригинал, склонен к уединению и вряд ли состоит членом какого-нибудь клуба.

— У него нет своего клуба? — Брови галантерейщика поползли вверх. В его мире клуб являлся чем-то обязательным для джентльмена, а человек без клуба был и впрямь очень большим оригиналом. Он озадаченно почесал голову. — Тогда это будет чертовски трудно.

— А как зовут этого человека? — спросил Энсон, когда Беллмен обратился к нему с аналогичным вопросом. — Если он имеет счет в нашем банке, я уведомлю его письмом.

Сообщив имя, Беллмен был бы вынужден давать пояснения, а как раз этого он хотел избежать. И потом, еще неизвестно, был ли Блэк на самом деле Блэком. Чем больше он об этом думал, тем сильнее сомневался.

Он при случае затрагивал эту тему и во время дежурных обходов магазина.

— Искать людей — это вроде бы дело сыщиков, разве нет? — предположил юнец-посыльный.

— Я буду начеку, — заверил босса привратник Пентворт. — Все люди рано или поздно проходят через эту дверь. Как он выглядит?

«Все это очень хорошо, — размышлял Беллмен, — да только поиски Блэка — это совсем не то, что поиски обычных людей. Как объяснить, не рискуя при этом прослыть сумасшедшим, что ты разыскиваешь человека, внешность которого не можешь толком описать, поскольку она странным образом ускользает у тебя из памяти? Человека, в настоящем имени которого ты не уверен? Человека, которого ты не видел уже десяток лет, но при этом ощущаешь его участие в каждой заработанной тобою гинее? Человека, образ которого тенью следует за каждым покупателем, входящим в дверь магазина?»

Среди прочих тот же вопрос был задан и наборщику, когда Беллмен проверял работу печатного станка.

— Если этот человек должен вам деньги, вам его никогда не найти, как ни старайтесь, — сказал наборщик со вздохом, предполагавшим наличие собственного печального опыта по сей части.

— Тут ситуация как раз обратная, — сказал Беллмен.

Наборщик расхохотался:

— Мистер Беллмен, если вы должны человеку деньги, он сам вас найдет, будьте покойны! И он не замедлит объявиться, уверяю вас!

Единственный более или менее дельный совет он получил от кучера во время осмотра конюшни.

— Возвращайтесь туда, где вы видели его в последний раз. Обычно люди держатся своих привычных мест.

— Тот самый мужчина... — начал он.

— Какой мужчина? — Лиззи наморщила лоб, одну за другой выдергивая булавки из прикрепленной к ее запястью подушечки и скрепляя с боков его жилет. — И полгода не прошло, как я сшила для вас этот жилет, а теперь приходится его зауживать. Вы быстро худеете, мистер Беллмен.

— Я видел вас вместе с ним, — произнес он хриплым голосом. — Вы не помните? В ночь перед открытием магазина.

Она наклонилась, подгоняя нижнюю часть жилета.

— Я не помню никакого мужчины. Я тогда возвращалась с могилы дочери. И вообще, это было очень давно.

— Как называется та улица?

— В ту пору она называлась Бэк-лейн, но сейчас ее уже нет.

— Как это нет?

— Весь тот район снесли и застроили заново.

— Вот оно что...

Ее руки с мерной лентой быстрым движением охватили талию Беллмена. При этом она не дотронулась до его тела, сохраняя пристойную дистанцию в один дюйм. «Обними меня по-настоящему», — чуть не вырвалось у него. Как бы он хотел положить голову ей на плечо и вволю поплакать, а она бы гладила его волосы. Если бы только она могла остаться с ним, заботиться о нем, — возможно, тогда к нему вернулся бы сон. Нормальный, здоровый сон.

Еще пара секунд, и мерка была снята. Она вздохнула, увидев результат.

— Вы хорошо питаетесь, мистер Беллмен? У вас пропал аппетит?

Искреннее участие, с каким был задан этот вопрос, заставило его глаза увлажниться. Он сморгнул слезы, а в сознании возникла картина: огромная масса воды затопила бывшее поле Тернера, приблизилась к критической отметке и вот-вот хлынет через край дамбы. Разумеется, там был Крейс, который следил за уровнем воды и при необходимости сбрасывал ее излишки через выходной шлюз. А у Беллмена «дамба», сдерживавшая слезы, была сейчас на грани прорыва. Какой потоп за этим последует? Что может всплыть на поверхность, вымытое из его недр потоком слез?

Раздался резкий стук в дверь, которая затем приоткрылась, и в проеме возникло озабоченное лицо Верни.

— Извините, что прерываю, сэр. Но это мистер Кричлоу...

— Закончим попозже, хорошо? — сказал Беллмен Лиззи и повернулся к Верни. — Впустите его.

Глаза Верни округлились.

— Я не в том смысле, сэр. Мистер Кричлоу умер.

29

Беллмен лично занялся организацией похорон.

— Это самое меньшее, что я могу сделать, — сказал он миссис Кричлоу.

По его распоряжению Лиззи и еще одна швея отбыли в дом Кричлоу, чтобы за три дня и три ночи сшить траурные платья для вдовы и ее дочерей. Чуть ли не бегом спустившись в подвальную типографию, он вручил наборщику данные для печати.

— Какой использовать шрифт: кезлон или баскервиль? — уточнил наборщик.

Беллмен помчался из подвала наверх, нашел у себя в столе фирменный печатный бланк мистера Кричлоу и снова спустился в подвал. Оказалось, что это шрифт кларендон. Разобравшись с уведомлением о похоронах, он в том же темпе вернулся в свой кабинет, но даже не успел отдышаться — через десять минут его видели мчащимся по лестнице с каталогом гробов в руках. Он делал все, что было в его силах, дабы снять бремя забот с родственников покойного. Он лично выбирал даже такие мелочи, как бахрома и ленты. Иные графы и герцоги удостаивались и более пышных похорон (хотя и данная церемония была из числа самых дорогих, притом что фирма «Беллмен и Блэк» взяла на себя все расходы), но никогда еще сам управляющий не вникал в процесс подготовки с такой дотошностью. Все должно было пройти без сучка без задоринки.

За всеми делами у него не нашлось времени, чтобы посидеть у гроба и помолиться об усопшем. Но никаких пересудов по этому поводу не было. Минуло десять лет с того знаменательного приема в доме Кричлоу, и отношение семьи к нему изменилось. Теперь он был только деловым партнером мистера Кричлоу, и, учитывая профиль его бизнеса, все полагали вполне естественным проявление им участия в такой сугубо профессиональной манере.

— Как мне быть с долей в вашем предприятии, мистер Беллмен? — спросила миссис Кричлоу при обсуждении бархатной обивки гроба. — У меня нет сына, который мог бы взять семейный бизнес в свои руки, а мои зятья...

Она не стала продолжать фразу: и так было ясно, что ее великосветские зятья никогда не унизятся до столь презренного занятия, как торговля.

— Не волнуйтесь на этот счет. Я выкуплю вашу долю.

— В самом деле? Это решается так просто?

Беллмену даже не было нужды брать кредит: достаточная для выкупа сумма лежала на его «спящем счете». На обратном пути из дома Кричлоу он заехал в банк.

— Вы действительно считаете этот момент подходящим для увеличения своей доли в активах? — спросил Энсон, узнав о цели его визита.

— А почему бы нет?

— В свете последних событий... Вы же знаете, что суд решил дело в пользу того валлийского доктора. Создан прецедент, и теперь в Англии нет препятствий для погребения путем кремации.

— Для нашей фирмы это не имеет существенного значения. Все равно будут похороны, будет траур и будут траты.

— Но это перемена, Беллмен, а, как правило, одна перемена влечет за собой другие. С каждым днем все больше голосов звучит за умеренность в похоронных расходах. В их числе весьма влиятельные голоса. И ваши клиенты все неохотнее расстаются с деньгами, вы разве не заметили? Похороны Кричлоу... — Он не продолжил фразу, но мысль была такова: больше подобных похорон уже не будет, траурное расточительство уходит в прошлое.

Однако Беллмен уже принял решение и не собирался от него отказываться. Энсон распорядился перевести деньги с его счета, хоть и был не в восторге от этого. Что же до собственного капитала Энсона, то он еще несколькими месяцами ранее изъял свои средства из традиционных ритуальных услуг и вложил их в строительство нового крематория в Уотфорде.

Занимаясь приготовлениями к похоронам, Беллмен испытывал прилив энергии, как в былые дни. Он словно помолодел и стал прежним Уильямом Беллменом. И время вернулось в нормальное русло: снова день состоял из двадцати четырех часов, а каждый час из шестидесяти минут — не больше и не меньше. Мысли его были упорядоченны, он вовремя испытывал голод, а по ночам спал хоть и недолго, но без помощи препаратов. Он жил и работал с надеждой, что всем его тревогам скоро будет положен конец. День похорон был назначен; процессия обещала быть впечатляющей; фирма «Беллмен и Блэк» намеревалась сделать это событие образцом траурной красоты и торжественности — не хуже, чем у графов или герцогов, — и рассчитывала, что произведенный эффект обернется наплывом новых клиентов.

И самое главное: на церемонии наверняка появится Блэк.

В этот день Беллмен был готов с раннего утра. Он присоединился к похоронной процессии и следовал за гробом с особым волнением: сегодня все должно было решиться. К лучшему или к худшему — этого он не знал, но по крайней мере в одно верил твердо: отныне уже не будет никакой неопределенности.

Случайные прохожие на лондонских улицах останавливались, выказывая уважение к усопшему. Некоторые склоняли головы и молились за упокой души незнакомца, чья смерть ненадолго выбила их из будничной колеи. Другие вполголоса осведомлялись: кто это лежит в таком прекрасном гробу черного дерева с ручками в виде свернувшихся кольцами змей и листьями плюща, выгравированными на медных пластинках? И внутренний голос каждого с удовлетворением констатировал: «А я еще жив!», иногда добавляя уже не столь оптимистично: «Во всяком случае, сегодня». Плюмажи эффектно колыхались на головах шестерки черных лошадей — ухоженных, начищенных, с лоснящимися боками. Отполированный до блеска катафалк, скорбные лица провожающих, чернейший креп одежд... «Нет на свете зрелища более внушительного, чем спектакль смерти», — думал Беллмен. Толпа взирала на процессию с печальным восхищением и сочувствием, хотя пару раз Беллмен заметил на лицах и новое выражение: оценивающее и осуждающее.

При входе в церковь люди склоняли головы, и каждый невольно пытался представить себе вечность, в которую только что канул мистер Кричлоу и которая ждет нас всех. Не склонилась только одна голова: это был Беллмен, нетерпеливо озиравшийся по сторонам. Места в первых рядах уже были заняты, и он пристально вглядывался в каждый затылок: он это или нет? А может, этот? Нет, не он...

Какой-то незнакомец — не Блэк — повернулся и сердито взглянул на Беллмена. Тот с сокрушенным видом опустил голову в подражание остальным, но, когда недовольный мужчина направил взгляд в другую сторону, не утерпел и продолжил поиск.

Во время службы он пел, молился, преклонял колени и садился на скамью вместе со всеми, но глаза его не переставали обшаривать зал, а голова поворачивалась то влево, то вправо — к немалому раздражению окружающих. Похоже, мистер Беллмен забыл, по какому поводу они собрались в церкви. Мыслями он явно был в другом месте. Люди поглядывали на него укоризненно; некоторые выражали неодобрение, чуть слышно цокая языками.

А Беллмен нервничал все сильнее, не находя Блэка среди присутствующих. Он даже развернулся всем телом, чтобы оглядеть сидящих позади: ряды людей в черном были раздражены его поведением, а Блэка не оказалось и среди них. Где же он? Куда он делся?

И вдруг у Беллмена вырвался возглас:

— Ну конечно же!

Конечно же, Блэк не придет в церковь! Он появится на кладбище, у могилы! Разве не так он поступал в прежних случаях?

Хоронить Кричлоу должны были не на этом церковном кладбище, где давно уже не осталось ни одного свободного места, а на окраине города, в тихом и зеленом месте. Срочно туда!

— Извините! — нетерпеливо бормотал он, пробираясь вдоль ряда и не обращая внимания на отдавленные ноги скорбящих.

По центральному проходу он уже почти бежал. Дверь открылась с пронзительным скрипом, и он оказался на улице.

Ни спортсмен, идущий на рекорд, ни вор, убегающий от погони, не смогли бы преодолеть эту дистанцию быстрее Беллмена. Все взгляды прохожих были прикованы к солидному джентльмену, который стремглав мчался по улицам. С багровым лицом, тяжело дыша, он достиг ворот кладбища. Место захоронения было ему хорошо известно — он сам его выбрал.

Вот и могила. Расположена лучше некуда — на зеленой лужайке в окружении развесистых деревьев. Скоро здесь появится надгробный памятник, также выбранный Беллменом: скульптурная композиция, составленная из трех ангелов, скрижалей с описанием семейных и гражданских добродетелей покойного, а также маленького спаниеля — копии пса, которого Кричлоу очень любил в молодости. Это будет смотреться великолепно.

Но пока здесь была лишь глубокая яма.

И ни единой души поблизости.

— Он придет! — бормотал Беллмен. — Непременно придет!

Он обследовал ближайшие аллеи, пройдя по сотне шагов в каждом направлении. Вернувшись к могиле, заглянул вглубь — на всякий случай. Заметил неподалеку высокое надгробие и решил на него взобраться для лучшего обзора, но в спешке сорвался, ободрав ладони и лишившись пары пуговиц на сюртуке. Стал отряхивать брюки, но лишь добавил к грязи пятна крови, сочащейся из рук. Вторая попытка оказалась успешной; с надгробия хорошо просматривался весь участок вокруг могильной ямы. Людей видно не было.

— Блэк! — позвал он громко. — Я здесь! Я жду тебя! Покажись!

Послышался шорох в кустах, затем раздвинулись ветви и — у Беллмена замерло сердце — на дорожку шагнула мужская фигура. Но, увы, это был всего лишь оборванный чумазый парень, садовник или могильщик, отсыпавшийся в зарослях и разбуженный его криками. Он зевал и тер кулаками глаза, а когда заметил Беллмена на вершине надгробия, испуганно попятился, потом развернулся и припустил по аллее к выходу с кладбища.

Беллмен тяжело вздохнул и присел на каменную плиту. У него сильно болела рука, — должно быть, повредил ее, когда падал с надгробия. Боль вызвала слезы, вытирая которые он размазал по лицу грязь, травяную зелень и кровь, смешавшиеся с потом.

«Еще есть время. Блэк не ожидает, что я приду сюда раньше остальных», — подумал он. Похоронная процессия прибудет через полчаса, и тогда для Блэка наступит самый подходящий момент. Меж тем Беллмен совершенно обессилел. Все, что он сейчас мог, — это сидеть на камне и лелеять хрупкую надежду на появление Блэка. А время шло неспешно. Он достал часы из нагрудного кармашка и обнаружил, что они остановились. Покрутил завод и поднес часы к уху. Тишина.

Машинально он потянулся за своим блокнотом, но не нашел его на обычном месте, — должно быть, остался в офисе. Сил не хватило даже на то, чтобы удивиться: как он мог забыть о вещи, с которой до сих пор не расставался ни при каких обстоятельствах? Обескураженный и опустошенный, он застыл, как манекен в торговом зале «Беллмена и Блэка», и оставался недвижим вплоть до прибытия процессии.

Заметив Беллмена, Энсон отделился от провожающих и подошел к нему:

— Что случилось, друг мой?

Он дотронулся до плеча Беллмена, и тот вздрогнул, как от резкой боли, хотя прикосновение было очень легким.

— Позвольте проводить вас домой. Я вижу, вы нездоровы.

Однако Беллмен не выказал намерения подняться с камня; он даже не взглянул на Энсона и, похоже, не расслышал его слов. Его почти немигающий взгляд был прикован к похоронной процессии. Энсон был свидетелем неуместно эксцентричного поведения Беллмена в церкви и про себя отметил, что здесь он — при всей неприглядности облика и неестественном напряжении — хотя бы держится тихо и никому не мешает. И он счел за лучшее, не тревожа Беллмена, побыть с ним до завершения погребальной церемонии, а потом уже доставить беднягу к врачу.

Беллмен наблюдал. В толпе у могилы разглядеть Блэка не удавалось, — значит, он объявится чуть позже. Когда все провожающие уйдут, там останется одинокая фигура, и это будет Блэк...

Его взгляд беспрестанно скользил по толпе. Каждое движение, каждый поворот головы тотчас привлекали его внимание. В любой миг он ожидал увидеть то самое лицо — уж его-то он непременно узнает! Возможно, Блэк сейчас точно так же высматривает его среди людей, собравшихся у могилы. Беллмен был наготове. Блэк и опомниться не успеет, как он уже будет стоять рядом с ним.

Церемония подошла к концу. Последовали рукопожатия, соболезнования родным, обмен участливыми фразами. Беллмен досадовал, что они сгрудились так плотно, — поди разбери, кто есть кто.

Затем люди парами и небольшими группами потянулись в сторону кладбищенских ворот. У могилы остались только самые близкие. Блэка среди них не было. Беллмен сидел и ждал.

— Вы идете? — спросил его Энсон и осторожно положил руку на плечо Беллмена, который на сей раз даже не шелохнулся.

Тогда Энсон взял его под локоть, чтобы вывести на аллею.

— Я отвезу вас домой, — предложил он и тут же вспомнил, что у Беллмена не было своего дома как такового. — Думаю, вам стоит на несколько дней уехать из Лондона, проведать дочь...

С неожиданно громким и яростным воплем Беллмен отбросил его руку. Энсон инстинктивно шарахнулся в сторону. Последние скорбящие у могилы с тревогой посмотрели в их сторону, а затем поспешили прочь, опасливо оглядываясь на странного мужчину с окровавленным лицом и дико блуждающим взором.

Оставшись наедине с Беллменом, Энсон быстро обдумал свои дальнейшие действия. Пожалуй, стоит позвать кладбищенского сторожа, решил он. Вдвоем им будет легче сопроводить Беллмена до кеба, чтобы затем отвезти его к врачу. И он пошел за подмогой, оставив своего друга глядеть на могилу и обливаться слезами, словно в ней была погребена его собственная душа.

А когда он вернулся в сопровождении дюжего помощника, Беллмена там уже не было.

30

Рабочий день в «Беллмене и Блэке» подошел к концу. Последняя покупательница удалилась, провожаемая сочувственным поклоном Пентворта, который уже закрывал за ней дверь, когда заметил знакомый силуэт, возникший из вечерних сумерек. Мистер Беллмен. Пентворт снова распахнул дверь. Выглядел его босс весьма странно, однако Пентворта это не касалось, и он сделал вид, что ничего особенного не заметил...

Когда открылась дверь приемной, Верни быстро поднял голову от бумаг. Совсем недавно здесь побывал мистер Энсон с совершенно невероятной историей о случившемся на похоронах. Верни поверил ему лишь отчасти. Он допускал, что в ходе церемонии имело место какое-то недоразумение, однако в рассказе Энсона оно было явно преувеличено... Но одного лишь взгляда на вошедшего Беллмена оказалось достаточно, чтобы развеять его сомнения.

— Все данные на вашем столе... — начал было Верни, но Беллмен жестом велел ему замолчать.

Даже не взглянув на секретаря, он проследовал в кабинет и плотно закрыл за собой дверь.

Если он будет нужен, Беллмен его позовет, решил Верни и продолжил прерванное занятие. Однако он уже не мог сосредоточиться — танцующие в воздухе пальцы то и дело «спотыкались», и ему приходилось начинать вычисления заново.

Несколько раз в приемную заглядывали люди из числа руководящего состава, которые, как обычно, задерживались в магазине после закрытия.

— Мистер Беллмен уже вернулся? Мне нужно...

И каждый раз Верни отрицательно качал головой:

— Зайдите в другое время.

Прошел час. Он не осмелился постучать в дверь Беллмена. Еще полчаса он потратил на всякие необязательные дела, а когда и после этого из кабинета не донеслось ни звука, надел пальто и покинул офис.

А в кабинете Беллмен по инерции просмотрел месячный отчет, оставленный секретарем на его рабочем столе. Объемы продаж падали — уже третий месяц подряд, — хотя четкие цифры Верни на аккуратно разграфленных листах и пытались создать видимость порядка и гармонии. Показатели снижающихся доходов и растущих убытков выстраивались в ровные ряды, а колонки цифр давали однозначный итог, в каком порядке их ни складывай. Но это было слабым утешением: потеря прибыли, пусть даже отображенная на бумаге с таким искусством и тщанием, оставалась потерей прибыли. Беллмен тяжело вздохнул при мысли об ожидавшем его долгом и безрадостном вечере. «Я брошен на произвол судьбы», — подумал он. Тот, кого он разыскивал, так и не нашелся. Что теперь делать? Как жить дальше?

За окном, над крышами домов по Риджент-стрит, беспокойно метался грач, как будто не находя себе места. Беллмен повернулся к окну спиной — предстояло еще одно малоприятное дело. Он обмакнул перо в черные чернила, приблизился к настенному графику и поставил крестик, отмечая месячный уровень продаж. Кривая на графике приобретала до странности знакомые очертания. «Должно быть, я предвидел такое падение спроса, — подумал он, но тотчас отверг эту мысль. — Да с какой стати? Ничего подобного мне и в голову не приходило». Одно было несомненно: точь-в-точь такая же дуга когда-то давно врезалась ему в память.

Теперь очередь за синими чернилами. Прогноз на следующий месяц. Надо подумать: от чего люди умирают сейчас? Вот Кричлоу — тот умер от старости. И таких, как он, были тысячи. Он подумал о Фреде, который жил, любил, пек хлеб и умер — в каком возрасте? В пятьдесят лет? И сколько еще таких, как он? Очень даже немало.

А ведь Фред был его ровесником, не так ли? Глядя на кривую графика, он вдруг сообразил, что они с Фредом родились с разницей всего в неделю или около того. Подумать только! И еще его кузен Чарльз. Бедный Чарльз. И тот рыжий мальчишка — Люк. Он же сам его потом вытаскивал... Давно это было.

Беллмен сморгнул слезу.

Он ясно видел всю траекторию кривой. Вот ее вершина. Здесь иссяк восходящий импульс. А теперь он мог предугадать и конечную точку. И он уверенно поставил крестик в этом месте. Он знал наверняка. Он уже видел это раньше.

Почему-то вспомнился грач, только что летавший над крышами. Где он теперь? Беллмен быстро подошел к окну. Небо сделалось густо-синим, но еще не настолько потемнело, чтобы на этом фоне нельзя было разглядеть птицу. «Но ведь грачи так поздно не летают, — подумал он. — Наверное, мне померещилось. Сейчас все они уже устроились на ночлег в кронах деревьев». Оглядывая небо, он вдруг испытал то самое ощущение: зуд в области шейных позвонков, как это бывает, когда кто-то пристально глядит на вас сзади...

Он обернулся и в тот же миг воскликнул:

— Вот ты где!

Удобно расположившись в кресле у камина, Блэк смотрел на него с мягкой улыбкой, которая нисколько не потускнела после упрека Беллмена:

— Куда ты пропал? Я искал тебя повсюду!

— Пропал? Я все время был здесь.

— Все время? — Беллмен решил, что ослышался.

Блэк ответил легким наклоном головы, без пояснений.

— Впрочем, это не суть важно. Главное, что сейчас ты здесь, — сказал Беллмен.

Блэк держался спокойно и естественно, глядя на Беллмена с таким видом, будто чего-то от него ждал. А Беллмен, похоже, напрочь забыл о тактике деловых переговоров, хотя он в этом основательно поднаторел за прошедшие годы.

— У меня составлен договор, — брякнул он сразу, без подготовки. — Он должен быть где-то здесь.

Он выдвинул ящик стола и начал перебирать его содержимое. Сколько же лет прошло? Помнится, не так давно он уже пытался его найти. Ага, вот пачка бумаг, относящихся примерно к тому периоду. Беллмен быстро просмотрел бумаги, но договора среди них не оказалось. Проклятье! Почему он не положил его в какое-нибудь особое место, отдельно от прочих документов? При просмотре следующей пачки у него начали трястись руки.

— Я знаю, он где-то здесь! Я его найду, дай мне минуту-другую. Это лишь вопрос времени.

— Разумеется.

Непринужденным жестом Блэк дал понять, что никуда не спешит.

— Возможно, пока я ищу, ты пожелаешь ознакомиться с документацией? — Беллмен снял с полки сразу несколько томов. — Здесь зафиксированы все сделки вплоть до сегодняшнего дня. Ничего не забыто!

— Так-таки ничего?

Что это, в голосе Блэка послышалась ирония?

Пересекая комнату, чтобы положить стопку гроссбухов на край стола рядом с гостем, он заметил одну особенность: чем ближе он подходил к Блэку, тем темнее казался его силуэт.

— Ни единой мелочи! Все учтено! Если хочешь, могу показать выписки со счета, предназначенного для тебя.

Он вернулся к полкам и уже потянул на себя папку с банковскими счетами, но вдруг прервал это движение, чтобы уточнить:

— По-твоему, я что-то забыл? Что именно?

Блэк не успел открыть рот для ответа, как Беллмен, внезапно исполнившись подозрений, задал новый вопрос:

— Кстати, а кто тебя сюда впустил? Верни?

Блэк откинулся на спинку кресла. Его лицо скрывала тень.

— Есть еще сейф... — вспомнил Беллмен, чувствуя такую сухость во рту, словно туда набились птичьи перья. — Я могу авансом выдать часть твоей доли. Прямо здесь и сейчас.

Цифровой замок сейфа проворачивался туго, и прилагаемые усилия помогли ему справиться с дрожью в руках. Наконец дверца распахнулась; за ней плотными рядами лежали фетровые мешки с дневной выручкой. Схватив пару мешков, Беллмен перенес их в кабинет и стал высыпать звонкие монеты на стол, при этом говоря без умолку:

— В последнее время продажи шли на убыль, но это временное явление. Сейчас звучат призывы к удешевлению похорон, но скоро традиции возьмут свое, и мы снова поднимемся. Смерть никогда не подведет. Нет на свете поставщика надежнее!

Он и сам понимал, что все это пустая болтовня, способная убедить лишь новичков и дилетантов. Но за молчанием Блэка таилось множество вопросов, на которые он не имел ответов и предпочел бы от них уклониться. И потому он продолжал разглагольствовать о новоявленной кремации, которая суть не более чем замена одного ритуала другим.

— Люди всегда будут нуждаться в утешительном обряде. Есть вещи, которые не изменятся ни при каких обстоятельствах!

Торопясь, он опорожнял над столом один мешок за другим. Гора денег росла и становилась все круче, так что верхние монеты начали соскальзывать, а некоторые падали на пол и раскатывались в разные стороны.

— Взгляни! Даже при нынешнем спаде — разумеется, временном — дела идут неплохо. Никто не сможет назвать наше предприятие убыточным. Да ничего подобного!

Монеты катились по полу — одни быстрее, другие медленнее. Они достигали двери, попадали под шкаф и под кресла.

— Двадцать пять процентов — вот мое предложение. Это сделает тебя богачом. Но я готов обсудить и другие условия, если тебя это не устраивает. Я трезво смотрю на вещи и не намерен умалять твои заслуги. Если ты рассчитываешь на пятьдесят процентов, изложи свои доводы. Буду рад их услышать.

Блэк хранил молчание. Сердце Беллмена колотилось все быстрее, он с трудом переводил дыхание.

— Хорошо, пусть будет пятьдесят. Я же сказал, что готов на уступки. Ну как, сойдемся на этом?

Он сел за стол и обмакнул перо в чернильницу.

— Я могу сейчас же составить новый договор...

Взяв чистый лист, он не увидел на столе свободного места, где можно было бы его пристроить, и широким взмахом расчистил часть столешницы. Вновь на пол полетели монеты; некоторые из них покатились в сторону Блэка. Одна ткнулась ему в ботинок, и Блэк высунул руку из складок просторного плаща, чтобы ее подобрать. Беллмен испытал некоторое облегчение при мысли, что хотя бы мизерная часть его долга таким манером возвратится Блэку. Какое ни есть, а все же начало.

Но, ужс склонившись над бумагой, он краем глаза заметил, что Блэк с безразличным видом положил поднятую монету на стопку гроссбухов, ни один из которых он так и не удосужился открыть.

Насколько он мог рассмотреть в полумраке, Блэк выглядел смущенным. Или опечаленным. А может, этот легкий изгиб его губ предполагал незлобивую насмешку над Беллменом, как над зеленым юнцом, не способным усвоить простую истину?

— Семьдесят пять процентов, — предложил Беллмен скороговоркой. — Мне не особо нужны эти деньги. Я и без того достаточно богат...

Когда ответа не последовало и на сей раз, у него сдали нервы.

— Восемьдесят?

Это было очень много, но для него куда важнее было решить этот вопрос раз и навсегда. Оно того стоило, хотя бы ради Доры. Оно стоило и большего.

— Девяносто? В конце концов, это ведь ты подал саму идею.

Чернила капали с кончика пера. На тот момент письменный договор представлял собой лишь кляксу на бумаге, могущую означать что угодно или ничего вообще.

— Идею? — переспросил Блэк.

— Ну конечно! Той самой ночью, когда мы договорились о сотрудничестве. Беллмен и Блэк! Ты не можешь этого не помнить!

Послышался мягкий шорох одежд, истолкованный Беллменом как пожимание плечами.

— Я счел это твоей идеей, — молвил Блэк.

— Да нет же! «Я вижу перспективу» — это были твои слова!

Блэк смотрел на огонь в камине.

— И ты решил, что я имею в виду это?

— А что же еще?

Беллмен почти не видел собеседника — тот оставался в тени и выглядел как темная бесформенная масса. Слабый отблеск на одежде мог означать, что откуда-то на него все же падает свет, но где находится источник этого света, было непонятно. Кроме того, в темноте поблескивали глаза Блэка; взгляд его был задумчив и — не сказать чтобы недобр — скорее непреклонен. Никогда еще Беллмен не чувствовал себя таким незащищенным, таким прозреваемым насквозь.

— Ладно, я согласен передать тебе право собственности на всю свою долю в предприятии, — сказал он. — Для этого мне нужно знать твое полное имя.

Ответное молчание показало, что он где-то сбился с правильного пути. От него ждали чего-то другого. Он отложил ручку в сторону.

— Зачем ты пришел? Да, теперь я понимаю, что в свое время был не прав, но Дора...

Все это был жалкий лепет. Ему стало стыдно за себя, такого бестолкового и бессильного.

— Это не имеет отношения к твоей дочери.

— Не имеет?

Беллмен был озадачен. Выходит, Блэк и не собирался отнимать у него Дору? Он окинул взглядом комнату. Повсюду были разбросаны деньги. Но и деньги Блэка не интересовали. Мимолетное облегчение сменила растерянность. Так что же, в конце концов, нужно этому Блэку?

— Я пришел, чтобы попрощаться.

Беллмен поднялся из-за стола:

— Куда ты уезжаешь? И зачем? Я только начал тебя узнавать. Если на то пошло, я лучше знал тебя тогда, в Уиттингфорде, чем сейчас. И почему наше знакомство не может быть более близким? Когда-то я надеялся, что мы станем друзьями...

— Это исключено.

Беллмен пересек комнату и остановился перед камином, положив руку на спинку второго кресла. Сесть в него или нет? У него было смутное чувство, что этого не следует делать без разрешения Блэка.

— Время летит быстро, не так ли? Однако за все эти годы я усвоил одну вещь: у людей в запасе куда больше времени, чем они думают. И мне еще не поздно многому научиться у человека вроде тебя. Я так долго ждал твоего появления, и вот наконец...

— Я всегда был рядом с тобой.

— Как это? Я правильно понял? Ты сказал — всегда?

Блэк кивнул:

— Всегда за твоей спиной.

Беллмен задумался, с сомнением глядя на сгусток тени в противоположном кресле.

— Это Верни пустил тебя в офис?

Блэк проигнорировал вопрос.

— В ту ночь я указал тебе перспективу, — сказал он. — Речь не о фирме «Беллмен и Блэк». Это была твоя собственная идея. Мое предложение было совсем иного рода. И я повторяю это предложение сейчас. Пока еще не поздно.

— Не поздно для чего?

Когда Беллмен произносил эту фразу, силуэт его гостя начал темнеть, и ответ — ошеломительный и очевидный — сам пришел ему в голову.

— Так вот оно что... — промолвил он. — Я никогда не думал...

На него разом нахлынула усталость, и он, опустившись в кресло, подпер голову руками. Окружающий мир завертелся с безумной скоростью, а когда это вращение прекратилось, он ясно осознал то, что раньше ускользало от его понимания.

— Значит, никакой сделки?

— Никакой сделки.

— И эти деньги... — Он слабым жестом указал на заваленный монетами стол.

Блэк отрицательно покачал головой.

— И эта перспектива...

— Мысль.

— Мысль? И все?

— И еще память.

Беллмен кивнул. Мысль и память. Время замедлило ход, пока он пребывал в раздумье. Последние десять лет, большей частью проведенные здесь, в «Беллмене и Блэке», он думал только о смерти. И ни единой секунды не уделил размышлениям о бренности собственного бытия. Это было, мягко говоря, нелепо. Как он мог забыть о такой исключительно важной вещи?

Он попытался вспомнить. Но, направляя мысленный взор в свое прошлое, он видел только тьму. И в этой тьме скрывалось нечто знакомое ему по сновидениям, нечто исполненное угрозы.

— Не могу вспомнить, — сказал он, тряхнув головой.

А когда вновь уставился в темноту, из нее понемногу начали проступать смутные очертания и образы, воплощая пережитые им утраты. С болезненной дрожью во всем теле он узнал свою жену на смертном одре. Он услышал призывные крики сыновей, потрясенных его неспособностью избавить их от страшной муки. Его крошечная дочурка плакала от боли и испуга, впервые в своей короткой жизни столкнувшись с настоящим страданием.

Он сам едва мог вынести боль, вызванную воспоминаниями о боли своих близких.

— Какой толк в этой пытке? — спросил он Блэка. — Я больше не в силах терпеть.

— Вспоминай!

Во тьме было что-то еще. Медно-рыжая голова Люка. Чарльз, сгинувший в дальних краях и никем не оплаканный. Фред — он обязан был навестить его перед смертью! Почему же он этого не сделал?

Лицо его мучительно исказилось.

— Не заставляй меня и дальше...

— Вспоминай!

Из тьмы возник образ, давно упрятанный в самые дальние закоулки памяти: дядя Пол — мертвый, но тем не менее очень прямо сидящий в кресле.

— Я не могу! — крикнул он, напуганный так же сильно, как был напуган в первый миг, когда нашел своего дядю застывшим в этой позе.

— Вспоминай!

Парочка мисс Янг с белой фаянсовой чашкой, испачканной ежевичным соком. Та жуткая могила. Тот жуткий гроб.

И жуткий преподобный Поррит, произносящий мамино имя...

Воспоминания обо всех неоплаканных мертвецах рвали на части его мозг. В один миг сердце его заполнилось скорбью, накапливавшейся на протяжении всей жизни. Казалось, он вот-вот сломается. Казалось, боль достигла предела и перешла этот предел. Казалось, он сейчас умрет. Но это был еще не конец.

— Вспоминай, — тихо произнес Блэк.

— Я все вспомнил.

— Нет, еще не все.

Беллмен вновь заглянул в прошлое, заранее страшась того, что может там увидеть. И он увидел — или ему так показалось — изогнутую линию. Плавную дугу. Как будто перенесенная с графика на стене, она прочертила небо над Уиттингфордом. Идеальная дуга, на одном конце которой был мальчик с рогаткой, а на другом — молодой грач на ветке далекого дерева.

Беллмен уже не трясся. Он окаменел.

А камень описывал заданную траекторию; мальчик очень хотел закричать и спугнуть птицу, но крика не получилось. У грача еще было время, он еще мог взлететь и с хохотом раствориться в небе...

Камень завершил свой полет.

Птица рухнула наземь.

Уильям не решался взглянуть на Блэка. Он скорее почувствовал, чем заметил, что Блэк поднялся из кресла.

— Мне страшно, — прошептал Беллмен.

— Вспоминай! — раздалось в ответ.

— Я вспомнил все. Все!

— Вспоминай!

— Мне больше нечего вспомнить!

— Вспоминай!

Когда Беллмен поднял глаза, перед ним была только густая, непроглядная тьма, но потом сквозь эту тьму проступили и заиграли, переливаясь, блики — синие, пурпурные, зеленые...

Далее из темноты одна за другой начали возникать картины его забытого прошлого. Дети с серьезными лицами, сознавая свою ответственность, льют уксус в чашу, полную монет. Застрявшая в яме корова; щербинка в девичьей улыбке; свежий сыр и сливовый компот; дядя Пол с розой от маминой шляпки; Полли в «Красном льве», ее рука на шевелюре Уилла и ее задранная ночная сорочка; целое озеро сочно-алой ткани на сушильном дворе; хохочущие сыновья у него на коленях; швея, поющая грустную песню, и ее лицо, озаренное светом памяти — горькой и сладостной...

— Что за жизнь у меня была! — изумленный, обратился он к Блэку. — Я мог бы всю ее вторую половину посвятить воспоминаниям о первой!

— Вспоминай!

И он вспоминал. Сцена за сценой, момент за моментом, радости и печали, любовь и утраты — все это вырвалось из тайников в глубинах сознания, — поток дней, часов и секунд, казавшийся нескончаемым.

«До чего же мне холодно», — подумал Уильям. И ему вспомнилось, как однажды, много лет назад, он трясся от холода под грудой одеял перед камином в маленьком коттедже, держа на коленях свою дочь. Она медленно подняла руку, и он почувствовал, как тонкие пальчики скользят по лицу и опускают его веки...

31

На верхнем этаже торгового центра на Риджент-стрит ночной сквозняк просочился под дверь одной из спален, нашел отверстие между краем одеяла и шеей спящей женщины и заскользил по ее телу. Стало зябко.

Лиззи пошевелилась в постели, подтянула одеяло и повернулась на другой бок в попытке согреться, но это не помогло. Холод коснулся лба и носа. Веки ее вздрогнули, и она пробудилась. Что-то было неладно. Она поднялась с постели и по стылому полу прошлепала босиком до окна, собираясь его закрыть, но оно и так было закрыто. Значит, сквозняк шел не отсюда.

Лиззи выбралась из спальни на галерею, а там уже дуло вовсю. Холодный воздух потоком спускался сверху. И кому это пришло в голову поднять стеклянный купол атриума? А поднят он был на максимальную высоту — между куполом и остальной крышей образовался трехфутовый проем, в котором зияло безоблачно-черное полуночное небо, усыпанное яркими звездами. На такое небо можно долго смотреть, восторгаясь, да только босые ноги Лиззи мерзли на галерее, а сама она была слишком утомлена для восторгов.

Все, что она могла сейчас сделать, так это спуститься вниз и уведомить о случившемся мистера Беллмена.

Пальто висело за дверью; она надела его поверх ночной рубашки и в темноте нащупала ногами туфли.

Снова шагнув на галерею, Лиззи вздрогнула от неожиданного звука.

Похоже на хлопки крыльев.

Новая волна воздуха хлестнула по щекам и шее, и прямо перед ней возникло, поднявшись снизу, нечто черное — пронзительно, предельно черное, — до той поры она даже представить себе не могла такую черноту. Возникло и тут же исчезло. Озадаченная, она задрала голову вверх: что это, птица?

Так и есть! Грач.

На секунду он завис под потолком, как бы примеряясь, а затем одним сильным, выверенным взмахом крыльев бросил свое тело в проем под стеклянным куполом. Наружу! Черный на черном фоне, он был почти невидим — если бы не звезды, по исчезновению и появлению которых она смогла еще несколько мгновений следить за его полетом. Потом звезды перестали мигать.

А она все стояла, глядя вверх, вцепившись пальцами в поднятый воротник пальто, не чувствуя холода, не замечая времени. Исчезнувший грач оставил черную запись в ночном небе — и, загадочным образом, в ее памяти.

Часть третья

О вороне

...ей неведома забота,
ей неведома печаль,
ей неведомо сострадание;
ее жизнь — это сплошной праздник,
а свою смерть она встречает со спокойной уверенностью,
ибо знает, что скоро вернется в этот мир уже в качестве сказителя — или вроде того — и будет еще мудрее и счастливее, чем когда-либо прежде.

Марк Твен. По экватору

Жители городка не забыли Уильяма Беллмена и пришли проводить его в последний путь. А потом они отправились по своим делам. Только домочадцы и самые близкие остались в гостиной особняка Беллменов. Помимо Доры, Мэри и миссис Лейн, здесь были фабричные управляющие Нед и Крейс, а также Роберт, выпекавший для фабрики хлеб, — теперь он был старшим мужчиной в семье Армстронгов. Из новеньких были только Джордж и Питер, осиротевшие племянники Мэри, которых теперь приютила Дора.

— Твой отец однажды убил грача, — сказал Роберт Доре. — Еще мальчишкой. Мой отец тоже был там и потом никак не мог забыть тот случай. Все ребята в округе восхищались рогаткой твоего отца.

И он рассказал ей эту историю.

— Папа никогда не любил птиц, — сказала она. — А ведь они такие чудесные! Над фабрикой дважды в день пролетает целая туча грачей.

Он кивнул:

— Да, это флайтсфилдские грачи.

— Флайтсфилдские?

— Так их называют. На тамошнем поле обычно собирается грачиная паства.

По выражению ее лица он понял, что Дору посетила идея, а в следующий миг она предложила:

— Поедем туда прямо сейчас!

Поездка до Флайтсфилда заняла около часа, а потом еще был пеший подъем на холм; так что ко времени их прибытия на место лишь тонкая полоска неба отделяла нижний край белого солнца от горизонта. Все были нагружены: мужчины несли Дору, которая не могла самостоятельно перемещаться по неровной почве, а Мэри и дети несли клеенчатое полотно и подушки для сидения. Сразу за вершиной холма они выбрали пологий участок, расстелили клеенку и уселись, завернувшись в одеяла.

Пейзаж был не из тех, что вдохновляют художников: просто обширное поле, полоса леса вдали и белизна зимнего неба вверху.

— И где же они? — спрашивал Джордж, племянник Мэри. — Почему их не видать?

— Мы их опередили, но скоро они появятся.

Дора сверилась с часами, а потом взяла бинокль и оглядела горизонт.

— Посмотрите туда, — сказала она, указывая на запад.

Там в небе появились точки, пока еще слишком далекие, чтобы можно было отследить их перемещение.

Ну вот, это первые, со стороны Страуда. Она наводила бинокль в разные стороны и видела то, что другие пока еще не могли: новые группы птиц, прибывающие со всех направлений. Наконец она опустила бинокль на колени, обняла за плечи Джорджа, чтобы им обоим было теплее, и приготовилась наблюдать за спектаклем.

Они приближались с севера, юга, востока и запада. Группами по два-три десятка они стартовали из разных мест, по пути сливались с другими группами, образуя все более крупные стаи, а к Флайтсфилду приближались уже бесконечно длинными колоннами. Через несколько минут первые грачи пошли на снижение, у самой земли захлопали крыльями, вытягивая когтистые лапы, — и совершили посадку. За ними следовали другие, и очень скоро уже десятки, а затем сотни грачей расхаживали по полю на глазах у кучки зрителей. Небо густо заполняли все новые птицы: тысячи их черными реками стекались к пункту назначения — двигаясь слаженно и сосредоточенно, с ясным пониманием своей цели — и каскадом низвергались на землю.

При таком их количестве нетрудно было поверить в то, что здесь собрались все грачи мира. А они прибывали и прибывали. Приземлившиеся занимали каждый свободный пятачок, растекаясь по полю жирной кляксой, и бурая пахота все слабее проглядывала сквозь черноту перьев. Грачиный грай, когда эти птицы собираются сотнями и тысячами, совершенно не похож на шум, производимый ими в сравнительно небольших количествах. Множество голосов сплавлялись, образуя звуковой эффект, который, казалось, не мог издаваться живым существом — скорее это напоминало утробное звучание самой планеты. Вот поле заполнилось на три четверти, вот уже на четыре пятых; и все меньше места оставалось для новоприбывших. Иногда, не рассчитав точность приземления, птицы опускались на спины сородичей, и возникала куча-мала, которая затем понемногу рассасывалась.

Наконец небо начало проясняться: грачиные тучи редели. Сплошной поток стал распадаться на отдельные волны, которые раз от раза слабели, а еще через несколько минут на землю сели последние птицы, и пейзаж четко разделился на пустое небо вверху и кишащее птицами поле внизу.

Теперь мир взял паузу. Солнце опустилось еще чуть ниже. Воздух стал чуть холоднее. Несколько пар человеческих глаз, не мигая, взирали на многотысячное сборище грачей, меж тем как шум стал быстро угасать.

И вот наступила тишина. На поле все замерло.

Но вот где-то в самом сердце этой птичьей массы, еще невидимый для зрителей, шевельнулся один грач. Потом он расправил крылья и взлетел. За ним по одному потянулись другие, и ниточка черных птиц поднялась вверх, закручиваясь спиралью в сумеречном воздухе. У основания нить стремительно утолщалась, спираль набирала мощь, раскачиваясь в небе и разрастаясь, как капля черной краски, упавшая на поверхность воды. Трудно было поверить, что это явление состоит из отдельных птиц; оно казалось единым живым существом, вздымающимся в небеса и принимающим разные фантастические формы.

Озеро птиц внизу сокращалось в размерах по мере того, как черная масса устремлялась ввысь из его центра, присоединяясь к вихревому танцу. Настал момент, когда последние грачи покинули землю и вся их паства образовала в воздухе гигантскую фигуру, постоянно меняющую очертания. Время потеряло значение. Будущее и прошлое исчезли, существовал только этот миг.

«Я уже это видела, — подумала Дора, — миллион лет назад, в другом мире». Сейчас эти образы находились за пределами ее понимания, но она явно знала их в прошлом, — стало быть, придет день, когда она узнает их вновь. А сейчас она просто наблюдала, затаив дыхание. Она забыла об окружающих, забыла о себе, забыла обо всем, кроме этого сказочного чередования картин, которые запечатлевались у нее в душе одновременно с их появлением в небе.

Люди так увлеклись зрелищем черного вихря, танцующего над Флайтсфилдом, что никто из них не заметил, как первые птицы начали выпадать из общей массы и опускаться на вершины далеких деревьев. Но через какое-то время уже нельзя было не заметить, что число грачей в небе убывает. Небесные фигуры поблекли и стали менее подвижными. А потом они и вовсе рассыпались; в воздухе оставалась лишь сотня-другая птиц, которые зависали, высматривая себе местечко на ветвях. Голые зимние деревья были сплошь покрыты грачами, и в сгущающихся сумерках зрители с трудом смогли разглядеть последних садящихся птиц.

Когда сказочный небесный танец подошел к концу, люди начали моргать и переводить дух, словно освобождаясь от магических чар. Они как будто слегка удивились, обнаружив себя сидящими на пологом склоне холма, — ведь последние полчаса они, казалось, провели совсем в другом месте. А теперь их души возвращались обратно в тела. Они шевелили пальцами на руках и ногах, находя это ощущение странным. Широкие грудные клетки и отсутствие перьев на коже смутно представлялись им какими-то нелепыми отклонениями от нормы.

Джордж обвел соседей невидящим взглядом: его детский разум был переполнен грачиными чудесами, и ничто иное уже не могло его удивить. Потом он зевнул и, не сказав ни слова, погрузился в глубокий сон. Дора держала его в объятиях, пока остальные собирали подушки и сворачивали клеенчатое полотно. Никто из компании не заговорил, но когда они встречались глазами, возникало чувство взаимопонимания, будто они все вместе владели неким важным секретом.

Дора светилась от тихого ликования. Казалось, она разом впитала всю красоту и все величие этого мира — именно так действует на человека приобщение к грачиным ритуалам. Однажды с этим соприкоснувшись, вы остаетесь под впечатлением на всю жизнь. Грачиный вихрь будет пульсировать в вашей крови, а фантастическое чередование небесных образов будет смущать ваш мысленный взор еще долгое время после того, как сами грачи спокойно рассядутся по ветвям.

Дора с этого дня обретет душевную гармонию. Впоследствии она будет писать картины — и очень хорошие картины. Грачи даровали ей легкость руки и свободу сознания, необходимые для истинного творца...

Дора будет печальна и счастлива, она будет больна телом и здорова душой. Она будет жить так хорошо и так долго, как только сможет, а когда закончится отпущенный ей срок жизни, она умрет. Ну а грачи продолжат рисовать свои таинственные фигуры в сумеречных небесах до тех пор, пока будет существовать этот мир.

&

Когда грачи собираются в превеликом множестве, для этого есть самые разные названия. Кое-где используют выражение «грачиное сказительство».

У истории должен быть конец. В том числе у этой. И у всякой другой. У вашей тоже.

Грач — большой любитель историй. Он собирает их с той самой поры, как первые истории появились на свет, — то есть со времен первых богов, первых людей, первых грачей. И он прекрасно помнит все эти истории.

Когда ваша история закончится, ее подберет и сохранит какой-нибудь грач, как мне довелось подобрать и сохранить историю Уильяма Беллмена. Так что имейте в виду: за последней строкой на самой последней странице вас будет поджидать Мысль, или Память, или кто-то из их потомков, чтобы стать вашим проводником после того, как закроется книга. И уже за пределами книжной обложки, на пути в неведомое, грач подберет вашу историю. Потом он вернется обратно в этот мир уже без вас и в должное время объявится на чистом листе небес, чтобы принять участие в наиважнейшем из всех грачиных ритуалов.

Для начала грачи окунутся в чернильную тьму. Потом оттуда возникнет один, за ним второй, а за ними другие, сотни и тысячи, — и вот уже потомки Мысли и Памяти черными значками покрывают бумажно-белую пустоту, в безудержном и пленяющем танце празднуя акт своего единения: в сказительстве о богах, о людях, о грачах.

Между прочим, у нас тоже есть собирательное название для людей. Мы, грачи, именуем вас «человечьим посмешищем».

Источники

Создатель художественного произведения вправе вольно обращаться с историей и фактами, и я в полной мере воспользовалась этой свободой. При всем том я очень признательна упомянутым ниже авторам за ценные сведения касательно истории фабричного производства, викторианских траурных обычаев, а также образа жизни и повадок птиц семейства врановых:

Дженнифер Танн. «Шерсть и вода: глостерширская текстильная индустрия»;

Пэт Ялланд. «Смерть в викторианском семействе»;

Джеймс Стивенс Керл. «Викторианский траур»;

Тони Мазлафф. «В компании ворон и воронов»;

Марк Коккер. «Воронья страна».

Кроме того, я хочу поблагодарить Робина Митчелла, который устроил мне экскурсию по фабрике Гигга и рассказал о старых технологиях и станках, а также Джуди Фарадей и Линду Морони, сотрудниц архива компании «Джон Льюис», которые снабдили меня полезной информацией о торговле ритуальными товарами в Викторианскую эпоху.

Религиозный гимн, исполняемый в первой главе первой части, был написан Чарльзом Уэсли, а песня, исполняемая швеями — и впоследствии Уильямом Беллменом и Лиззи, — это «Эхо» Аделаиды Энн Проктер.

Благодарности от автора

В первую очередь хочу выразить благодарность Топпену Беху и Хокону Лангбалле, чьи дружба и доброе отношение ко мне и моей книге превзошли все ожидания. *Tusen tack*![1]

Я также очень благодарна Марку Коккеру за его прекрасную книгу «Воронья страна». Мой роман не был бы таким, каким получился, без его страстного и поэтичного рассказа о завораживающем действии, которое оказывают грачи на сознание и душу человека. Также спасибо Джо Энсону, Майку Энсону, Джейн Бейли, Кэтрин Бэкке Болин, Гайе Бэнкс, Эмили Бестлер, Эрин Кейтли, Фергюсу Кейтли, Пауле Кейтли, Россу Кейтли, Дженет Кук, Джудит Керр, Марианне Дауни, Дженни Джейкобс, Анне Франклин, Натану Франклину, Вивьен Грин, Дугласу Герру, Гаю Джулиеру, Мэри Джулиер, Джин Кирк, Сьюзен Лэмб, Кэролин Лемарешаль Стюве, Биллу Мэсси, Гэри Макгиббону, Стефани Росс-Расселл, Ноэлю Росс-Расселлу, Мэнди Сеттерфилд, Джо Смиту, Джулии Саммерс, Саре Томас, Сильвии Кверини, Джине Уилсон, Софии Завише.

Благодарю Оуэна Стэнли, который присутствовал при написании первых страниц, и Маргарет Николсон (она же Маргарет Йорк), которая поддерживала меня в процессе работы. Хотела бы я, чтобы вы были рядом со мной в момент завершения книги.

И наконец, спасибо моему дяде Невиллу, который поведал мне историю из своего детства — о том, как он однажды убил камнем черную птицу, сам того не желая и даже не думая, что попадет в цель.

---

[1] Большое спасибо! *(шв.)*

Содержание

Сеттерфилд Д.

С 33 Беллмен и Блэк, или Незнакомец в черном : роман / Диана Сеттерфилд ; пер. с англ. В. Дорогокупли. — СПб. : Азбука, Азбука-Аттикус, 2014. — 384 с. — (The Big Book).

ISBN 978-5-389-07620-4

Впервые на русском — долгожданный новый роман Дианы Сеттерфилд, прославленного автора «Тринадцатой сказки», признанного шедевра современной английской прозы, который заставил критиков заговорить о возвращении золотого века британского романа, овеянного именами Шарлотты и Эмили Бронте и Дафны Дю Морье.

В детстве Уильям Беллмен убивает из рогатки грача; невозможный, через все поле, выстрел тем не менее попадает в цель. Поступок этот вскоре забывается, но имеет непредсказуемые и трагические последствия через много лет, когда Уильям уже вырос, стал уважаемым человеком, счастливо женатым, с четырьмя детьми. Ведь грачи не забывают ничего... И вот ночью, на кладбище, Уильям заключает невероятную сделку с незнакомцем в черном, таинственным образом вошедшим в его жизнь; сделку, которая навсегда изменит судьбу Уильяма.

УДК 821.111
ББК 84(4Вел)-44

Литературно-художественное издание

ДИАНА СЕТТЕРФИЛД

БЕЛЛМЕН И БЛЭК, ИЛИ НЕЗНАКОМЕЦ В ЧЕРНОМ

Редактор Александр Гузман
Художественный редактор Илья Кучма
Технический редактор Татьяна Раткевич
Компьютерная верстка Ирины Варламовой
Корректоры Наталья Хуторная, Нина Тюрина

Подписано в печать 01.04.2014.
Формат издания 60 × 90 1/16. Печать офсетная.
Тираж 25 000 экз. Усл. печ. л. 24. Заказ № 8980/14.

ООО «Издательская Группа „Азбука-Аттикус“» — обладатель товарного знака АЗБУКА®
119334, г. Москва, 5-й Донской проезд, д. 15, стр. 4

Филиал ООО «Издательская Группа „Азбука-Аттикус“» в Санкт-Петербурге
191123, г. Санкт-Петербург, наб. Робеспьера, д. 12, лит. А

ЧП «Издательство „Махаон-Украина“»
04073, г. Киев, Московский пр., д. 6 (2-й этаж)

Отпечатано в соответствии с предоставленными материалами в ООО «ИПК Парето-Принт».
170546, Тверская область, Промышленная зона Боровлево-1, комплекс № 3А.
www.pareto-print.ru

ПО ВОПРОСАМ ПРИОБРЕТЕНИЯ КНИГ ОБРАЩАЙТЕСЬ

В Москве:
ООО «Издательская Группа
„Азбука-Аттикус“»
Тел.: (495) 933-76-00,
факс: (495) 933-76-19
E-mail: sales@atticus-group.ru
info@azbooka-m.ru

В Санкт-Петербурге:
Филиал ООО «Издательская Группа
„Азбука-Аттикус“» в г. Санкт-Петербурге
Тел.: (812) 327-04-55
факс: (812) 327-01-60
E-mail: trade@azbooka.spb.ru
atticus@azbooka.spb.ru

В Киеве:
ЧП «Издательство „Махаон-Украина“»
тел./факс: (044) 490-99-01
E-mail: sale@machaon.kiev.ua

Информация о новинках и планах,
а также условия сотрудничества
на сайтах

www.azbooka.ru
www.atticus-group.ru